동아시아 반일 무장전선

동아시아 반일 무장 전선

'반일(反日)'이라는 말을 듣고 지겨움을 느끼는 사람도 적지는 않을 것 같다. 선거철만 되면 친일이네 반일이네 하기 시작하는 정치인들, 3·1절이나 광복절만 되면 평소 안 하던 일제 타령을 쏟아내기 일쑤인 언론 등을 생각하면 그럴 만도 하다. 《반일종족주의》와 같은 책이 일본뿐 아니라 한국에서도 많이 팔린 사실 역시 반일이라는 말에 담겼던 감각이 사라져 가고 있음을 보여주는 듯하다. 뉴라이트 세력이 보편주의적인 시각을 내세워 편협한 민족주의를 비판하는 것처럼 보이는 까닭은 반일이 '애국'의 다른 표현쯤으로 이해되고 있기 때문이다. 그런데 과연 반일은 꼭 애국으로 귀결될 수밖에 없는 것일까?

마쓰시타 류이치가 쓴 이 책은, 다름 아닌 일본인 젊은이들이 50년 전에 반일을 내걸고 일본 전범 기업들을 폭탄으로 공격하기에 이르는 모습, 그 열정과 고민, 갈등을 생생하게 전해 준다. 이들의 모습을 접하면서 우리가 깨닫게 되는 것은, 반일이라는 말이 애국주의와 다른 것일 수 있다는, 어쩌면 너무나 당연한 사실이다. 독립운동가들이 반일을 외친 까닭도 일본인이 아닌 한국인에 의한 지배를 바란 결과는 아니지 않았던가. 독립운동이나 민주화운동 속에서 외쳐진 '반일'이라는 말에 깃든 '해방의 계기'를 되찾기 위해서도 이 책은 읽혀야 한다.

후지이 다케시 (역사학자, 도쿄외국어대 교수)

동아시아반일무장전선의 행동은 불행히도 일본 신좌파 학생운동의 오류와 멀리 떨어져 있지 않았다. 그들에게는 세계 정세나 현실사회주의의 위기를 해독하고 운동의 전략을 재정립할 지식이 부족했다. 청년 혁명가들의 어긋난 진정성은 “혁명을 향한 주관적 낭만”(시게노부 후사코重信房子)이 가닿는 필연적인 실패로 돌진했고, 매스미디어의 스펙터클에 포획될 수밖에 없었다. 이 책의 저자 마쓰시타 류이치는 다이도지 마사시와의 대화와 치열한 취재를 통해 그들의 투쟁이 왜 처참하게 실패할 수밖에 없었는지 돌아본다.

다이도지 마사시는 “우리는 대중이라는 살아 있는 구체적인 존재를 개념으로만 이해했다”고 회고하며 자신의 오류를 마주했다. 이 ‘정의로운’ 무장투쟁의 어두운 면모가 가장 폭력적인 국가권력을 떠받쳐 왔던 것은 아닐까? 그럼에도 저자는 그들이 환기시켜 주는 어떤 꺼림칙한 감정을 망각해선 안 된다고 말한다. 어두운 과거를 망각함으로써 지워버리려는 태도야말로, 억압을 영속화하는 길이기 때문이다. 이 책은 이런 의미에서 동아시아에 억압된 기억을 어떻게 되짚어야 하는지 이야기한다. 그것은 우리를 불편하게 하지만, 우리가 망각해 왔던 사유의 방식을 상기시킨다.

홍명교 (플랫폼c 활동가)

'동아시아반일무장전선'의 다큐멘터리를 만들기 위해서 도쿄를 방문했던 2015년은 그들의 체포로부터 40년이 되던 해였다. 사형선고를 받고 감옥에서 수십 년을 살아 온 이들과 감옥을 오가며 이들을 지원한 사람들 모두 노인이 되었다. 동아시아반일무장전선은 폭탄을 수단으로 당시 일본사회에 무슨 말을 하려고 했던 걸까. 영화를 만드는 내내 나는 끝도 없이 수신되는, 간단하지만 답하기 힘든 질문들에 쩔쩔매고 있었다.

《동아시아반일무장전선》의 저자 또한 나와 같은 질문들을 받아 왔고, 이 책에서 대답하고 있다. 그는 일본을 경악시킨 사건의 이후를 살아내고 있는 부대원들과, 그들의 가족이나 지원자들이 겪어내고 있는 심리적인 변화나 일상을 세심하게 살핀다. 부모의 평온한 일상을 한순간에 날려버리고 시작된 암담한 고통의 시간, 그로부터 시작된 멈출 수 없는 사유의 시점에서 이야기를 시작한다. 그것이 나의 삶을 되돌아보는 것뿐만 아니라 내가 존재하고 있는 사회와 역사에 대해서 탐구하게 하고, 이 시대를 살아가야 하는 자세에 대해서 되묻게 한다.

한국에서 이 책이 출간되어 너무 기쁘다. 그들로부터 발신되는 편지가 많은 독자들에게 도착하기를 바란다.

김미례 (다큐멘터리 〈동아시아반일무장전선〉 감독)

차례

한국어판 서문 · 오타 마사쿠니 9

프롤로그 17

제1장 죽을 기회를 놓치고 27

제2장 구시로, 오사카, 도쿄 85

제3장 늑대의 탄생 143

제4장 도쿄 내 비상사태 선언 197

제5장 무지개 작전 255

제6장 사형선고 309

에필로그 365

후기 374

해설 · 사이토 다카오 376

일러두기

1. 마쓰시타 류이치(松下竜一)의 《봉화를 보라: 동아시아반일무장전선 늑대 부대(狼煙を見よ: 東アジア反日武装戦線"狼"部隊)》(河出書房新社, 2017)를 완역했다.
2. 단행본은 《 》, 그 외의 잡지·보고서·노래·영화 등은 〈 〉로 표기했다.

한국어판 서문

1

'동아시아반일무장전선', 이는 1974년부터 1975년에 걸쳐 일본에서 정치적인 목표를 갖고 활동한 사람들이 스스로를 칭한 이름이다. 한국에서는 최근에야 이에 관한 두 개의 작품이 나왔다. 하나는 김미례 감독의 다큐멘터리 영화 〈동아시아반일무장전선〉(일본판 제목 〈늑대를 찾아서(狼をさがして)〉)이다. 또 하나는 동아시아반일무장전선의 멤버였던 다이도지 마사시(大道寺将司)의 서간집 번역서인 《최종 옥중 통신》(에디투스, 2022)이다. 여기에 현대 일본의 저명한 논픽션 작가인 마쓰시타 류이치(松下竜一)가 쓴 책인 《동아시아반일무장전선》(원제는 《狼煙を見よ(봉화를 보라)》)이 더해짐으로써 반세기나 지난 과거에 일본 전역을 뒤흔들었던 동아시아반일무장전선이란 무엇이었는가를 둘러싼 한국에서의 이해도가 현저히 깊어질 것으로 기대한다.

마쓰시타가 이 책을 집필하기 위해 취재를 시작한 것은 1985년 초였다. 마쓰시타는 1년 반의 시간에 걸쳐 다이도지와 면회하고 편지 왕래를 계속하며 성장 과정이나 동아시아반일무장전선 활동에 관한 증언을 들었다. 등장인물들은 대체로 가명으로 등장하지만 다이도지의 어머니와 주변 사람들에 대한 취재도 면밀히 진행했다. 그렇기에 오랫동안 동아시아반일무장전선 피고들의 구원 활동을 해온 내가 봤을 때, 이 책을 토대로 동아시아반일무장전선의 의도와 투쟁 과정을 이해해도 아무런 문제가 없다고 생각한다.

이 책은 1986년 말에 문예지에 실렸고, 1987년 1월에 단행본으로 간행되었다. 그리고 두 달 후인 1987년 3월, 대법원의 판결로 다이도지 등 두 명의 사형이 확정되었으며, 다이도지는 2017년 5월에 구치소 내에서 병사했다. 다이도지의 성장 과정, 동아시아반일무장전선 활동의 기반이 된 그들의 사고, 체포되어 공판이 시작된 초기 단계까지의 일은 이 책에 과장되거나 부족함 없이 거의 정확하게 그려져 있다.

이 책에 쓰인 것처럼 마쓰시타와 다이도지의 만남은 다이도지가 옥중에서 마쓰시타에게 보낸 편지 한 통으로 시작되었다. 마쓰시타는 1969년 첫 책 《두붓집의 사계》를 출간했다. 이는 규슈의 한 지방 도시에서 가업인 조그만 두붓집을 물려받은 청년의 일상을 하이쿠로 기록한 책이다. 다이도지 등이 체포되고 9년이 지난 1984년, 옥중에서 인연이 닿아 이 책을 만난 다이도지는 깊이 감동했다는 내용을 편지에 담아 마쓰시타에게 보냈다. 다이도지가 이 책에 감동받은 이유는 다음과 같다.

다이도지 등은 일본 제국주의에 의해 식민지가 되거나 침략 전쟁을 겪은 동아시아 지역의 민중에 대한 뜨거운 마음을 일본에 사는 그 누구보다도 빨리 가슴에 품었다. 자국의 역사를 돌아보며 침략당한 타국의 희생자에게 '면목 없다', '미안하다'고 생각하는 그 마음은, 이러한 역사와 침략을 용인해 온 일본 민중은 곧 제국주의 본국의 민중이라는 인식을 갖게 했을 것이다. 하지만 이들은 무심하게 '민중', '인민', '대중' 등의 단어를 대의로 사용하면서도 실은 '인민'을 구성하는 한 사람의 일상이나 개성에 대해 진지하게 생각하지 않았다고 회고했다. 미쓰비시중공업 빌딩 폭파로 다수의 사상자가 발생했던 것은 아마 이 때문이었을까. 사람을 살상할 의도가 없었기에 다이도지와 부대원들은 이렇게 돌아볼 수밖에 없었다.

자국의 가해 책임을 물어야 하는 행위가 바로 자신들이 미래에 연계되지 않으면 안 되는 자국 민중을 죽고 다치게 한 일 — 이들은 이 중대한 잘못을 사건 직후에도 직감했다. 하지만 정상적인 판단력을 잃었던 다이도지 등은, 미쓰비시중공업 빌딩 폭파로 죽은 사람은 "'같은 노동자'도, '무관한 일반 시민'도 아니다. 그들은 일본 제국주의 중추에 기생하고 식민주의에 참여하여 식민지 인민의 피로 뒤룩뒤룩 살찐 식민자다"라고 단정함으로써 자기 성찰을 회피했다. 자기 자신들도 바로 일본 민중의 일원임에도 불구하고 일본 민중 전반에 대한 절망감과 불신감을 지울 수 없었다는 사실을 새삼 깨달은 것이다.

그래서 다이도지는 마쓰시타가 《두붓집의 사계》에서 그린, 열심히 일하며 가족과 함께 살아가는 아주 흔한 '서민'의 모습에서 '오만'했던 자신들의 모습을 떠올렸다. 마쓰시타에게 보낸 편지에서처럼 “《두붓집의 사계》를 읽고 감동하여 눈물을 흘린” 이유다.

2

다이도지는 대법원에서 사형이 확정된 직후(이 책이 간행된 직후이기도 하다) 하이쿠 창작을 즐기게 되었다. 일본에서는 사형이 확정된 사람에 대한 처우가 무척 혹독하다. 면회할 수 있는 사람도 편지 왕래를 할 수 있는 사람도 변호인과 부모를 제외하면 몇 명으로 제한된다. 차입할 수 있는 책이 적어지자 다이도지는 구치소에 비치된 책장에서 문득 마쓰오 바쇼(松尾芭蕉)와 마사오카 시키(正岡子規) 등 유명한 하이쿠 작가(俳人)의 책을 집어들었다. 하이쿠는 17자로 이루어진 일본 특유의 짧은 시 형식이다. 다이도지는 그 책을 탐독하는 중에 어느새 자신도 하이쿠를 짓게 되었다. 하지만 처음 몇 해에 지은 1만여 수는 너무 ‘졸렬’하고 자신의 마음에도 들지 않아 발표하지 않고 버렸다고 스스로 썼다.

그러나 그는 긴 글이나 논문과는 달리 불과 17자라는 엄격한 제약을 가진 하이쿠의 세계에서 자신의 심경, 상황, 처지, 풍경, 사회에 대한 마음 등을 표현하는 근거지를 발견한다. 일본의 사형수가 유폐되어 있는 곳은 불과 7.5제곱미터의 독방이다. 머리 위 천장에는 24시간 그 동태를 감시하는 카메라가 달려 있다. 풍경에서는 동떨어져 있어 날씨가 좋고 나쁜지 정도밖에 알 수가 없다. 하이쿠에서는 일반적으로 화조풍월(花鳥風月)을 읊는 시인이 많지만, 다이도지의 경우는 그 실물을 감지할 수가 없었다. 그래서 구금되기 전인 26살까지 접한 외부 세계에 대한 '기억'에 의존하거나 그저 '상상'해 볼 수밖에 없다. 따라서 사형수인 자신이 하이쿠를 지을 때 환기하는 것은 "가해의 기억과 회오이고 지진 피해, 원전 사고, 그리고 뒤숭숭한 상황 등에 대해서다"라고 했다. (《잔월—다이도지 마사시 하이쿠집(残の月ー大道寺将司句集)》(太田出版, 2015)의 "후기")

하이쿠 중에는 깊은 경지가 느껴지는 작품들도 많지만 무엇보다 자신의 '가해의 기억'에 얽매인 하이쿠가 많다.

> 죽은 이들에게 어떻게 사죄하나, 고추잠자리 (1998)
> 봄날 천둥소리에 죽은 이들의 목소리 겹쳐지네 (2000)
> 죽는 건 죗값이 되려나, 풍뎅이 (2000)
> 늦은 가을, 죽은 이에게 받지 못한 용서인가 (2000)
> 번갯불, 어쩔 도리 없는 후회가 다시 밀려든다 (2002)

다이도지는 마쓰시타에게 처음으로 편지를 썼을 때의 '생각=자성(自省)의 마음'을 마지막까지 계속 가지고 있었다고 할 수 있다. 영화 〈동아시아반일무장전선〉의 김미례 감독은 말한다. "그들은 자신들 때문에 희생된 사람들의 죽음과 마주하며 살지 않으면 안 되었습니다. 고통스러웠을지도 모르지만, 다행히도 '가해 사실'과 마주할 시간을 가질 수 있었습니다"(일본어판 극장용 책자에 수록된 김미례 감독의 "프로덕션 노트", 2021). 김미례 감독의 이런 생각에 나도 공감한다.

반성을 위해 필요했던 시간은 다른 의미에서도 헛되이 지나가지 않았다. 동아시아반일무장전선은 풍요로운 일본 사회의 저변을 형성하는 날품팔이 노동자의 '혁명성'에 대한 과도한 기대 및 동경과 구식민지=저개발국 민중에 대한 깊은 속죄의식을 함께 갖고 있었다. 대중운동을 경시했던 그들은 그런 사람들과 구체적인 관계를 갖지 않은 채, 이를테면 윤리적인 사고만 일방적으로 깊게 했다고 할 수 있다. 이 지점에서 중대한 논리적 실천적 과오가 생겼다는 것도 이미 살펴봤다.

그러나 지금은, 예를 들어 한국의 일본 연구자인 권혁태의 《평화 없는 '평화주의'—전후 일본의 사상과 운동(平和なき「平和主義」ー戦後日本の思想と運動)》(法政大学出版局, 2016)이나 김미례 감독의 〈동아시아반일무장전선〉 등 이와 같은 문제를 다룬 작품들이 있다. 덕분에 우리는 어떤 실질적인 형태도 갖지 않은 채 추상적으로 생각하거나 윤리적으로 비판하는 데서 해방되어 공통의 과거, 현재, 미래를 향한 상호토론을 하며 앞으로 나아갈 기반을 갖게 되었다고 할 수 있다. 그것이야말로 동아시아반일무장전선이 남긴 교훈을 헛되이 하지 않기 위한 출발점이라고 생각한다.

2024년 4월 30일

오타 마사쿠니(太田昌国, 민족문제 연구자)

프롤로그

도쿄 구치소에 수감 중인 다이도지 마사시(大道寺将司)로부터 처음 편지를 받은 것은 1984년 7월 하순의 일이다. 옥중의 그는 반드시 봉투 겉면에 발신인인 자신의 이름과 발신 날짜와 몇 장의 편지지가 들어 있는지를 나란히 명기했다. 구치소 당국에 의해 발신이 지체되거나 내용물이 빠지는 일을 경계하는 옥중에 있는 사람 특유의 조심성일 것이다. 첫 번째 편지의 겉봉에는 1984년 7월 16일 보냄(편지지 3매 재중)이라고 적혀 있었다. 내가 옥중의 다이도지에게 편지를 보낸 적은 없었기 때문에 그에게서 온 이 첫 번째 편지가 우리 두 사람 사이를 잇는 첫 소식이었던 셈이다.

제1심, 제2심 모두 사형을 선고받고 옥중에 있는 생면부지의 정치범으로부터 편지를 받았으나 나는 그다지 놀라지 않았다. 언젠가 그로부터 편지가 올 수도 있다고 예상하고 있었던 것이다. 그가 내게 편지를 쓰게 된 경위는 앞서 편지를 보낸 또 다른 한 수형자를 통해 소상히 알고 있었다. 그는 우라와 구치지소에 수감되어 있는 미결수 다케모토 노부히로(竹本信弘)로, 그와 나의 편지 왕래는 그 전해인 1983년 11월에 시작되었다. 그가 체포된 지 1년 남짓 지났을 무렵이다.

'자위대 아사카(朝霞) 주둔지 자위대원 강도치사 사건'의 공모공동정범 용의로 지명수배된 다케모토 노부히로가 10여 년에 이르는 도피 생활 중에 가나가와현 내에서 체포된 것은 1982년 8월 8일이었다. 일찍이 '전공투(全共闘) 시대'라 불린 1960년대 말에 교토대 경제학부의 조수였던 그는 다키타 오사무(滝田修)라는 필명으로 활동했고 그 급진적인 언동으로 투쟁하는 학생들의 교조적 존재였다고 한다. 나는 그 무렵의 그를 알지는 못했다. 다만 다키타 오사무가 체포되었다는 신문기사를 보고 큰 충격을 받은 것은, 그를 숨겨주고 있다가 함께 체포된 여성이 내가 잘 아는 인물이었기 때문이다.

그해 나는 《루이즈 — 아버지에게 받은 이름은(ルイズー父に貰いし名は)》으로 제4회 고단샤(講談社) 논픽션상을 수상했는데 도쿄에 있는 친구들이 수상식에 참석하기 위해 상경한 나를 둘러싸고 하룻밤 축하 모임을 열어준 적이 있다. 축하 모임을 준비하는 데 애써 준 A가 바로 체포된 그 사람이었다. 그 자리에서 만나고 대략 한 달 후에 체포된 것이라 충격적이었다. A와 다케모토의 관계는 주위의 아무도 눈치채지 못했다. 나는 그때도 당연히 형사가 잠복하고 있었을까 하고 지하철 플랫폼에서 A와 헤어지던 장면을 다시 생각하고 있었다. 결국 내가 옥중의 다케모토 노부히로를 알게 된 것은 A를 매개로 해서다.

석방된 A는 내가 《루이즈 — 아버지에게 받은 이름은》에 이어서 발표한 《규 씨전(久さん伝)》을 옥중에 있는 그에게 차입했고, 그는 그 책을 읽은 뒤 감상을 써서 내게 보냈다. 이것이 첫 번째 편지였다. 《규 씨전》은 오스기 사카에(大杉栄) 문하의 아나키스트 와다 규타로(和田久太郎)의 평전이다. 와다 규타로는 학살당한 오스기 사카에와 이토 노에(伊藤野枝) 등의 원수를 갚으려고 간토대지진 직후의 수도계엄사령

관이었던 육군 대장 후쿠다 마사타로(福田雅太郎)를 저격했으나 실패하고 체포되었다. 그 후 그는 아키타 형무소에서 목을 매고 죽었다. 와다 규타로에게 보내는 다케모토의 공명은 무척 깊은 것 같았다.

사실 이 책을 둘러싸고 정작 저자인 내가 모르는 데서 대수롭지 않은 작은 드라마가 생겨났다. 여기에는 옥중에 있는 또 한 명이 등장한다. 다이도지 마사시와 마찬가지로 도쿄 구치소에 수감 중인 미결수 가마타 도시히코(鎌田俊彦)다. 1971년 9월부터 12월에 걸친 파출소 연쇄폭파 사건으로 지명수배되어 숨어 생활하던 그는 1980년 3월에 체포되어 1심에서 무기징역을 선고받았다. 같은 옥중의 정치범끼리 편지 왕래는 일찍부터 있었던 모양이지만, 가마타는 1984년 봄에 《규 씨전》의 감상을 써서 다이도지에게 보낸다. 다이도지 역시 그 책을 읽었기 때문에 독후감을 곧바로 가마타에게 보냈다. 그런데 가마타가 기대했던 감상과는 뉘앙스가 좀 달랐다. **정색**을 한 가마타는 “자네는 이 작가를 잘 모르네. 《두붓집의 사계(豆腐屋の四季)》를 꼭 읽어 보게”라고 성급하게 권한다. 가마타 도시히코는 야마구치현 도쿠야마시에 숨어 지내던 중에 나의 첫 작품인 《두붓집의 사계》를 봤던 것이다.

다이도지는 《두붓집의 사계》를 곧장 가져오게 해 읽은 뒤 그때부터 가마타에 대해 갑자기 친근감을 갖게 된다. 그때까지는 굳이 말하자면 전사 가마타와의 표면적인 교류였지만 이제 그의 맨얼굴이 보여 인간 가마타에게 편지를 쓸 수 있게 되었다. 이를테면 다이도지는 《두붓집의 사계》에 감격하는 가마타라는 인간에게 공명했던 것이다. 그래서 이번에는 다이도지가 이미 편지 왕래를 했던 다케모토에게 가마타를 소개하게 된다. 다케모토 역시 《규 씨전》에 이어 《두붓집의 사계》를 읽은 상태였다. 나는 상상도 하지 못한 곳에서 그 책이 옥중의 세 명의 정치범을 그렇게 이어주는 역할을 하고 있었다. 다케모토가 편지로 다소 극적인 경위를 하나하나 자세히 알려 주었기 때문에 나는 다이도지로부터 첫 편지를 받았을 때도 의외라고 생각하지 않았다.

그해 여름 B가 "옥중에는 갑자기 《두붓집의 사계》 붐이 일어났습니다"라고 할 정도로 많은 정치범들에게 그 문고판이 퍼지고 읽혔다. 다케모토, 가마타, 다이도지, 이 세 사람이 앞을 다투어 옥중의 동지들에게 이 책을 선전하고 B가 차례로 차입한 결과다. 다른 저작은 모르겠지만 《두붓집의 사계》를 옥중의 정치범들이 애독하는 모습이 내게는 무척 의외였다. 이 작품을 발표한 것은 바로 전공투 시대가 한창일 때였고 그때의 나는 반역의 바리케이드를 쌓고 있던 성난 젊은이들은 힐끗 쳐다보지도 않았다는 굴절된 생각을 하고 있었기 때문이다.

내가 첫 번째 책 《두붓집의 사계》를 타자로 쳐서 인쇄하여 자비로 출판한 것은 1968년 12월이다. 이듬해 4월, 그 내용 그대로 고단샤에서 다시 간행했다. 제목이 보여 주는 대로 이 작품은 두붓집을 했던 내 생활을 단카(短歌)와 단문으로 쓴 수기다. 부제를 '어느 청춘의 기록'이라고 붙인 것처럼 이 한 권은 작품이기 이전에 내 20대의 나날이 소박하게 담겨 있다. 청춘이라 부르는 것도 망설여질 만큼 어둡게 틀어박힌 나날이었지만.

고등학교를 졸업한 해의 봄, 어머니가 갑작스럽게 돌아가시는 생각지도 못한 불행을 겪은 나는 진학을 단념하고, 망연자실한 아버지를 도와 가업인 두붓집에서 일하지 않을 수 없었다. 하지만 두부 만드는 사람으로서 나는 너무나도 무능했다. 병약한 데다 무능력하고 재주가 없었던 나는 열심히 일했는데도 계속해서 아버지를 한숨짓게 했다. 어머니를 여읜 충격으로 가정은 엉망이 되었고, 네 명의 남동생 중 누군가는 가출하고, 누군가는 행방불명되고, 누군가로부터는 송금을 해달라는 비명 같은 속달이 오는 날의 반복이었다. 나는 장남으로서 이 가정을 지키기 위해 꿈은 모두 억누르고 새벽 3시 전부터 일어나 묵묵히 일을 계속했다. 가까스로 찾아온 구원은 20대 중반에 단카와 만난 일이었다. 그때부터 오로지 두붓집의 고독한 생활을 계속해서 단카에 담았다. 그리고 이를 계기로 나는 《두붓집의 사계》를 쓰게 된다.

1969년 봄, 나는 《두붓집의 사계》로 일약 각광을 받았다. 20대를 한 명의 친구도 없이 지낸 내가 갑자기 사람들 앞에 서게 되고 모범 청년으로 칭송받게 된 것이다. 《두붓집의 사계》는 오가타 겐(緒形拳)이 주연인 연속 텔레비전 드라마로 만들어지기도 했다. 그러나 그렇게 갑작스럽게 전개되는 상황 속에서 나는 일찌감치 위화감을 느끼기 시작했다.

왜 자신이 이렇게나 모범 청년으로서 추켜세워지는가 하는 거북함의 정체가 보이기 시작한 것이다. 그것은 내가 거칠게 날뛰는 대학생들의 대극에 놓였다는 사실이다. 전국의 캠퍼스에 바리케이드가 쳐지고 헬멧을 쓴 학생들이 모든 권위를 부정하며 각목으로 무장한 채 반란에 나선 시기였다. 내가 모범 청년으로서 추켜세워지는 것의 의미는 그들과 대조할 때 선명하게 보인다. 사람들은 영세한 두붓집을 하는 사람으로서 분수를 지키고 묵묵히 견디며 일하는 얌전한 젊은이를 보면서 안심할 수 있었던 것이다.

그것을 깨달았을 때 나는 견딜 수 없을 만큼 수치심에 휩싸였다. 돌이켜보면 얼마나 조그맣게 틀어박혀 살았던 20대였나 하고 생각한다. 내가 살았던 범위는 집과 두부를 도매하며 다니는 열 곳 남짓한 작은 식품점이 전부였다. 1960년 안보투쟁의 그 뜨거운 계절에도 나는 한 번도 데모에 참여한 적이 없다. 늘 황폐하고 가난한 생활에 쫓기고 있었다고는 해도 역시 겁쟁이에 지나지 않았던 20대였다는 후회가, 수많은 사람에게 칭송받음으로써 역으로 내 가슴을 물어뜯기 시작한 것은 아이러니였다.

1970년 7월, 나는 돌연 두붓집을 폐업하고 저술업으로 전신한다. 뭔가를 쓸 수 있다는 계획이 있어서 전신한 것은 아니었다. 뒤늦게나마 이번에야말로 좀 더 자유로운 생활 방식으로 사회적 행동에도 발을 들여놓고 싶다는 간절한 바람이, 가장 제약이 없을 것처럼 보이는 직업을 선택하게 한 것에 지나지 않는다. 전공투라 불린 젊은이의 반란이라는 계절이 어느덧 종언을 고하려고 하던 무렵, 나는 때늦은 청년처럼 머뭇머뭇 새로운 생활 방식에 발을 들여놓았다. 서른세 살이었다.

절판된 지 오래된 《두붓집의 사계》가 문고판으로 다시 간행된 것은 1983년 6월이다. 이 문고판으로 다이도지 마사시는 《두붓집의 사계》를 읽을 수 있게 되었다. 그런데 전공투 세대 중에서도 가장 눈에 띄게 폭탄 투쟁으로까지 내달렸던 그가 왜 겁쟁이에다 위축된 채 틀어박혀 살았던 자의 기록에 마음이 끌리는지 정말 이해할 수 없는 일이었다. 역시 내게도 그들은 '폭탄마(爆彈魔)'로 규탄받은 냉혹하고 비정한 테러리스트라는 이미지가 새겨져 있고, 그것은 도저히 《두붓집의 사계》의 세계와 결부시킬 수 없는 간격을 느끼게 했다.

다이도지 마사시로부터 첫 번째 편지를 받은 날, 나는 확인을 위해 이와나미(岩波) 출판사에서 나온 《근대 일본 종합 연표 제2판》을 펼쳐보았다. 1974년 8월 30일 항목에 그가 일으킨 사건이 간략하게 기록되어 있었다.

> 동아시아반일무장전선, 도쿄 마루노우치 미쓰비시중공업 본사 앞에 시한폭탄을 설치, 대폭발. 행인 8명 사망, 385명 중경상.

10년 전의 대참사에 대한 인상은 기억에 새겨져 있었으나 구체적인 피해자 수는 이미 잊고 있었다. 이 연표로 다시 확인했을 때 내 안에 머뭇거림이 없었다면 거짓말일 것이다. 하지만 나는 이제 다이도지 마사시와 정면으로 마주하는 것을 각오해야 했다. 《두붓집의 사계》에 감동한 가마타 도시히코를 다이도지가 다시 보았던 것처럼 나 역시 이제 다이도지 마사시를 다시 보아야 했다. 생각해 보면 나는 다이도지 마사시에 대해서 신문에 보도된 것만 알 뿐, 아무것도 알지 못하고 있었다. 그리고 신문 보도가 얼마나 진실을 전할 수 없는지, 나는 몇몇 기록 작품을 쓰는 과정에서 이미 지겨울 정도로 알고 있었다.

내가 도쿄 구치소로 찾아가 처음으로 다이도지 마사시와 면회를 한 것은 1985년 3월 19일이다. 다이도지의 어머니가 동행해 주었다. 첫 번째 편지를 받고 나서 첫 면회까지 8개월이 경과한 것은 역시 나의 머뭇거림이 길었기 때문이라는 것을 고백하지 않을 수 없다.

제1장 죽을 기회를 놓치고

1

1975년 5월 17일 자정부터 내리기 시작한 홋카이도 남부 지방의 비는 머지않아 구시로시에 기상대가 생긴 이래 기록적인 호우가 되어 18일에도 계속 내렸으며 그날 저녁에 이르러서야 그쳤다. 그러나 비구름은 여전히 낮고 묵직하게 깔려 있었다.

구시로시 미도리가오카에 있는 다이도지의 집 거실 전화벨이 울린 것은 저녁 9시 반이다. 도시코(年子)가 수화기를 들었다. 도쿄의 아야코(あや子)였다.

"거기 비 피해는 없었어요? 뉴스를 보고 마사시 씨도 걱정해서요."

"아아, 고마워. 미도리가오카는 고지대라서 괜찮은데 시내 여기저기 벼랑이 무너지는 피해가 난 모양이야. — 돗토리 쪽도 괜찮아."

시내인 돗토리초에는 아야코의 친정이 있다. 아야코의 어머니가 상경해서 지금 고토구에 사는 장녀의 집에 머무르고 있다는 것을 도시코는 알고 있었다.

"어머니도 내일은 그쪽으로 돌아갈 거예요. 제가 오늘 페리 표를 사러 갔었으니까요. — 아버님은 이제 여행의 피로는 가셨나요?"

"그럼, 이제 괜찮아. 여전히 누워 있는 일이 많지만 치코를 데리고 산책을 가기도 하고…."

"그렇군요, 되도록 조금씩이라도 몸을 움직이지 않으면

약해지니까요. — 드디어 그때의 사진이 나왔으니까 내일 보낼게요."

"어머나, 그래? 그거 참 기대되는구나."

도시코는 그만 전화기에 대고 들뜬 목소리를 내고 있었다. 전화를 끊은 후 도시코는 아직 그 여운이 남은 목소리로 옆에 있는 남편에게 알려주었다.

"아야코가 내일 사진을 보내준대요."

"으음. 벌써 나온 건가? — 사이고(西鄉) 동상 앞에서 찍은 것이 있었지?"

그때의 정경을 마음속으로 떠올린 것인지 텔레비전 앞에 드러누워 있던 나오시(直)가 얼굴을 들고 미소를 지었다.

아들 부부가 불러 다이도지 나오시와 도시코가 상경한 것은 5월 2일이었다. 그해 3월 말에 나오시가 구시로 시청에서 시소비자협회 사무국장을 마지막으로 정년퇴직하자 이를 계기로 마사시가 두 사람에게 꼭 도쿄에 한번 오라고 재촉한 것이었다. 도시코가 남편 나오시와 함께 여행을 한 것은 이제 생각해 낼 수도 없을 만큼 먼 날의 일이었다. 그것도 홋카이도 내에서 한 여행일 뿐이어서, 구시로 공항으로 향하는 차 안에서부터 역시 가슴이 두근거렸고 길가에 점점이 이어진, 이미 흐트러진 머위의 어린 꽃줄기에도 시선을 빼앗기고 있었다. 이날은 바라던 대로 5월의 쾌청한 날이어서 도시코는 처음으로 하늘 위에서 홋카이도 남부의 웅대한 해안선을 내려다볼 수 있었다.

하네다 공항에는 마사시와 아야코가 마중을 나와서 모

노레일과 전철을 갈아타고 둘이 사는 연립주택으로 갔다. 도쿄 아라카와구 미나미센주 7초메 26번지 12호의 오토모소(大友荘)는 구립 제3즈이코(瑞光) 초등학교 앞에서 들어간 좁은 골목 안쪽에 있었다. 목조 모르타르 이층집의 아래층은 주인집과 목공소이고 2층에는 두 집이 있다. 2층으로 가려면 후미진 곳에 있는 외부 철제 계단을 올라가야 한다. 이 주변은 인가나 작은 공장이 밀집한 서민 동네로, 그중에서도 오토모소는 가장 보이지 않는 곳에 있다. 좁은 현관을 들어서면 그곳이 바로 다이닝 키친이고 안쪽으로 다다미 넉 장 반을 깐 방과 여섯 장을 깐 방이 나란히 있다.

"여긴 욕실이 없는 모양이구나."

아무래도 피곤한 모습의 나오시는 좌탁이 있는 다다미 넉 장이 깔린 방에 앉아서 마사시에게 말했다. 나오시는 땀을 심하게 많이 흘리는 체질이어서 목욕을 좋아했다.

"이렇게 좁은 집이라 욕실은 없지만 바로 근처에 공중목욕탕이 있어요. 이 주변 사람들은 다들 공중목욕탕에서 서로 등을 밀어 주고 그래요. — 먼저 같이 가실래요?"

마사시가 일어서려고 했지만 나오시는 공중목욕탕이라는 말을 듣고 마음이 내키지 않은 듯 "나중에 가지 뭐"라고 중얼거렸다.

오토모소의 현관에 들어섰을 때부터 도시코는 집이 너무 좁아 깜짝 놀랐다. 검소한 가구나 살림살이에서도 평소 참고 견뎌온 생활이 엿보였다. 나오시도 같은 마음이었을 것이다. 이윽고 술상이 나왔을 때 "마사시" 하고 목소리를 바꿨다. 나오시가 아들을 부를 때는 독특한 어조가 있는데 도시코에게는 '맛시이'라고 부르는 것처럼 들린다. 오랜만에 그 소리를 듣고 도시코는 자신도 모르는 사이에 미소를 지었다.

"이건 엄마하고도 의논해서 결정한 건데 말이야…. 아버지 퇴직금 일부를 너희들한테 나눠주려고 해. 아버지와 엄마는 그런 돈이 없어도 그럭저럭 살아갈 수 있으니까…."

맥주잔을 들고 있던 마사시는 잠깐 아야코와 얼굴을 마주했지만 입을 열었을 때는 목소리에 부끄러워하는 울림이 느껴졌다.

"됐어요, 그런 건. 아버지는 몸도 안 좋고, 돈을 좀 갖고 있어야지요. 우리는 둘 다 일하고 있고 지금은 특별히 어렵지도 않으니까요. — 정 힘들 때는 의논드릴게요."

"그래—"

이번에는 나오시가 쑥스러운 듯이 중얼거렸다. 그 화제는 그것으로 쑥 들어가고 말았다. 나오시는 스몬병 후유증으로 무릎 아래의 감각이 둔해져 좀 많이 걷거나 하면 발바닥에 떡을 붙인 듯한 묵직함과 불쾌감을 토로한다. 게다가 고혈압과 간장병으로도 고생하고 있어 이번 상경을 결심할 때도 망설임이 있었다. 이날 밤 나오시는 결국 공중목욕탕에 가지 않고 그대로 잠자리에 들고 말았다.

상경한 다음 날부터 연휴여서 센소지(浅草寺), 나카미세(仲見世), 신주쿠 등을 마사시가 자동차로 안내했다. 철쭉이 만개한 우에노 공원에서는 동물원에 들어가 판다를 보는 행렬에 늘어섰다. 아야코가 우에노의 사이고 동상 앞에서 베레모를 쓴 나오시와 도시코의 사진을 찍은 것은 5월 4일이다. 이날은 흐렸지만 도시코의 볼은 혈색 좋게 상기되어 창백한 얼굴의 나오시와 대조적이었다. 그 후 나오시의 희망으로 요세(寄席, 만담이나 재담을 들려주는 대중적인 연예 공연장—옮긴이)에 들러 라쿠고(落語, 한 명의 연기자가 일인 다역으로 익살스러운 이야기를 하는 전통 공연—옮긴이)를 들었다. 5월 5일은 히비야 공원에서 오키나와 국제 해양 박람회를 선전하는 관악대 퍼레이드를 구경했다. 구시로 항구 축제의 퍼레이드를 지휘해 온 나오시는 야마모토 나오즈미(山本直純)가 지휘하는 모습을 열심히 주시했다. 도시코는 공원에서 받은 빨간색 풍선을 공중으로 하늘하늘 나부끼며 소녀로 돌아간 듯한 기분으로 인파 사이를 돌아다녔다.

때로는 남자들을 내버려두고 도시코는 아야코가 이끄는 대로 백화점에서 시간을 보내기도 했다. 지금까지 그다지 접할 기회가 없었던 아야코와 급속하게 친밀해지는 느낌이 들었다. 아야코는 저녁 식사 준비를 위해 잠깐 가까운 곳으로 나가 장을 볼 때도 "어머님, 같이 가시겠어요?"라고 도시코를 불러냈다. 젊고 예쁜 아야코와 바싹 붙어 골목을 지나갈 때 도시코는 지금껏 맛본 적이 없는 뭔가 내밀한 행복감 같은 것이 가슴에 가득 채워지는 것을 느꼈다. 아야코가 오토모소의 집주인 부부를 비롯해 주변 골목 사람들에게 사랑받고 있다는 것은, 길을 오갈 때 서로 인사하는 모습에서도 알 수 있었다. 아야코는 골목 중간에서 근처 집에서 키우는 개 옆에 자주 쭈그리고 앉아 뭐라고 말을 걸며 머리를 쓰다듬기도 했다.

도시코와 나오시가 하네다 공항을 출발한 것은 5월 7일 정오가 못 되었을 때다. 이날은 공항의 경계가 이상하게 삼엄했다. 오후에 엘리자베스 여왕 부부가 도착하는 것에 대비한 엄중한 경계였다. 착석한 도시코가 작은 창으로 내다보자 송영대에 있는 마사시 부부는 창을 하나하나 손으로 가리키며 자리를 가늠해 보려 하고 있었다. 여기야 하는 듯이 도시코는 손을 흔들어 봤으나 송영대에서는 창 내부가 보일 리 없다. 다시 한번 트랩을 뛰어 내려가 이대로 마사시 부부를 태우고 구시로로 데려가고 싶은 마음이 복받쳤을 때 이미 도시코는 눈물을 글썽이고 있었다. 비행기가 활주로를 움직이기 시작하자 두 사람이 한층 크게 손을 흔드는 것이 보였다. 도시코는 뺨을 적시며 보이지 않는 줄 알지만 창 내부에서 살짝 손을 흔들어 보였다.

공항에서 그렇게 헤어진 날로부터 이미 열흘이 지났다. 아야코가 내일 사진을 보내면 21일쯤에는 도착할 것이다.

— 그러고 보니, 늘 카메라를 들고 있었던 것은 아야코였으므로 자신의 사진은 한 장도 없는 게 아닐까. 이제 와서 새삼스럽게 그런 것을 알아채고 도시코는 도쿄에서 기념촬영을 했던 장면 장면을 회상하려 하고 있었다. 5월 18일, 다이도지 도시코는 이날 밤이 평온한 마음으로 보내는 생애 마지막 밤이 되리라고는 꿈에도 생각하지 못했다.

5월 19일 아침, 세찬 비가 간토 지방 일대를 덮치고 있었다.

이날은 월요일로, 근무지로 향하는 다이도지 마사시가 미나미센주의 오토모소를 나선 것은 평소처럼 아침 8시 20분이었다. 장신의 마사시는 검은색 블레이저 재킷을 입고 우산을 썼으며 왼손에 종이봉투를 들고 있었다. 집에서부터 그가 타는 지하철 히비야선의 미나미센주역까지는 걸어서 5분밖에 안 걸리는 거리였다. 맞은편에서 파란 양복을 입은 중년 남자가 우산도 쓰지 않고 걸어오는 것을 봤을 때 마사시는 온몸에 긴장감이 감돌았다. 밤부터 계속해서 세차게 내리는 빗속을 우산도 쓰지 않고 걸어오는 것은 아무래도 이상했다. 남자와 잠자코 지나치며 찌르는 듯한 시선을 느꼈을 때 형사라는 걸 직감했다. 마사시는 돌아보지 않고 걸음을 빨리했다. 조반선 미나미센주역 앞으로 갔을 때 그는 자신이 이미 포위당했다는 것을 깨달을 수밖에 없었다. 역의 상점 앞이나 전화박스 앞, 그 맞은편의 파친코점 앞 등에 한눈에 형사임을 알 수 있는 남자들이 모여 있는 것을 간파하자 마사시는 순간적으로 조반선 고가선로 밑으로 달리기 시작했다. 우산이 방해가 됐지만 내던지는 것도 잊고 있었다. 예상한 대로 남자들이 일제히 움직이기 시작한 것을 시야 귀퉁이로 포착한 마사시는 달리면서도 절망에 다리가 얼어붙는 것 같았다. 지하철 히비야선의 미나미센주역 쪽으로 들어가려고 했지만 거기에서도 기다렸다가 공격하는 듯이 뿔뿔이 흩어진 채 다가오는 것을 보고 마사시는 순간적으로 기가 꺾여 우뚝 섰다. 다음 순간 왼쪽으로 돌아서 기타센주 방향으로 도망치려고 했다. 하지만 실제로는 얼마 달리지도 못하고 네 명의 남자에게 붙잡혀 조반선 고가선로의 둑에 꼼짝 없이 몸이 밀어붙여졌다. 눈 깜박할 사이에 한 손에 수갑이 채워지고 에워싸여 히비야선의 둑을 따라 세워져 있는 자동차로 끌려갔다. 마사시가 오토모소를 나오고 나서 자동차로 끌려가기까지는 불과 7, 8분밖에 걸리지 않았다.

"다이도지 마사시지?"

경찰 수첩을 보여주며 한 남자가 확인했다. 마사시는 무시하며 되물었다.

"이게 무슨 짓입니까?"

"폭발물단속법(爆発物取締罰則) 위반 혐의로 체포한다."

빠른 말로 체포영장을 읽는 걸 들으며 마사시는 급속하게 기력이 빠지는 것을 느꼈다.

세찬 빗속에 자동차는 물보라를 일으키며 질주했다. 고쓰도오리를 빠져나가더니 닛코가도(日光街道)에서 이리야(入谷) 인터체인지로 들어가 수도고속도로를 힘차게 달려 경시청으로 향했다. 마사시는 비에 부예져 흘러가는 창밖에 눈을 주며 이제 출근하는 아야코가 집을 나선 참일까 하고 생각했다. 그의 체포를 눈치채고 아야코가 역 쪽으로 오지 않으면 좋을 텐데 하고 바랐지만, 그렇게 되지 않을 거라는 걸 알고 있었다. 양쪽 형사에게 꽉 끼어 있는 마사시는 자유로운 왼손으로 담배를 찾는 것처럼 재킷의 가슴 주머니를 살짝 더듬어 봤다. 하지만 거기에 있을 작은 물건이 손가락에 닿지 않았다. 두세 번 손가락을 움직여 호주머니 안이 바닥까지 비어 있는 것을 확인했을 때 마사시의 얼굴에서 순식간에 핏기가 가셨다. 자신도 모르게 나중에 가슴 호주머니에 넣어둘 생각으로, 책상 위의 펜을 놓는 사각형의 접시에 캡슐을 두고 잊어버렸다는 사실을 알아차린 것이다.

영장이 발부되어 체포당한 것에 놀란 것 이상으로 자살용 캡슐을 몸에 지니지 않은 채 체포당하고 말았다는 엄청난 실수에 마사시는 심한 타격을 받았다. 만일 체포당한다면 그 자리에서 청산가리가 든 캡슐을 복용하여 즉석에서 자결한다는 것이 내부에서 서로 엄중하게 확인해 온 각오였다. 이를 위해 모두가 평소에 캡슐을 펜던트로 만들거나 해서 몸에 늘 지니고 있었던 것이다. 하필이면 오늘 아침에 그 캡슐을 잊고 나왔단 말인가. 망연자실하여 새파래진 마사시를 태운 진한 초록색 공용차는 경시청으로 미끄러져 들어갔다. 경시청에는 이미 신문사나 방송국 카메라가 진을 치고 있었다. 마사시가 차에서 내리자마자 빗속에 플래시 섬광이 일제히 빛났다.

평소 아야코는 마사시를 보내고 나서 문단속을 하고, 5분쯤 후에 오토모소를 나서 마찬가지로 미나미센주역으로 향한다. 그런데 오늘 아침에는 조금 늦어져 8시 반인데도 아직 집에 있었다. 나가기 전에 텔레비전 스위치를 끄려고 손을 뻗다가 도중에 무심코 멈추었다. 화면에는 NHK 뉴스가 흘러나오고 있었다.

"— 미쓰비시중공업 본사 등을 폭파했던 과격파 그룹 동아시아반일무장전선에 대한 수사를 계속해 온 경시청은 오늘 아침 9시, 한국산업경제연구소 폭파 현장 목격자의 이야기 등에서, 도쿄행동전선(東京行動戦線)에 속한 아다치구에 사는 5, 6인을 일제히 체포하기로 하여—"

뉴스를 전하는 아나운서의 목소리를 들으며 아야코는 텔레비전 앞에 우뚝 섰다. 아나운서가 전하는 말의 의미를 어떻게 이해해야 좋을지 알 수 없었다. 아침 9시라고 하면 얼마 남지 않았다. 자신은 여기에 있는데 자신의 체포를 뉴스로 알게 되는 기묘함에 어리둥절하고 혼란스러웠다. 이 뉴스에는 뭔가 함정이 있는 것 같아 발밑에서 스멀스멀 불안감이 올라왔다. 아니면, 정말 동지 누군가가 체포될 위기에 빠진 것일까.

아야코는 도쿄행동전선이라는 조직명을 처음 들었다. 아다치구에는 동지 한 사람이 살기 때문에 특정한 지명에는 뭔가 걸리는 게 있었지만, 자신들을 노리고 있는 것은 아니라고 판단했다. 그렇게 판단하자 이번에는 분노가 치밀어 올랐다. 또다시 경시청이 날조를 하려는 게 아닐까. 죄 없는 사람들을 체포하여 죄를 뒤집어씌우려는 것이라는 생각이 들자 분노와 함께 초조함도 억누르기 힘들었다.

늦은 것을 만회하듯이 아야코는 종종걸음으로 역으로 향했다. 빗줄기는 여전히 약해지지 않았다. 그는 분쿄구 혼고에 있는 무토(武藤)화약약품회사에서 자격을 가진 약제사로 일하고 있다. 조반선 미나미센주역 앞의 다나카 담배가게 앞에 이르렀을 때 쓰윽 다가온 양복 차림의 남자들이 앞뒤를 에워쌌다. 자신의 우산에 시야가 막혀 있었던 탓도 있어 아야코는 에워싸일 때까지 무슨 일이 일어나는지 알아채지 못하고 있었다. 덜컥했을 때는 이미 소리를 지를 여유도 없이 자동차 쪽으로 끌려갔다. 출근 시간이라 붐비는 인파 속에서의 일이라 무슨 일이 일어났는지 알아채는 사람도 없을 만큼 순간적인 체포였다. 경찰이 자동차 안에서 체포 영장을 보여준 것은 오전 8시 43분이었다.

여경이 숄더백의 내용물을 검사하기 시작했을 때 아야코는 불쑥 백 안으로 손을 집어넣어 펜던트를 꺼내서는 뚜껑을 따고 안에 든 캡슐을 입으로 가져가려고 했다. 순간적으로 여경이 손으로 쳐서 떨어뜨리자 뚜껑이 열려 있던 캡슐의 하얀 분말이 치마에 흩어졌다. 치마 위에 하얀 분말이 모아지는 것을 주의깊게 내려다보며 아야코는 죽을 기회를 놓쳤다며 체념하고 깊은 절망감에 고개를 숙였다.

경시청으로 연행된 다이도지 마사시와 아야코는 각자 다른 방에서 신체검사 등을 받은 후 마사시는 아자부 경찰서로, 아야코는 히몬야 경찰서로 옮겨졌다.

다이도지 마사시와 아야코가 체포당한 시각을 전후하여 다른 멤버들도 각자 출근길에 일제히 체포되었다. 체포 영장이 발부되어 체포되는 일은 절대 없을 거라고 확신하고 있었던 만큼 누구나 허를 찔린 듯이 망연자실하여 아무런 저항도 하지 못한 채 길거리에서 연행되었다. 이날 아침, 한국산업경제연구소 폭파 혐의로 체포당한 사람은 도쿄에 사는 다음 일곱 명이다.

회사원 사사키 노리오(佐々木規夫, 26세)
회사원 구로카와 요시마사(黒川芳正, 27세)
웨이터 사이토 노도카(斎藤和, 27세)
임상검사 기사 에키다 유키코(浴田由紀子, 24세)
회사원 다이도지 마사시(26세)
회사원 다이도지 아야코(26세)
회사원 가타오카 도시아키(片岡利明, 26세)

경시청이 굳이 길거리에서 일제히 체포한 것은 무엇보다 그들의 수중에 있을지도 모르는 폭탄이나 개조 총을 두려워했기 때문이다. 만약 실내로 들어가게 되면 그들이 저항하다 자폭할 가능성이 크다고 여겨졌다. 그런 위험을 피해 출근하는 길에 잠복하고 있다가 전광석화로 체포에 성공한 것은, 이미 경시청이 오랫동안 미행하며 감시해서 일당의 일상을 속속들이 알고 있었다는 사실을 보여준다. 그렇지만 잠복하고 있던 측에서도 딱 하나 오산이 있었다. 내연 관계였던 사이토 노도카와 에키다 유키코 커플만이 평소의 출근 시각이 지나도 잠복 장소인 소부선가메이도역에 모습을 드러내지 않았던 것이다. 잠복 부대는 눈치를 챘나 하고 간담이 서늘해졌다. 기다리는 중에 초조해진 형사들은 어쩔 수 없이 두 사람이 사는 가메이도의 쓰타바 맨션을 포위하고 오전 8시 18분에 문을 노크했다. 응답이 없어서 마스터키로 문을 열었으나 안쪽의 도어체인을 여느라 5분쯤 꾸물댔다. 형사들이 와르르 들어가자 맥이 빠지게도 사이토 노도카는 아직 이불 속에 있었다. 그런데 이미 체념한 듯 고요한 표정으로 천정을 보고 누워 있었다. 한 형사가 영장을 보여주며 옷을 갈아입으라고 했다. 먼저 연행된 사람은 사이토 쪽이었는데 문을 나가려고 하다가 돌아보더니 "그 여자는 몸이 약하니까 거칠게 다루지 마시오"라는 말을 남겼다.

에키다 유키코는 연행될 때 아무렇지 않게 테이블 위의 펜던트로 손을 뻗었으나 여경이 그 손을 눌렀다.

"유치장에서는 몸에 지닐 수 없으니까 놓고 가세요."

경찰은 안 된다는 듯이 고개를 가로저었다. 문득 보니 마룻바닥에 사이토의 캡슐을 넣은 주머니가 떨어져 있었다. 피부가 약한 사이토는 캡슐을 주머니에 넣어 몸에 지니고 있었던 것이다. 유키코는 사이토도 캡슐을 집어들 여유가 없었다고 생각했다.

하지만 경시청으로 연행된 사이토 노도카는 취조 중이던 오전 10시가 지나서 갑자기 침을 흘리며 괴로워하기 시작한다. 심장 발작이라고 보고 곧바로 경찰병원으로 이송했으나 오후 2시 15분에 수용된 곳에서 숨이 끊어졌다. 나중에 청산가리에 의한 자살이라는 것을 알고 경시청은 당황하여, 사이토 노도카가 캡슐을 복용한 것은 체포 직전이었다고 발표한다. 도어체인을 여느라 꾸물댔던 그 5분 사이에 음독했다는 추정이다. 그렇다면 사이토가 괴로워하기까지 한 시간 반이 넘는 공백이 있었다는 이야기가 된다. 캡슐이 녹는 시간을 생각하면 이 추정은 부자연스럽다. 체포될 때 캡슐을 몰래 갖고 있던 사이토가 취조 중에 틈을 보아 삼킨 것이 아닐까 하는 의문이 남았다.

사이토가 괴로워하기 시작한 바로 그 무렵, 같은 경시청 5층 회의실에서는 쓰치다 구니야스(土田国保) 경시총감이 텔레비전 카메라 조명을 받으며 뺨과 이마에 홍조를 띤 채 기자회견을 하고 있었다.

> 오늘 도쿄지검과 긴밀하게 제휴하여 한국산업경제연구소 폭탄 사건의 피의자 일곱 명을 검거했습니다. … 다수의 선량한 시민을 살상했기 때문에 경시청으로서도 전력을 다해 수사해 왔습니다. 이번 검거로 수사의 새로운 분야를 개척할 수 있었습니다.

기자단의 잇따른 질문에 답하며 쓰치다는 "지금은 겨우 늑대의 꼬리를 붙잡은 단계로, 몸통과 머리는 지금부터입니다"라고 강조했다. 보도진은 그것을, 실행 부대는 붙잡았지만 중요한 막후 인물은 아직 숨어 있는 것으로 받아들였다. 1971년 12월 18일, 당시 경시청 경무부장이었던 쓰치다 구니야스의 자택으로 배달된 소포 폭탄이 폭발하여 부인이 즉사하고 넷째 아들이 중상을 입은 사건이 아직 기자들의 뇌리에 새겨져 있었다.

이날 오후 4시 30분, 또 한 사람이 체포되었다. 미야기현 센다이시 8번지 2-1-25 제2아오바소(青葉荘) 308호에 사는, 국립 도호쿠대 부속 의료기술 단기대학 간호학과 학생 아라이 마리코(荒井まり子, 24세)가 같은 혐의로 체포되었다. 저녁 9시 26분 우에노역에 도착하는 특급 '히바리 12호'로 호송되어 온 마리코를 보고 보도진 사이에서는 일제히 놀랍다는 소리가 터져 나왔다. 단발머리를 한 마리코는 아직 천진난만한 고등학생처럼 보였다. 폭탄범이라는 이미지와는 너무나도 먼 인상이었다. 한편 일제 검거와 함께 이루어진 21군데에 이르는 관련 가택수색으로 약 2,500점의 증거물이 압수되었다. 그중에는 폭약 원료인 염소산나트륨과 폭탄 제조 기구 등이 다수 포함되어 있었다. 수사관들이 "마치 노다지굴 같다"며 몹시 놀라고 기뻐했을 정도였다. 부엌 겸 식당에 방 하나가 전부인 사사키 노리오의 다다미 여섯 장짜리 방의 벽장 밑에서는 무기를 제조하는 지하 공장도 발견되었다.

아자부 경찰서에서의 취조에 묵비로 일관했던 마사시는 밤이 되어 유치장에 넣어진 후 다시 끌려 나와 욕실에서 알몸 상태로 다시 몸수색을 받았다. 마사시는 몸수색이 삼엄한 것으로 보아 그들이 찾고 있는 것이 청산가리 캡슐이라고 직감했다. 그렇다는 것은 동지 중 누군가가 캡슐을 삼키고 자결한 것이 틀림없다. 그것을 알았을 때 마사시는 심하게 동요했다. 누가 죽은 것인지 모르는 만큼 그 동요와 불안은 끝없는 의심암귀(疑心暗鬼)를 만들어 냈다. 어쩌면 동지들은 모두 서약대로 자결했는데 나 혼자만 살아서 체포당한 게 아닐까 하는 자책감에 시달렸다. 뒤늦게나마 이 유치장에서 죽을 방법이 없을까 하고 방법을 찾아 네 벽을 두리번거리는 마사시의 눈은 충혈되어 있었다. 그는 한숨도 자지 못한 채 유치장에서의 첫날 밤을 뜬눈으로 지새운다.

2

홋카이도 구시로의 5월 19일은 빗방울이 떨어지지 않았지만 두꺼운 구름이 낮게 깔려 있어 아직 실내에서는 낮에도 스토브를 켜야 할 정도로 으스스하게 추운 하루였다. 해상에는 짙은 안개가 끼어 있는지 이따금 멀리서 무적(霧笛) 소리가 들려왔다.

"임자, 잠깐 와봐."

나오시가 평소와 다르게 절박한 목소리로 부르자 도시코는 서둘러 부엌에서 거실로 나가보았다.

"마사시와 아야코가—"

다음 말을 잃은 듯이 말문이 막혀 텔레비전을 가리키는 나오시의 표정이 이상하게 굳어져 있었다. 화면은 정오 뉴스 시간으로, 일련의 기업 폭파 사건의 범인 그룹이 체포되었다는 보도를 하고 있었다. 처음에 도시코는 나오시가 무엇을 가리키며 그렇게 놀란 것인지 잘 알 수 없었다. 하지만 다음 순간 도시코도 앗 하는 소리를 지르더니 남편 옆에 쓰러지듯이 털썩 주저앉았다. 지금 화면은 체포된 범인 일당의 얼굴 사진을 비추고 있는데 어쩐 일인지 그중에 마사시와 아야코가 있었던 것이다. 도시코는 그것을 어떻게 이해해야 좋을지 알 수 없었다. 뭔가 터무니없이 잘못된 일이 진행되고 있는 것 같았다. "아니, 저런—", "아니, 저런—" 하고 도시코는 입안에서 중얼거리고 있었다. 아나운서가 몇 번이고 되풀이해서 입에 담는 동아시아반일무장전선이라든가 늑대라든가 하는 오싹한 말들이 이따금 크게 울리는 도시코의 가슴을 콕콕 찔렀다.

마사시 부부가 살던 미나미센주의 연립주택 오토모소가 화면에 비쳤다. 현관문 옆의 기둥에 압정으로 붙인 종이에 다이도지 마사시·아야코라고 나란히 쓰인 표찰이 클로즈업되고, 카메라가 실내로 들어가자 가택수색으로 열린 벽장 안에 꽃무늬 이불이 보였다. 도시코는 너무나도 애달프게 소리를 지르고 있었다.

"여보, 봐요, 저 이불—"

자신들이 그 이불을 덮고 잔 것은 바로 십 며칠 전이지 않은가.

"그때는 아무것도 눈치채지 못했는데…."

도시코의 중얼거림에 나오시는 말없이 고개만 주억거렸다. 상경해서 오토모소에 머물렀던 6일간, 도시코 부부는 아들 부부의 생활에서 아무런 그늘도 느끼지 못했다. 검소하고 좁은 집에 비밀스러운 분위기는 없었고, 두 사람이 도시코 부부의 체재에 불편함을 느끼는 기색도 전혀 없었다. 누구로부터도 연락이 오지 않았고, 거의 엿새 동안을 두 사람은 도시코 부부를 대접하느라 쭈욱 붙어 있었다. 아야코는 아주 가까운 곳으로 장을 보러 갈 때도 "어머니, 같이 가실래요?" 하고 권하며 바싹 달라붙었을 정도가 아니었나. 둘이서 골목을 나가는 정경을 떠올렸을 때 도시코는 깜짝 놀랐다. 아야코가 그렇게 자신을 데리고 바싹 달라붙어 있었던 것은 미행에 대한 위장이었을지도 모른다는 난데없는 의심이 뇌리를 스쳤다. 뉴스는 오랫동안 그들에 대한 미행이 계속되었다는 것을 전하고 있었다. 당연하지만 그 엿새 동안의 행동도 빠짐없이 감시하고 있었음이 틀림없다.

화면에는 1년 전 미쓰비시중공업 빌딩 폭파 필름이 방영되기 시작했다. 사건 발생 당시의 보도로, 깨진 채 쏟아져 내리는 유리가 흉기가 되었다고 전한 것이 강한 인상으로 남아 있었는데 그 참상이 지금 다시 방영되고 있었다. 부서져 쏟아져 내린 빌딩의 유리 파편이 마치 자갈처럼 깔린 길 위에 점점이 쓰러진 사람들이 움직이지 못하고 있다. 보도에 주저앉아 이마에서 피를 흘리며 멍한 모습으로 도움을 기다리는 사람, 사람, 사람. 전해 여름에도 차마 똑바로 쳐다볼 수 없는 심정으로 그 참극 뉴스를 봤었다. 그때는 마음이 아팠으나 시간이 지나면 잊히는 하나의 뉴스에 지나지 않았다. 그랬던 것이 지금은 갑자기 믿을 수 없을 정도로 이 사건과 직접 결부되어버렸다. 악몽 속의 사건처럼 그것은 있을 수 없는 갑작스러운 비약으로 여겨졌다.

뉴스가 끝나고 텔레비전 화면을 끄자마자 기다리기라도 했던 것처럼 옆의 전화벨이 울렸다. 그 순간 도시코는 자기도 모르게 몸서리를 쳤지만 나오시의 몸 역시 충격을 받은 것처럼 움찔 굳어지는 것을 봤다.

"— 예, 그렇습니다. 우리 아들이 틀림없습니다."

가라앉은 목소리로 대답하고 나오시는 전화를 끊었다.

"신문사에서 확인하는 전화였어."

조금 전의 뉴스는 꿈도 착오도 아니다. 이미 현실은 흘러가고 있다. 현실이라는 것을 깨닫고 도시코는 또다시 심한 충격으로 기력을 잃었다. 화면이 꺼진 방에 짓눌리는 것처럼 묵직한 침묵이 흘렀다. 충격이 너무 커서 두 사람 다 무슨 말을 해야 좋을지 알 수 없었다. 도시코는 점심 준비를 할 기력을 잃고 그대로 앉아 있었다.

아야코는 사진을 보내지 못했겠구나 하는 생각이 멍한 도시코의 마음속을 오갔다. 출근길에 체포당했다고 했으니 보내주기로 약속한 사진을 우체통에 넣을 여유는 아마 없었을 것이다. 어쩌면 우체통에 넣을 생각으로 사진을 든 채 체포당한 것이 아닐까. 퍼뜩 정신을 차린 도시코는 아무래도 좋은 그런 사소한 일에 신경 쓰고 있는 자신에게 깜짝 놀랐다. 마사시도 아야코도 중대한 사건의 범인으로 체포당했다고 하는데, 사진 같은 것이나 생각하다니…. 이제 모든 것이 끝났다는 생각이 바야흐로 도시코의 가슴속을 절망으로 어둡게 물들이기 시작했다. 동시에 마사시와 아야코가 견딜 수 없이 가여웠다. 그때 비슬거리는 느낌으로 나오시가 일어났다.

“나는 좌우간 이발소에 다녀오겠소. — 아무것도 모르는 것으로 하고….”

퇴직한 후에도 나오시는 구시로 시청의 지하에 있는 이발소를 이용하고 있다. 아무리 그래도 이런 때, 하고 도시코는 생각했지만 이발이라도 해서 기분을 달래려는 나오시의 마음을 모르는 것은 아니었다.

“그럼 나도 가시와기초에 다녀올게요—”

도시코는 이 거실에 지금 혼자 남겨지는 불안을 견딜 수 없을 것 같았다. 시내인 가시와기초에는 열세 살쯤 연상인 언니 고토에(琴江)가 살고 있다. 고토에의 남편 소가 히로시(曾我浩史)는 도의원을 다섯 번이나 한 사회당원이다. 건강이 안 좋아져 은퇴는 했지만 이럴 때는 가장 의지할 만한 형부인 것이다. 나오시가 한발 앞서 나갔고 그 후 도시코는 문단속을 하고 밖으로 나갔다. 그 시각에는 버스 승객이 적었다. 버스 승객들은 아직 폭탄범의 체포 소식 같은 것은 모르는 것 같았지만, 도시코는 고집스럽게 얼굴을 창밖으로 향하고 있었다. 흐린 하늘 아래 하루토리호(春採湖)는 둔한 색으로 가라앉아 있었다.

가시와기초의 언니 집으로 가서 보니 맥 빠지게도 언니 부부는 정오 뉴스를 보지 않은 상태였다. 설명하기 시작한 도시코의 목소리는 금세 울먹이는 소리가 되었다. 히로시도 고토에도 믿을 수 없다는 표정으로 듣고 있었다. 곧 뉴스

시간이 되어 텔레비전 스위치를 켰다. 정오 뉴스와 거의 같은 내용이 흘러나왔다. 마사시와 아야코가 체포당한 것은 이제 의심의 여지가 없었다.

"마사시는 어쩌면 망을 보는 역할을 했을지도 모르니까" 라고 히로시가 중얼거렸을 때 도시코는 매달리듯이 그 말을 믿고 싶었다. 적어도 그 정도로 관련되었기를 바랐다.

"마사시는 성실했으니까…. 성실한 젊은이일수록 외곬으로만 생각해서 행동으로 내달리니까 말이지. 요즘 시대를 보면 젊은이가 냅다 달리는 건 당연해. 난 그들의 마음을 이해할 수 있을 것 같기도 하거든."

이어서 이렇게 말하자 역시 그 폭파는 마사시와 아야코의 범행인가 하는 마음이 들어 도시코의 불안은 더욱 심해졌다.

"나오시 씨 몸에 해가 되지 않았으면 좋을 텐데…."

고토에의 그 말로 도시코는 갑자기 나오시가 걱정되기 시작했다. 동요한 상태에서 뛰쳐나왔지만 나오시는 이미 이발을 마치고 돌아왔을지도 모른다. 충격을 받고 기력을 잃은 채 혼자 거실에 있을 나오시를 떠올리자 애처롭기 그지없었다. 도시코는 잠깐만 있다가 언니네 집을 뒤로했다.

돌아온 현관 앞에서 도시코는 그 자리에 못 박히고 말았다. 집 안에는 보도진이 들이닥쳐 있었다. 기자단에 둘러싸인 나오시는 거실에서 창백한 얼굴로 대응하고 있었다. 잇따른 질문에 짧은 응답을 되풀이하는 나오시를 지켜보며 도시코는 이제 그만하세요 하고 비명을 지르고 싶었다. 그러나 그 소리를 지를 용기가 나지 않았다.

드디어 기자단이 물러간 후 이번에는 구시로서의 형사 세 명이 찾아와 마사시의 교우 관계 등에 대해 집요하게 질문을 해댔다. 대부분 나오시가 답할 수 없는 질문들이었다. 형사가 물러감과 동시에 나오시는 아주 녹초가 된 채 드러누웠다.

밤 8시경 도쿄의 텔레비전 방송국에서 전화가 왔다. 내일 구시로 공항으로 가니까 취재에 응해 주었으면 한다고 요청해 왔다. 수화기를 든 것은 도시코여서 "남편은 병든 몸이고 지쳐 있으니까 가능하면 거절하고 싶은데요…"라고 대답하자 프로듀서라고 하는 남자의 목소리는 고압적인 태도로 비난하는 어조로 바뀌었다.

"그렇게 큰 사건을 일으킨 아들의 부모로서 세상 사람들한테 사죄할 입장에 있는 거 아닌가요? 텔레비전을 통해 세상 사람들한테 사죄하기 위해서도 취재에 응하는 것이 당연하지 않나요?"

그렇게 엄하게 꾸짖자 마음 약한 도시코는 이제 더 이상 거부할 수가 없었다.

"일단 호적도 조사했으니까요"라고 했을 때 도시코는 "어머—"라고 놀라는 소리를 입 밖에 낸 채 그다음 말이 나오지 않았다. 온몸에 오한이 엄습했다. 아닙니다, 그건 아니에요, 마사시가 내 친아들이 아닌 것과 범행을 저지른 것을 결부시킬 생각이라면 그건 어처구니없는 오해예요 하고 소리치고 싶었다. 그러나 도시코는 소리도 내지 못하고 수화기를 들고 숨을 삼키고 있었다.

이날 밤늦은 시간에 걸려 온 전화도 도쿄에서였다. 이날 도시코에게 유일했던 구원의 전화였다.

"저는 마사시와 함께 체포된 사사키 노리오의 형입니다." 자신의 신분을 밝힌 남자의 목소리를 듣고 도시코는 서둘러 수화기를 나오시에게 건넸다. 사사키 노리오의 형 데쓰야(鉄也)는 나오시에게 척척 구체적인 용건을 전했다. 마사시와 아야코가 유치된 곳을 알려주고 이미 변호사와 차입 절차 등 지원 활동이 시작되었다는 것, 부모가 곧 상경할 필요는 없다는 것 등을 전해주었다. 도시코는 자신들과 같은 입장에 있는 가족이 여섯이나 더 있다는 사실을 그제야 새삼 깨달았다.

'연쇄 폭파로 일곱 명 체포'라는 충격적인 뉴스는 5월 19일 각 신문의 석간 지면을 가득 채웠다. (아라이 마리코를 체포한 뉴스는 시간이 맞지 않아 석간에 실리지 않았다.)

경시청은 보도진이 체포 디데이를 사전에 누설하지 않도록 월요일 아침을 골라 결행했다고 했다. 전날인 일요일은 경시청 기자클럽이 쉬는 날이기 때문에 허를 찌르는 작전이었다. 그만큼 은밀하게 움직였는데도 산케이신문만은 대담하게도 19일 조간 최종판에 그날 아침 일제 검거를 예고하는 엄청난 특종을 해내 다른 신문사를 깜짝 놀라게 했다. 물론 기사 게재를 사전에 통고받은 경시청은 게재를 멈춰달라고 강력히 요청했지만, 산케이신문사가 그 정도의 특종을 포기할 리 없었다. 다만 그 기사가 용의자들의 눈에 띄어 도망치기라도 하는 날에는 중대한 책임을 져야 하기에 산케이신문사는 이날 아침 기발한 작전을 펼친다. 용의자들이 사는 지역의 신문 배달을 늦추고, 그 지역을 가시청 구역으로 하는 방송국에도 그 뉴스를 잠시 보류해 달라는 요청을 한 것이다. 결국 독자적으로 정보를 취득한 NHK가 아침 8시 30분 뉴스로 내보냈으나 그 시각에는 이미 포위망이 펼쳐져 있었다.

사건의 성격상 수사는 철저하게 비밀리에 진행되었기 때문에 진척 상황은 외부에 전혀 새지 않았다. 반대로 그들이 쫓고 있는 범인에 대한 양동작전으로 수사에 난항을 겪는 모습이 강조되어 온 만큼 이날 아침 빗속에서 전광석화로 이루어진 일제 검거는 극적으로 깔끔한 경시청의 승리를 각인시키는 결과를 낳았다.

다만 체포당한 자들의 민낯을 전하는 각 신문의 기사에는 한결같이 크게 당황한 모습이 보였다.

“이미지, 완전히 반전, 창백한 얼굴도 장발도 아님”이라고 쓰지 않을 수 없을 만큼 체포된 여덟 명은 흉악한 범인의 모습이나 종래의 과격파 이미지와도 다른 젊은이들이었다. “극히 평범하고 성실한 일상”, “주위는 ‘아직도 믿을 수가 없다’”, “전혀 눈에 띄지 않는 소시민”, “성실하게 근무하고 과묵”. 이와 같은 모습이 여덟 명의 공통된 모습이었다. 다이도지 부부에 대해서도 오토모소의 집주인을 비롯해 주변 주민들은 “예의 바르고 늘 깔끔하며 넥타이를 매고 양복을 입고 있었다. 부인도 붙임성이 있고 요즘 보기 드문 성실한 미남미녀 부부"라는 일치된 견해를 보였다. 그 커플이 모두 '늑대반(狼班)'이었다는 사실을 어떻게 해석해야 좋을지 기자들은 어리둥절했다. 결국 각 신문사가 가장 안도할 수 있는 해석으로서 일제히 원용한 것이 《하라하라 시계(腹腹時計)》의 기술이다. 이 기묘한 제목을 가진 37쪽의 소책자는 동아시아반일무장전선 '늑대' 정보부 정선국(情宣局)이라는 이름으로 1974년 3월에 발행한 지하출판물이다. 앞으로의 무장 투쟁 개시에 즈음한 그들의 선언이고, 동시에 그들에게 공명하여 궐기하는 사람들에게 보내는 '병사 독본'이기도 하다.

그들의 체포와 함께 《하라하라 시계》에 모든 주목이 쏠렸다. 제1장 '무장 투쟁=도시 게릴라전의 개시를 향하여'의 제1편 '개인적 준비=게릴라 병사로서의 마음가짐'에는 다음과 같이 기술되어 있다.

1. 좌익 활동가라고 믿고 있는 자신, 또는 타인으로부터 그렇게 생각되고 있는 자신을, 생활 형태 등을 바꿔감으로써 지워나갈 것.
   ① 거주지에서
   - 거주지에서 극단적인 비밀주의, 폐쇄주의는 오히려 스스로 무덤을 파는 결과가 된다.
   - 표면상으로는 극히 평범한 생활인이라는 점에 철저할 것. (그렇게 보이도록 해야 한다.)

◦ 생활하는 시간을 표면상 시민사회의 시간 내로 돌릴 것.
(특히 시간이 뒤바뀌지 않도록 조심해야 한다.)
◦ 이웃과의 교제는 얕고 좁은 것이 원칙이다. 최소한 이웃과의 인사는 불가결하다.
◦ 거주처인 연립주택이나 하숙 등에 다수의 사람이 출입하는 것이 너무 눈에 띈다거나 심야, 새벽에 이르기까지 소곤소곤 이야기하는 것은 그만두어야 한다.
◦ 주거는 항상 정리하여 청결을 유지할 것. 명부, 주소록, 편지, 수첩 등은 평소 말끔히 정리하고 필요에 따라 암호화할 것. 불필요한 것, 있으면 곤란한 것은 다른 데로 옮기거나 폐기, 소각할 것.

(중략)

2. 게릴라 병사는 시민사회에 자신의 정체를 들켜서는 안 된다. 그것은 철칙이다. 그런데 무장투쟁파 여러분도, 특히 인간관계에 대해서는 참으로 절개와 지조가 없고 서투르다. 지금까지 무장투쟁파가 패배한 것은 대부분 인간관계에서 실패한 결과라고 해도 과언이 아닐 것이다.

① 부모, 자식, 형제, 아내, 남편 등과의 관계에 대해
◦ 가족과의 관계를 일부러 끊을 필요는 없다. 끈적끈적해질 필요는 전혀 없지만, 어느 날 갑자기 연락을 끊는 것은 어지간한 사정이 있지 않는 한 그만두는 것이 좋다. 갑자기 관계를 끊음으로써 오히려 꼼짝 못 하게 되는 경우도 일어날 수 있다.
◦ 가족을 끌어들일까, 관계를 끊을까 하는 양자택일을 할

필요는 없다. '반전 반안보'로 공동투쟁하는 것은 근본적으로 다르기에 전면적인 교류를 유지할 수는 없다. 우리에게 전면적인 교류란 동지 관계를 말한다. 따라서 극히 평범한 가족관계만 있으면 되는 것이다.

이러한 기술을 늘어놓고 보면 아무래도 체포된 여덟 명은 이 '교본'대로 생활해 왔고 '눈에 띄지 않는 소시민'을 아주 착실하게 연기했다는 해석이 성립한다. 그래서 각 신문이 "실생활에 그대로 옮긴 《하라하라 시계》"라는 표제어로 여덟 명의 소시민적인 측면을 해석할 수 있다고 여긴 것은 당연했는지도 모른다. 그들이 '교본'을 모범으로 지킨 것은 확실하지만, 주변 사람들이 "아주 평범하고 성실"하다고 봤던 그 모습이야말로 실은 그들의 본래 성품이었다. 오히려 그런 사람들이 차례로 폭탄을 터뜨렸다는 점이 이 사건의 특징이었던 것이다.

3

1975년 5월 19일 이른 아침, 일제 검거를 위한 비밀 부대가 세차게 쏟아지는 비를 뚫고 미나토구에 있는 아타고 경찰서 뒤의 허름한 건물에서 출동했다. 이 건물에는 '경시청 경찰학교 제3교양부' 등 이미 낡아빠진 몇 개의 간판이 걸려있다. 하지만 이는 위장한 것으로, 원래 걸려 있어야 할 중요한 간판은 덮여 있었다. '극좌폭력단속본부'가 현재 이 건물의 역할이다. 이곳을 거점으로 150명의 비밀 부대가 기업 연쇄 폭파 사건의 범인을 추적하고 있었다. 총지휘자는 경시청 공안부장인 나카지마 지로(中島二郎)였다. 이 비밀 수사본부(통칭 폭탄본부)에는 공안부의 각 과에서 비밀 수사관이 파견되어 있었다. 건물이 신바시 다무라초에 있어서 다무라 분실로도 불렸다.

미쓰비시중공업 빌딩 폭파로 시작되는 연쇄 기업 폭파 사건의 범인을 쫓는 수사망은 이중으로 움직였다. 공안부가 움직이는 다무라초 분실의 수사가 비밀 수사망이라면, 또 하나의 수사망인 각 폭파 현장의 관할 경찰서마다 설치된 폭파 사건 특별수사본부는 공개 수사망으로 공안부 공안 1과, 형사부 수사 1과와 관할서의 합동 수사다. 주로 하는 일은 각 현장의 유류품 수집과 탐문 수사다. 원래 폭탄 사건에서는 거의 모든 증거물이 폭발과 함께 흩어져버리는 데다 시한장치인 이상 실행범도 현장에 없다. 따라서 폭파 현장의 수사는 무척 어렵다.

한편 공안부가 중심인 수사는 현장을 고집하지 않고 일련의 사건에서 보이는 사상적 경향을 분석하여, 지금까지 수집한 파일에서 같은 사상적 경향을 가진 인물을 가려내고 한 사람 한 사람의 신변을 자세히 조사하는, 얼핏 보기에 에두르는 방법을 취한다. 당연히 다무라초 분실의 특징은 철저한 비밀 수사로, 그 진행 상황은 각 특별수사본부 상층부에조차 철저히 숨기고 있었다.

공안부의 비밀 부서는 대체 어떻게 1,100만 명의 도민 중에서 "아주 평범, 성실"한 폭탄범을 밝혀낸 것일까. 범인 체포 사실을 특종으로 보도한 산케이신문은 체포 당일 석간의 기자 좌담회에서 다음과 같이 밝혔다.

미쓰비시중공업 빌딩 폭파 사건 특별수사본부에 솔깃한 정보가 들어온 것은 사건으로부터 보름이 지난 9월 15일이었다. 사건 당일 아침, 지하철 묘가다니역에서 범인으로 보이는 남자 두 명이 원통형의 폭탄인 듯한 꾸러미를 들고 전철을 탔다는 목격 정보가 들어왔다. 이 남자들은 전철 안에서도 목격되었는데 오차노미즈역에서 내렸다는 것도 확인되었다. 정확도가 높은 이 정보를 높이 평가한 특별수사본부는 묘가다니역을 관할하는 오쓰카 경찰서에 특별수사본부 분실을 설치하고 주변 일대의 면밀한 탐문 수사에 들어갔다. 이 수사에서 걸린 것이 묘가다니역 근처에 있는 '현대사조사(現代思潮社)'라는 신좌익계 출판사다. 이곳은 일찍이 도쿄행동전선의 거점이었기 때문에 현대사조사와 관련된 자로 수사망을 좁혀가는 사이에 이 선은 희미해지고 말았다. 그러나 해가 바뀌어 1월이 되고 다무라초 분실의 비밀 부서가 현대사조사 선을 다시 면밀히 조사하는 과정에서 먼저 사이토 노도카가 관련 인물로 떠올랐다. 그리고 그를 철저히 미행했더니 다른 멤버가 드러났다. 산케이신문의 기자 좌담회는 체포 과정을 이렇게 추측했다. 하지만 나중에 판명되는 것처럼 미쓰비시중공업 빌딩을 폭파한 날 폭탄은 전혀 지하철 묘가다니역을 경유하여 운반되지 않았다. 그렇다면 완전한 오해에 기초하여 묘가다니역 주변을 조사하는 과정에서 우연히 예전 도쿄행동전선 그룹이 떠올랐고, 나아가 사이토 노도카까지 드러났다는 것일까. 이 부분의 진위는 아직 밝혀지지 않았다.

그러나 다무라초의 극좌폭력단속본부 쪽도 다른 선으로 사이토 노도카에 다다랐다. 최초의 단서는 미쓰비시중공업 빌딩 폭파 때 '늑대'라고 자칭하는 조직이 범행 성명을 발표했다는 걸 알았다는 데 있다. 동아시아반일무장전선 '늑대'를 자칭하는 그룹의 존재를 알게 된 공안부는 곧바로 그들이 지하출판물《하라하라 시계》의 발행 그룹이라는 사실을 알아낸다. 이때부터 다무라초 분실의 비밀 수사관들은 철저하게《하라하라 시계》를 독파하고 그 내용을 분석했다.《하라하라 시계》는 '늑대'가 투쟁에 나서는 결의를 다음과 같이 표명했다.

1. 일제(日帝)는 36년에 이르는 조선 침략과 식민지 지배를 비롯하여 타이완, 중국 대륙, 동남아시아 등도 침략하여 지배하고 '국내' 식민지로서 아이누 모시리와 오키나와를 동화하고 흡수해 왔다. 우리는 그 일본 제국주의자의 자손이며 패전 후 시작된 일제의 신식민주의 침략과 지배를 허용하고 묵인하였으며 구 일본 제국주의자 관료들과 자본가들을 다시 소생시킨 제국주의 본국 사람이다. 이는 엄연한 사실이고, 모든 문제는 이를 확인하는 데서 시작하지 않으면 안 된다.

2. 일제는 그 '번영과 성장'의 주요 원천을 식민지 인민의 피와 겹겹이 쌓인 시체 위에서 찾고 한층 더한 수탈과 희생을 강제하고 있다. 그 결과 제국주의 본국 사람인 우리는 '평화롭고 안전하며 풍요로운 소시민 생활'을 보장받을 수 있는 것이다.

일제 본국에서 노동자의 '투쟁'=임금 인상, 처우 개선 요구 등은 식민지 인민으로부터 더한층의 수탈과 희생을 요구하고 일제를 강화하며 보충하는 반혁명 노동운동이다.

해외 기술 협력이라고 칭하며 나가는 '경제적, 기술적, 문화적' 파견도 기생을 사러 한국으로 '여행'가는 관광객도 모두 제일급 일제 침략자다.

일제 본국의 노동자와 시민은 식민지 인민과 평소 늘 적대하는 제국주의자, 침략자다.

(중략)

7. 우리는 아이누 모시리, 오키나와, 조선, 타이완 등을 침략, 식민지화하고 식민지 인민의 영웅적 반일제 투쟁을 계속해서 압살해 온 일제의 반혁명 침략, 식민사를 '과거'의 것으로 청산하는 경향에 단호히 반대하고 그것을 분쇄하지 않으면 안 된다. 일제의 반혁명은 지금도 여전히 오랫동안 계속되는 현대사 그 자체다. 그리고 우리는 식민지 인민의 반일제 혁명사를 복권하지 않으면 안 된다.

우리는 아이누 인민(그들이 아이누로서 투쟁을 조직할 때 일제 치안경찰은 재일조선인을 대하는 것과 마찬가지로 외사과가 그 수사를 담당하고 있다), 오키나와 인민, 조선 인민, 타이완 인민의 반일제 투쟁에 호응하고 그들의 투쟁에 합류하도록 반일제의 무장투쟁을 끈질기게 해나가는 '늑대'다.

우리는 신구(新舊) 제국주의, 식민주의 기업에 대한 공격, 재산 몰수 등을 주요 임무로 하는 '늑대'다.

우리는 동아시아반일무장전선에 지원하여 그 일익을 담당하는 '늑대'다.

이 선언문을 포함하여 《하라하라 시계》의 기술에는 종래의 좌익 또는 신좌익의 이론에서는 볼 수 없는 특징이 있다. 우선 글 어디에도 마르크스, 레닌의 이름이 등장하지 않고, 일본의 노동자 계급 자체도 제국주의 본국인으로서 부정되고 있다는 점이다. '늑대'가 유일하게 연대를 표명하는 노동자는 산야(山谷) 등 인력 시장의 유동적 노동자(그들은 《하라하라 시계》에서 사용한 유민=날품팔이 노동자를 나중에 이런 표현으로 바꿨다)뿐이다. 나아가 자주 나오는 것은 아이누이고 오키나와 인민이며 조선 인민이다. 이것들이 《하라하라 시계》를 아우르는 키워드라고 해도 틀리지 않을 것이다.

이러한 키워드에서 게바리스타(체 게바라의 혁명 이론 신봉자로 국경과 민족을 뛰어넘어 세계 혁명을 지향하는 사람—옮긴이)이면서 용장군(竜将軍)이라 자칭하는 오타 류(太田竜)가 곧바로 떠오른다. 《하라하라 시계》에는 '세계궁민(窮民)혁명론'을 주창하고 '아이누 공화국' 건국을 주장하는 오타의 영향이 짙게 배어 있다. 오타는 1972년 9월에 일어난 히다카시지청 시즈나이초의 샤쿠샤인(シャクシャイン, 아이누 한 부족의 수장—옮

긴이)상의 받침대 파손 사건의 용의자로 지명수배되어 도피 중이었다. 이 오타 류를 추적하면 '늑대'에 닿을 수 있지 않을까 해서 공안부는 활기를 띠었다. 하지만 오타 류는 10월 23일 아침 가나가와현 경찰본부 오다와라 경찰서에 출두하여 공안부를 낙담시킨다. '늑대'가 스스로 출두할 리 없다. 오타는 11월 8일에 석방된다.

오타 류와의 직접적인 관련은 사라졌지만, 어쨌든 그의 사상적 인맥 어딘가에 폭탄범이 관련되어 있을 거라고 추정한 공안부는 사상적 경향을 같이하는 재즈 평론가 히라오카 마사아키(平岡正明), 평론가 다케나카 로(竹中労) 등이 관계하는 현대사조사와 '레볼트사(レボルト社)'에 초점을 맞춰 간다. 현대사조사는 일찍이 도쿄행동전선에 관련되었던 사람들이 출입하는 신좌익계 출판사다.

1965년 3월에 이시이 교지, 마쓰다 마사오, 히라오카 마사아키 등이 결성한 도쿄행동위원회는 약 50명의 그룹으로, 월간 〈도쿄행동전선〉을 발행했으나 오래 이어지지는 못했다. 하지만 그 후에 도쿄행동전선의 흐름을 이어받은 급진적인 아나키스트 그룹 몇 개를 낳았다. 사이토 노도카도 도립대에 입학한 후 구 도쿄행동전선의 멤버가 조직한 아나키스트 그룹 '바쿠샤(麦社)'에 참가했다. 그리고 테크 투쟁(테크 출판사에서 일어난 노동쟁의)에 관계하는 과정에서 사이토 노도카는 히라오카 마사아키(平岡正明)와 만나게 된다. 사이토 노도카는 현대사조사와 관련된 인맥을 철저하게 조사하는 과정에서 드러나게 되었던 것이다.

한편 레볼트사는 오타 류, 마쓰다 마사오, 사사키 데쓰야 등이 1967년 2월에 결성한 것으로, 〈세계혁명운동정보〉를 발행하여 조선 문제나 제3세계 정보를 전하는 데 힘을 쏟았다는 특징이 있다. 사사키 노리오는 형인 사사키 데쓰야와의 관계로 인해 비교적 빠르게 드러난 것으로 보인다. 그는 레볼트사가 하는 조선혁명사연구회의 전단지를 붙이다 한 번 아라카와 경찰서에 체포되었다.

이처럼 사이토 노도카와 사사키 노리오, 이 두 사람을 철저하게 감시하고 미행하면서 관련된 다른 멤버들이 차례로 드러나게 되었다는 것이 적절한 설명일 것이다. 취재 기자들은 1975년 4월 초에는 체포해야 할 전원이 밝혀졌다고 추측했고, 체포의 직접적인 혐의가 된 4월 19일의 한국산업경제연구소 폭파는 미행하던 수사관들이 알고 있으면서도 자유로이 행동하게 놔두었던 게 아닐까 하고 의심했다. 일부러 잡지 않고 자유롭게 행동하도록 놔둔 것은 배후의 인물을 파악할 수 없었기 때문이다. 다무라초 분실도 실행범은 거의 확정했다고는 하지만 그들의 배후에 있을 막후 인물을 밝혀내지 못해 초조해 하고 있었다. 하지만 공안부는 그 이상 자유롭게 놔두어도 수사의 진전을 기대할 수 없을 것 같았고, 다음 표적이 요인 테러가 되지 않을까 두려워했다. 일제 검거에 나설 디데이는 엘리자베스 여왕이 일본을 떠나고 일주일 후인 5월 19일로 정해졌다.

호우가 그친 뒤에도 구시로는 5월의 쾌청한 날로부터 버림받고 있었다. 20일은 또 비가 왔고 21일에는 비가 그쳤으나 다소 흐린 날씨였으며 풍속 15미터라는 강풍이 거칠게 불어대 기온은 급격히 내려갔다. 이날은 오호츠크해 연안 일대에 눈이 내리는 이상 저온 현상을 보였다.

나오시와 도시코는 구시로 시내의 고지대에 있는 주택가인 미도리가오카의 다이도지가에서 외아들의 체포 소식이 보도된 후 숨을 죽인 듯이 숨어 살고 있었다. 하지만 아무리 집에 틀어박혀 있어도 잇따라 찾아오는 보도진으로부터 달아날 수는 없었다. 그들은 닫힌 문을 억지로 열게 했다. 도시코는 식사 준비를 위해 장을 보러 나가지도 못했다. 맞은편에 사는 주부가 도시코의 주문을 전화로 받아 대신 장을 봐주었고 나오시의 약을 대신 받아 주는 노인도 있었다. 이웃들은 뜻밖의 재난을 당한 두 사람에게 두루 마음을 써주었다.

강풍이 불어대서 추웠던 5월 21일, UHB 텔레비전은 오후의 프로그램 〈3시의 당신〉에서 '체포 사흘째 폭탄범은 지금'을 방송했다. 나오시와 도시코는 이 프로그램에서 마사시가 빗속에서 체포당하는 사진을 처음으로 봤다. 그 화면을 보는 것만으로 도시코의 눈에서는 눈물이 흘러나왔다. 마사시가 흐트러진 모습을 보이지 않는 것이 그나마 다행이었다.

텔레비전 화면에는 "세상에 폐를 끼쳐 정말 죄송합니다"라고 사죄하며 고개를 숙이는 나오시가 비쳤다. 어제 억지로 자택에서 촬영한 두 사람의 인터뷰가 벌써 편집되었던 것이다. 마이크를 들이대자 화면 속의 두 사람은 5월의 연휴에 아들 부부가 초대해서 함께 도쿄에서 보냈다는 이야기를 간략하게 했다.

"우리 비행기가 하네다를 떠날 때까지 마사시와 아야코가 언제까지고 손을 흔들고 있었던 것이 인상적이었습니다. ―어쩐 일인지 마사시의 어린 시절이 생각나서 무척 귀엽다고 생각했습니다."

이렇게 말한 후 도시코는 "목숨을 걸고 내달린 그들을 부디 이해해 주세요"라고 애원하며 끝내 견디지 못하고 쓰러져 울었다.

밤이 되어 전화벨이 울렸다. 5월 19일 정오 이후 도시코에게 전화벨은 공포의 울림이 되어 뻗은 손이 그만 머뭇거리게 되었다. "다이도지 씨 댁입니까?" 하는 여자 목소리였다. "네, 그런데요"라고 대답했다.

"부인이시군요. 당신은 오늘 텔레비전에서 아들이 한 일을 인정해 달라고 했지요. ―저는 미쓰비시중공업 빌딩의 폭탄으로 남편을 잃은 사람입니다. 어린아이를 안고 앞으로 혼자 살아가야 하는 제 마음을, 부인이 이해한다는 겁니까? 아니면 당신은 범인들의 마음을 이해해 달라는 겁니까?"

느닷없이 수화기의 목소리가 날카로운 울림으로 도시코를 덮쳤다. 순간적으로 대답하지 못하고 가슴이 콩닥콩닥 뛰었다.

"부인, 듣고 있습니까?"

흥분한 상대의 목소리에 도시코는 궁지에 몰렸다.

"— 죄송합니다. … 하지만 저는 아들의 기분을 인정해 달라고 한 게 아닙니다. 이해해 달라고 한 것입니다."

도시코는 가까스로 대답했다.

"그게 그거 아닌가요? 제 남편이 무슨 나쁜 짓을 했다는 거죠? 당신 남편이 만약 의미도 없이 벌레처럼 죽임을 당하면 당신은 그 범인의 마음을 이해해 줄 수 있나요?"

도시코는 대답할 말이 없었다.

"… 죄송합니다. 제 표현이 잘못되었습니다. 용서해 주세요."

죽어가는 듯한 목소리로 사죄했을 때 도시코는 소리 죽여 울고 있었다. 그런 기색이 전해졌는지 어디의 누군지도 밝히지 않은 채 전화를 끊었다. 도시코가 인터뷰에서 "그들의 마음을 부디 이해해 주세요"라고 애원한 것에는 배경이 있었다. 어제 취재하러 온 텔레비전 방송국의 스태프로부터 사이토 노도카의 죽음이 자살인 듯하다는 것, 그리고 멤버 전원이 죽음을 각오하고 청산가리를 갖고 있었던 듯하다는 정보를 전해 들었던 것이다. 마사시 등이 목숨을 걸었다는 사실을 알고 도시코는 견딜 수 없이 가엾다는 생각이 복받쳤고, 그 동요가 그만 애원이 되고 말았던 것이다.

이튿날인 22일도 약간 흐린 날로, 최저 기온이 2.6도인 추운 날씨가 이어졌다. 이러한 이상 기후로 구시로 지방의 벚꽃 개화가 예년보다 일주일 늦어지기 때문에 벳포 벚꽃 유원지에서 열리는 벚꽃 축제를 6월 1일로 연기한다는 구시로신문사의 사고(社告)를 보면서도 도시코의 마음은 들뜨지 않았다. 꽃구경 같은 건 이제 먼 세상의 일이 되어버린 것이다.

이날도 끝내 아야코가 보낸 사진은 오지 않았다. 만약 19일 아침에 체포당하기 전에 우체통에 넣었다면 이미 도착했을 것이다. 역시 아야코는 그럴 여유가 없는 채 체포당한 거라고 생각하니 도시코의 가슴에 새로운 아픔이 스쳤다.

다이도지 마사시는 체포된 직후에 스스로 변호사를 선임했다. 지원센터의 쇼지 히로시(庄司宏) 변호사로, 이는 그가 알고 있는 유일한 변호사 이름이었다. 지금까지 직접적인 관계는 없었지만 라스트보로프 사건과 관련하여 기억하고 있는 이름이었다.

마사시가 변호사를 의뢰한 것은 자신에 대한 조사나 그 후의 공판에 대비한 것이 아니라 다른 동지의 소식을 알려면 변호사를 매개로 하는 것 외에 달리 방법이 없기 때문이다. 누가 살아서 체포되었는지를 알아야 하고, 시급히 서로 연락을 취하지 않으면 안 되었다. 특히 아야코가 마음에 걸려 20일에 쇼지 히로시 변호사를 접견했을 때 다음 날 아야코를 접견해 달라고 의뢰했다.

마사시만이 아니라 체포된 사람은 모두 신좌익이 흔히 하는 재판 투쟁을 멸시하고 있었다. 동아시아반일무장전선이 제국주의 국가 일본과 대결하는 자세를 견지하는 한, 으뜸가는 국가 기관인 법원에서 재판받는 걸 상정하는 것은 난센스였다. 그중에는 외부에서 가족이 의뢰해 준 변호사를 해임해 버리는 사람도 있었다. 일곱 명은 변호사를 신뢰하지 않았을 뿐 아니라 자신들을 위해 외부에서 얼마간의 지원 활동이 시작되는 것도 믿지 않았다. 매스컴을 여론의 반영이라고 본다면 그 매스컴은 옥중의 그들을 사상도 이론도 없는 폭탄 마니아로 단정하고 뭇매를 때리고 있었다.

> 이 그룹의 가장 현저한 특징은 생명 감각을 상실한 집단이라는 점일 것이다. 빌딩에 폭탄을 설치하고 그 앞을 지나는 사람까지 죽인다. 그들은 타인의 생명을 존중하지 않는다. 동시에 그들 자신의 생명도 소중히 하지 않는다.
>
> 아마 인간과 기계의 구별조차 확실히 하지 않을 것이다. 자연을 떠난 시대의 아이이다. 녹색 숲을 보며 유구한 시간의 흐름을 생각하고, 시들었다가 다시 열매를 맺는 꽃들을 보고 끊임없이 변화하는 생명의 모습을 감지하는 일도 없었음이 틀림없다. 그들에게 인간은 스위치를 올리면 움직이고 내리면 멈추는 전기 기구의 하나로밖에 느껴지지 않았던 게 아닐까.
>
> 하지만 인간은 뭔가 일을 하지 않으면 살아갈 수 없다. 그들도 뭔가를 하지 않으면 안 되었다. 폭탄 테러는 허무의 막다른 골목에서 찾아낸 자기 증명의 수단이었다고도 생각할 수 있다.

마치 이(異)인종 같은 흉악한 모습을 그려보인 것은 아사히신문의 사설이다. 이런 '바깥 세계'에 옥중의 7인이 아무런 기대도 품지 않았던 것은 당연하지만, 그들의 경우 원래 근접했을 좌익 진영에서의 지원도 기대할 수 없는 사정이 있었다. 왜냐하면 그들의 폭탄 투쟁 자체가 기존의 합법적인 좌익 운동을 미련 없이 버린 데서 시작되었기 때문이다. 또한 《하라하라 시계》에서도 "그들과의 관계는 원칙적으로 엄금한다. 그들의 압도적 대다수는 철저하게 질이 나쁘다", "그들과의 관계 속에서 조직의 확대, 강화 따위를 생각하는 것은 완전한 환상이다"라며 단호히 관계를 끊고 있는 이상, 그 진영에 대한 기대는 논할 가치가 없었다. 안면(安眠)을 탐하는 일본에서 감히 게릴라 병사를 지향하는 극소수자라고 자부하는 그들은 스스로를 극도로 고립된 위치에 두었던 만큼 타자로부터의 연대 행위는 처음부터 기대하지 않고 있었다.

또한 사실 신좌익을 포함한 기존 좌익 진영의 그들에 대한 평가는 혹독했다. 국가 권력에 직접 폭탄을 설치하지 않고, 기업을 하나하나 계속해서 격파하는 것만으로는 혁명에 이를 수 없다는 전술적 비판은 당연했다. 그런데 그 이상으로 문제가 되었던 것이 동아시아반일무장전선에 결여되어 있는 '계급적 관점'이다. 예컨대 일제 본국 노동자의 임금 인상 투쟁도 식민지 수탈로 이어지는 것이어서 반혁명 노동운동에 지나지 않는다는 《하라하라 시계》의 규정은 일본의 피억압 계급인 노동자의 존재를 전면적으로 부정하는 것이고, 노동자 계급에 의한 혁명을 정면으로 부정하는 것이기도 했다. 이는 기존 좌익의 존재 기반을 뿌리째 뽑아 버린 것이다. 신좌익까지 '늑대'에 맹렬히 반발하는 가장 큰 이유가 여기에 있었다.

하지만 이렇게까지 뭇매를 맞고 있는 그들에 대한 외부에서의 지원 활동은 일찌감치 체포 당일부터 시작되었다. 그 중심이 된 곳이 미나토구 신바시에 있는 '구원연락센터(救援連絡センター)'였다. 이는 전공투 운동에서 체포당한 사람이 속출했던 1969년 3월에 결성된 자발적인 센터로, 섹트(당파)에 상관없이 국가 권력의 탄압 피해자를 지원하는 것을 목적으로 활동하고 회원들의 회비로 유지 및 운영되고 있었다. 이 시기 구원연락센터가 지원한 주요 사건을 열거하면 이 센터의 성격이 선명하게 보인다. 산리즈카(三里塚) 투쟁, 포드 미대통령 일본 방문 저지 투쟁, 산야 투쟁, 연합적군 공판, '쓰치다(土田), 닛세키(日石)' 사건, 파괴활동방지법(破壞活動防止法) 재판 투쟁 등 어느 것을 봐도 크고 어려운 사건에 구원연락센터가 관여했다.

기업 연쇄 폭파 사건의 용의자 일제 검거 뉴스를 알게 된 구원연락센터에서는 당일 정오가 지난 시간에 성명을 발표하여 "인권 침해를 엄격하게 감시할" 것을 표명한다. 지금까지 전개되어 온 폭탄마 캠페인으로 보아 매스컴이 '즉결처형'의 기운을 선동하리라는 것은 충분히 예측할 수 있는 일이었다. 구원연락센터가 안고 있는 또 하나의 폭탄 사건인 쓰치다, 닛세키 사건이 경찰 권력에 의한 날조 양상을 보이기 시작하자 이번에도 그러지 않을까 하는 의혹도 완전히 지울 수 없었다.

구원연락센터의 활동이 그렇게 빨리 시작된 데는 사사키 데쓰야의 존재를 빼놓고는 설명할 수 없다. 체포된 사사키 노리오의 형인 데쓰야는 레볼트사의 주요 멤버로 당국에도 잘 알려진 활동가다. 《하라하라 시계》의 집필자(그들의 막후 인물)가 아닐까 의심을 받아 5월 19일 아침에는 가택수색을 받았다. 경찰 권력의 대응 방식을 숙지하고 있는 데쓰야는 구원연락센터와 함께 곧바로 움직이기 시작했다. 19일 밤 안에 전국에 흩어져 있는 체포된 사람의 가족과 전화로 연락을 취하고 가족회 결성 준비에 들어간다.

아자부 경찰서에서 다이도지 마사시를 취조하는 형사는 세 명으로 주임은 경위 야마다 사부로(山田三郞)다. 50세 전후로 체중이 80킬로그램은 되어 보이는 거한이었다. 큰 목소리로 호통을 치기도 하고 일변하여 차분하게 말을 걸기도 하는 등 강온 양면을 구분하여 구사한다. 그를 보좌하는 사람은 쓰쓰미 겐지(筒見賢治) 경위와 나카바야시 유타카(中林豊) 경장이다. 나카바야시와 처음 대면했을 때 마사시는 앗 하고 소리를 지를 뻔했다. 체포당하던 날 아침, 빗속을 우산도 쓰지 않고 걸어온 사람이 이 남자였던 것이다. 아침부터 저녁까지 쉬지 않고 세 사람의 취조가 이어졌고, 저녁과 밤에는 검사의 조사로 바뀌었다. 도쿄지검 공안부에 소속된 다카하시 다케오(高橋武生) 검사는 마흔 살 정도일까, 올백으로 넘긴 머리를 포마드로 빛내고 있고 폭이 넓고 화려한 넥타이를 맸으며 구두도 반들반들 닦여 있었다. 역시 형사들과 달리 이치로 따지며 몰아세우는 방법을 썼는데 이따금 노트를 둥글게 말아 책상을 내리치며 성난 목소리를 내는 것도 잊지 않았다. "증거물도 나왔고 미행 조서도 있고 또 동료의 진술도 있으니까 깨끗이 다 털어놔. 세상에서는 너희들을 폭탄 마니아라든가 생명 감각을 상실한, 이론도 사상도 없는 놈들이라고 하고 있어. 넌 그래도 좋아? 분하지 않아? 그걸 막는 길은 네 스스로 진실을 밝히는 것밖에 없을 거야."

마사시는 창백한 얼굴로 계속해서 묵비권을 행사하고 있었으나 깊은 패배감에 완전히 의욕을 잃고 있었다. 묵비권으로 검사와 대치하고 있다고 할 만큼 확고한 신념도 기력도 잃고 있어 간신히 입을 열고 있지 않은 것에 지나지 않았다.

"묵비권으로 도망치려고 생각하는 거야? 비겁한 생각 좀 하지 마. 너희들이 했다면 했다고 정정당당하게 밝혀야지."

형사도 검사도 미쓰비시중공업 빌딩 폭파 하나로 좁혀 공격했다.

"미쓰비시 피해자에게 너는 아무런 책임도 느끼지 않아? 도망치려고 해도 소용없어. 남자답게 깨끗이 밝혀야 하는 거 아니야? 피해자가 폭탄 마니아에게 죽거나 다친 거야, 아니면 혁명 사상이나 이론에 의거한 놈들한테 죽거나 다친 거야? 거기에 따라 그들이 구원을 받을 수 있을지 없을지가 결정될 거야. 만약 네가 진실을 밝힌다면 사상자 중에 구원받는 사람이 나오겠지. 너한테는 진술을 해서 그들을 구할 의무와 책임이 있어."

마사시는 다카하시의 설득에 저항할 수 없게 될 거라고 느끼고 있었다. 감옥 밖에 있을 때는 새로운 목표를 향한 행동에 마음을 빼앗겨 간신히 의식의 표면에서 지우고 있던 미쓰비시중공업 빌딩 폭파에서 사망한 사람들이 지금은 가로막는 것도 없이 독방에 있는 그를 덮쳐 공격하고 있었다. 마사시는 계속 잠을 자지 못하고 있었다.

"너희들의 싸움은 끝났어. 너희들의 임무는 종결된 거야. 이제 공개적인 자기비판을 해야 하는 거 아니야?"라는 검사의 설득은 마사시에게 저항하기 힘든 유혹이기도 했다.

5월 23일 경시청 특별수사본부는 연쇄 폭파 공범 용의로 메이지학원대 학생들인 우가진 히사이치(宇賀神寿一, 22세)와 기리시마 사토시(桐島聡, 21세)를 전국에 지명수배했다. 압수한 방대한 증거품 중 두 개의 열쇠로 두 사람의 존재가 드러난 것이다.

4

사납게 불어대는 폭풍이 지나기를 기다리는 것처럼 미도리가오카의 집에서 나오시와 둘이서 숨어 살고 있는 도시코에게는 지금 오히려 선명하게 떠오르는 먼 날의 광경이 있다. 도시코의 기억 속에서 그것은 한 점의 그늘도 없는 행복한 그림이 되어 빛나고 있다. 그 광경 속에서 젊은 도시코는 갓난아이인 마사시를 업고 빨래를 널고 있다. 나오시와 결혼하고 얼마 지나지 않은 무렵이니 마사시는 아직 겨우 한 살 남짓이었을 것이다. 바람에 펄럭이는 기저귀가 볼을 지부럭거렸다. 도시코는 이따금 등에 업은 아이를 추슬려 올리고는 마짜찌, 마짜찌 하고 부르며 말을 걸고 있다.

“마짜찌, 나는 지금 엄청 행복해. 나한테는 마짜찌를 내려주셨으니까. — 앞으로 언젠가 마짜찌가 배신하는 날이 올지도 모르지만 그래도 좋아. 지금의 이 행복이 모든 것을 보상해 주는 거니까.”

도시코는 어쩐 일인지 20년도 더 전에 했던 자신의 중얼거림을 또렷이 기억하고 있다. 아이를 낳을 수 없는 몸이라는 것을 알고 있던 도시코에게 그때 등에 업힌 작은 아이의 온기는 그 무엇과도 바꿀 수 없는 보물이었던 것이다.

도무라 도시코(戶村年子)가 다이도지 나오시와 만난 것은 직장 상사의 소개를 통해서였다. 갓난아이를 데리고 혼자 어려움을 겪고 있는 남자가 있으니 한번 만나보지 않겠느냐는 권유를 받았던 것이다. 구시로 시립실과여자고등학교를 졸업하고 도청의 파견 기관인 토목현업소에 근무하고 있던 도시코는 그 무렵 첫 번째 결혼에 실패하여 언니인 고토에의 집에 있었다. 상사를 따라서 다이도지의 집을 방문한 것은 저녁 식사 시간이었는데 직접 목격한 나오시의 고생스러운 모습에 마음이 움직였다. 근처에 사는 노파가 돌봐주고 있다는 갓난아이를 나오시 앞에서 엉겁결에 안아 올렸다. 도시코는 그때 마음이 움직였던 것을 지금도 신기하게 생각한다. 첫 번째 결혼이 파탄난 것도 남이 낳은 갓난 아이를 키울 수 있을지 어떨지 하는 문제에 직면한 뒤, 결국 거절한 탓이었다. 결혼하고 나서 아이를 낳을 수 없는 몸이라는 것을 알게 된 도시코는 남편이 다른 데서 낳아 온 갓난 아이를 떠맡을 마음이 들지 않았다. 그것이 이혼의 원인이 되었다. 그런데도 이번에는 아무런 저항도 없이 남의 갓난 아이를 안고 있었다. 이 아이를 자신의 손으로 키워보고 싶다는, 생각지도 못한 감정이 복받쳐 올랐다. 이미 스물여덟 살이라는 나이 탓인지도 몰랐다.

도시코가 다이도지 나오시와 결혼한 것은 1949년 7월 16일이다. 결혼식다운 식은 올리지 않고 나오시의 음악 동료만을 집으로 불러 집안끼리 축하하고 신혼여행도 가지 않았다. 나오시는 도시코보다 여섯 살 많았다. 나오시는 갓난아이를 도시코에게 맡기며 “마사시는 내 생명의 원천이오”라고 했다. 마사시는 1948년 6월 5일생이므로 도시코는 갑자기 한 살 몇 달이 된 아이의 어머니가 된 것이다. 갓난 아이는 마침 벽을 잡고 걷기 시작한 무렵이었다. 마사시는 생모의 호적에 올라가 있는 상태였으나 무사태평한 도시코는 그런 것에 무관심했고 시내에 있는 생모가 어떤 여성인지 알아볼 마음도 없었다.

다이도지라는 성은 드물지만 나오시의 아버지는 야마가타현 출신이다. 조부 때 일족이 홋카이도로 건너왔고 아버지의 세 형제 모두 신관(神官)이 되었다. 나오시는 구시로 중학교를 나왔고 1937년에 만주로 건너가 만철 조사부(북만경

제조사국)에 들어가 하얼빈에서 근무하는 한편 하얼빈 학원을 다녔다. 얼마 후 태평양전쟁이 시작되자 자원 조사로 남방(南方)으로 파견되어 버마 방면 사령부 조사부에서 근무하게 되었다. 패전 직전 현지에서 소집되어 전투원으로 편성되었기 때문에 패전과 함께 방콕의 수용소에 수용되었으나 이른 시기에 일본으로 귀환했다.

1946년 9월 중국어와 러시아어를 할 수 있는 것이 높은 평가를 받아 구시로 시청에 들어갔고 기획 면에서 솜씨를 발휘했다. 도시코와 결혼했을 때 다이도지 나오시는 공사(公私) 양면에서 활발히 활약하던 시기였다고 할 수 있다. 그는 만주로 건너가기 전인 1936년에 구시로 관현악단을 창립한 멤버 중 한 사람이었는데 전후에 다시 구시로에서 음악 활동을 재개했다. 결혼한 이듬해에 나오시가 작곡한 〈마리모오도리(まりも踊り)〉는 구시로 시민에게 널리 사랑받아 대표적인 본오도리(盆踊り) 노래가 되었다.

구시로에서는 축제나 행사 때마다 구시로 관현악단이 끌려 나왔는데 도시코는 마사시의 손을 잡고 남편이 연주하거나 지휘하는 모습을 보러 갔다. 나오시가 많은 동료로부터 '다이짱'이라 불리며 사랑받고 있는 것이 도시코에게는 기쁘고 자랑스러웠다.

초등학교 입학을 앞두고 마사시가 소아 결핵으로 입원했을 때 도시코는 자신의 수명을 줄여도 좋으니 이 아이를 살려달라고 신에게 빌었다. 1년 3개월에 이르는 장기 입원으로 인해 마사시는 1학년 2학기부터 초등학교에 입학했다. 그 무렵 키우고 있던 양 우리가 화장실 창 아래에 있어서 어린 마사시가 뭔가 못된 짓을 할 때마다 나오시가 이 창 밖으로 마사시를 매달고 "양 우리에 넣어버린다" 하며 겁을 주던 광경을 도시코는 어제 일처럼 기억하고 있다. 마사시는 "쉬가 나와, 쉬가 나와"라고 울부짖으며 손발을 버둥거렸다.

구시로의 최대 축제인 항구 축제는 8월의 첫 번째 일요일을 중심으로 열린다. 어느 해 도시코는 마사시의 손을 잡고 퍼레이드를 선도하는 나오시를 보러 갔다. 지휘자 제복을 입은 나오시는 구경꾼 속의 도시코와 마사시를 알아봤으면서도 시치미를 떼며 행진해 갔다. "마짜찌, 아빠는 시치미를 뗀 거야" 하며 둘이서 웃었다.

— 집에 틀어박혀 있는 나날, 도시코의 가슴속에 연달아 떠올랐다가 사라지는 것은 먼 날에 있었던 마짜찌와의 추억이었다. 나오시도 아마 그럴 거라고 생각하지만 그것을 입에 올리지는 않았다.

다이도지 마사시가 아자부 경찰서에서 검사 다카하시 다케오에게 자백을 시작한 것은 5월 24일 저녁 9시쯤부터다. 체포되고 고작 엿새밖에 지나지 않았다.

"현재 제가 체포된, 한국산업경제연구소를 비롯한 총 11군데 기업의 폭파 사건에 저는 어떤 형태로든 관여했습니다. 저는 동아시아반일무장전선 '늑대'의 일원입니다. 동아시아반일무장전선은 원래 '늑대'만의 단일 조직이었고, 이 조직이 1974년 3월경에 《하라하라 시계》를 출판했습니다. 이 《하라하라 시계》 전반부는 제가 썼습니다. 후반부의 폭탄 제조 기술을 쓴 사람에 대해서는 지금 말하고 싶지 않습니다."

이어서 '늑대'가 담당한 폭파를 특정하는 진술을 하고, 마지막으로 아라이 마리코는 '늑대'가 한 세 건의 폭파에 직접 관여하지 않았다는 것을 강조하며 이날 밤의 진술을 끝냈다. 진술 조서 끝에 다이도지 마사시라고 서명하고 날인한 후 유치장으로 돌아갔을 때는 이미 자정이 넘은 시간이었다.

잠들지 못하는 날이 이어져 마사시의 눈은 빨갛게 충혈되었고, 심한 설사로 몸은 무척 초췌해 있었다. 완전한 묵비권 행사를 깬 것은 이렇게 육체적으로 기진맥진한 나머지 기력이 위축된 결과이기도 했겠지만, 그 이상으로 그는 자기 자신을 잃어버리고 있었다. 청산가리가 든 캡슐을 집에 두고 체포되고 말았다는 통한의 심정이 언제까지고 그를 괴롭히며 혼란스럽게 했다. 살아서 체포되었을 때의 대처 방침은 갖고 있지 않았다. 경찰에게 체포되면서 끝이 났고 이제 싸울 수단을 완전히 상실했다는 무력감과 패배감에 심한 타격을 입었다. 베테랑 형사나 검사들이 그 동요를 놓칠 리 없었다. 검사는 미쓰비시중공업 빌딩 폭파 때의 사망자 가족이 지금 어떤 비탄과 고통 속에 빠져 있는지 한 사람 한 사람에 대해 구체적으로 이야기해 주었다. 유리 조각으로 온몸의 신경이 절단되어 지금도 아직 병원 침대에서 고통스러워하고 있는 중상자에 대해서도 이야기했다. 마사시는 검사 앞에서 몇 번이고 귀를 막고 싶은 충동에 시달렸다. “네가 자백하는 것으로 그들은 얼마든지 구원받을 수 있는 거야”라는 검사의 설득은 특히 그의 가장 아픈 곳을 찔렀다.

게다가 결정적인 증거를 압수당하고 말았다는 패배감도 깊었다. 그중에서도 행동 기록을 메모한 수첩을 압수당한 것은 동지들에게도 변명할 수 없는 큰 실수라고 해야 한다. 거기에는 1975년 1월 1일부터 체포 당일까지 ‘늑대’ 내부의 회의와 세 부대가 보고회를 했던 장소, 일시 등이 자세히 기록되어 있다. 약호나 암호를 사용했다고 해도 ‘미행 기록’과 대조한 특별수사본부가 이를 해독하는 데는 그다지 많은 시간이 걸리지 않았을 것이다. 이 수첩을 해독함으로써 늑대, 대지의 엄니, 전갈, 이 세 부대의 지난 5개월에 가까운 활동과 상호 관계는 마사시의 자백을 기다릴 것까지도 없이 명백하게 확인할 수 있었을 것이다.

마사시에게 또 한 가지 충격은 아라이 마리코가 체포당한 일이다. 확실히 마리코는 ‘늑대’ 결성 이전의 동료이기는 했지만, 연쇄 폭파 사건 당시 도쿄를 떠나 있어 어떤 폭파 사건에도 직접 관여하지 않았고 늑대 부대의 일원도 아니었다.

아라이 마리코는 5월 19일 아침 일제 검거의 대상은 아니었지만, 사사키 노리오의 연립주택에 출입한 것을 딱 한 번 미행당해 어쩌면 ‘늑대’의 일원일지 모른다고 의심을 받은 결과, 일제 검거가 이루어진 날 아침 센다이의 하숙집을 수색당했다. 그 방에서 염소산칼슘(폭약의 주재료가 되는 제초제)이 발견되었고 그 자리에서 체포당하고 말았다. 폭탄 사건에 직접 관여하지 않았다는 것을 밝혀 마리코를 석방시키기 위해서도 마사시는 진술을 시작하지 않으면 안 된다는 생각에 내몰렸다. 5월 24일 저녁에 진술하기 시작한 것은 이 마지막 이유가 가장 크게 작용했다.

이튿날인 25일의 진술에서 마사시는 왜 기업 연쇄 폭파를 했는가에 대해 "대체적인 것은 다음과 같습니다"라고 말하기 시작했다.

> 일본은 메이지 유신 이래 늘 해외에서 여러 가지 자원이나 재료 공급처를 찾았고 그 결과 타이완, 조선, 중국, 인도차이나에 대해 군사 침략을 하고 식민지화하여 그 이익으로 일본의 사회 구조를 구축해 왔습니다. 그리고 전후에는 표면적으로 형태가 다르지만 기업이 해외로 진출하여 값싼 노동력을 구함과 동시에 해외 국가에 제대로 처리하지 않은 공해 물질을 방류하여 이른바 기업에 의한 침략을 했고, 기업 침략에 의한 착취로 일본의 사회 구조를 형성해 왔다는 것이 저의 기본적인 인식입니다. 한편 기존 좌익은 혁명을 일본의 노동자 계급에 의한 투쟁으로 파악하고 있습니다만, 저는 일본의 노동자 계급은 앞에서 말한 식민지화나 기업에 의한 침략에 편입된, 이른바 제국주의 노동자이고, 그에 따라 진정한 혁명은 바랄 수도 없는 것이며, 저는 기업

침략으로 착취당하고 있는 이른바 식민지 노동자의 투쟁에 의해서만 진정한 혁명이 가능하다고 생각하고 있습니다. 그리고 앞에서도 말한 것처럼 일본 사회 구조의 기초를 형성하고 있는 것이 이른바 식민지에 진출해 있는 기업인 이상, 혁명을 위한 첫걸음은 무엇보다 해외에서 기업 침략을 하고 있는 대기업에 피해를 입혀 기업 침략을 저지하는 것이라고 생각하고 있습니다. 하지만 기업 침략의 저지는 지금까지 해온 각종 대중 활동이나 의회에서의 활동으로 달성하는 것은 불가능합니다. 왜냐하면 그런 대중 활동도 의회에서의 활동도 앞에서 말한 것 같은 형태로 형성되어 온 사회 구조라는 한계 안에서 이루어지기 때문입니다. 저는 기업 침략을 저지하기 위해서는 기업 침략으로 착취당하고 있는 국가 노동자의 입장에 서서 물리적인 힘으로 기업에 피해를 줄 필요가 있다고 생각했습니다. 이것이 해외 진출 기업에 폭탄을 설치하여 폭파한 근본적인 이유입니다.

25일에는 체포된 일곱 명 전원이 연쇄 폭파에 어떤 형태로든 관여했다는 사실을 인정하기 시작했다. 지금까지 과격파 학생들의 만만치 않은 완전한 묵비권 행사에 애를 먹고 있던 검사는 그들이 일찌감치 한꺼번에 자백하기 시작한 것을 오히려 이상하게 받아들였다.

이날 밤 사건에 밀접하게 관련된 하나의 비극적인 사건이 발생했다. 아라이 마리코의 언니 나호코(なほ子, 26세)가

행방불명된 것이다.

나호코는 1971년 봄부터 작년 9월까지 아다치구 센주아케보노초의 연립주택에 살았고 마리코도 한때는 이곳에서 같이 살았다. 마리코는 호세이대를 중퇴한 후 언니의 연립주택에서 살며 근처 플라스틱 공장에 다녔다. 그런데 다시 도호쿠 대 부속의료기술 단기대학에 들어가기 위해 1972년 10월에 후루카와시의 본가로 돌아가 시험공부에 몰두했다. 이듬해 봄에 합격하여 센다이의 하숙집으로 옮겨 갔고 결국 이 하숙집에서 체포되었다. 한편 작년 10월에 귀향하여 본가에 있던 나호코는 마리코가 체포되었다는 소식을 듣자마자 상경하여 구원연락센터에서 마리코에게 차입 등을 하고 있었으나 동요가 심해 노이로제 기미를 보였다. 걱정하던 부모가 25일 아침에 상경하여 설득했고, 어렵사리 집으로 돌아가기로 했다. 부모는 시름에 잠긴 나호코를 데리고 그날 저녁 8시 50분 우에노를 출발하여 아오모리로 가는 급행 도와다 2호를 타고 떠났다. 그런데 그 기차 안에서 딸의 모습을 놓친 것이다. "화장실에 다녀올게"라며 자리를 떠났는데 아무리 기다려도 돌아오지 않았다. 이상하게 여긴 부모가 찾으러 가보니 화장실은 안쪽에서 잠겨 있었다. 차장을 불러 열어달라고 했더니 화장실의 좁은 창이 열려 있고 나호코의 모습은 보이지 않았다. 질주하는 열차에서 뛰어내린 것으로 보고 부모는 하라노마치역에서 되돌아가며 찾아봤지만 보이지 않았다.

화물열차 기관사가 지나다가 선로 옆의 풀숲에서 시체

를 발견한 것은 28일 오후 5시 35분경이었다. 현장은 가쓰타시 히가시이시카와의 들판으로, 머리, 어깨, 목뼈가 부러져 즉사한 상태였다. 안면도 식별할 수 없을 만큼 손상되어 있었다. 왼팔에 전화번호로 보이는 591-1301이라는 숫자가 볼펜으로 적혀 있었던 것 외에는 신원을 알 수 있는 단서는 전혀 없었다. 철도 공안실이 이 번호를 조사하여 도쿄의 구원연락센터라는 것을 알아내 죽은 사람이 아라이 나호코라는 사실이 판명되었다.

일제 검거와 관련해서는 사이토 노도카의 음독사에 이어 두 번째 사망자가 나온 것이다. 부부 모두 고등학교 교사인 아라이 히데타로(荒井秀太郎), 아라이 요시미(荒井佳美)에게 마리코의 체포에 이은 나호코의 자살은 더욱 가혹한 비극이었다. 재차 타격을 주듯이 나호코는 모살당한 게 아닐까 하는 설이 주간지 등에서 크게 다루어졌다. 그가 일련의 폭파 사건의 열쇠를 쥐고 있고, 그것 때문에 제거당한 게 아닐까 하는 의심이었다. 일곱 명은 체포되어 유치장에 있지만 이 정도 범행의 배후에는 반드시 큰 흑막이 존재할 거라는 견해는 여전히 뿌리가 깊었다. 특히 한국 관련 모략설 등이 주간지를 떠들썩하게 했다.

다이도지 마사시를 비롯한 일곱 명이 재빨리 자백을 시작했다는 뉴스에 감옥 밖에서 구원 운동에 분주하고 있는 사사키 데쓰야는 더는 참을 수 없는 심정이었다. 변호사의 접견 기회를 통해 옥중의 한 사람 한 사람에게 "왜 완전한 묵비권을 행사하지 않는 거냐"고 필사적으로 호소하려고 했다.

다이도지에게

우리는 너희들의 정의를 믿고 있다. 수십 일 후 인민에 대한 너희들의 주장을 듣고 싶다. 그러나 지금은 안 된다. 권력에는 침묵을! 인민에게는 정의의 주장을! 힘들어도 지금은 계속 침묵해 달라. 권력의 수중에 있는 지금의 너에게는 침묵이 가장 혁명적이다. 류스케도 곧 돌아온다. 그때까지라도 좋다. 아무튼 적에게 입을 열지 마라! 싸움은 아직도 계속되고 있다.

사사키 노리오의 형

5월 28일 오후 4시

마사시는 28일부터 다시 묵비권 행사로 돌아간다. 일단 진술을 시작했으면서 다시 시작된 완고한 침묵 앞에서 검사도 형사도 격앙되어 책상을 내리쳤다. 마사시의 어깨를 잡고 흔들기도 하고 발을 꼬면 우격다짐으로 그 발을 풀었다. 팔짱을 끼면 여럿이 달라붙어 팔을 풀고 때로는 무릎을 꿇리고 욕을 해댔다.

"미쓰비시에서 폭탄을 터뜨린 놈은 묵비권 행사 같은 건 할 수 없어. 웃기지 마. 갑자기 무서운 생각이라도 든 거야? 비겁한 놈. 동료한테 죄를 뒤집어씌우고 너는 살고 싶은 거야?"

도발해서 입을 열게 하려는지 온갖 악담을 퍼부었다. 화장실에 가려고 하면 “도망치는 거야?” 하고 형사들이 앞을 가로막고 방해하려고 했다.

제2장
구시로, 오사카, 도쿄

1

5월 29일, 도시코는 도쿄의 사사키 데쓰야가 보낸 〈가족 통신〉 제1호를 받았다. "이번 기업 연쇄 폭파 사건과 관련하여 체포된 사람의 가족 모임을 결성하고, 앞으로 장기간에 걸쳐 가족으로서 여러 가지 의미에서 분발해야 하기 때문에 가족 사이의 연락 방법으로 〈가족 통신〉을 발행하게 되었습니다. 또한 이 통신은 가족에게만 보냅니다"라는 인사말과 몇 가지 주의 사항이 쓰여 있을 뿐인 청사진 복사판의 간단한 통신 두 부가 들어 있고, "다키구치(滝口) 씨에게도 드리세요"라는 추신이 있었다. 다키구치는 마사시의 아내 아야코의 결혼 전 성으로 친정은 구시로시 돗토리초에 있다. 돗토리초라는 이름에서도 알 수 있듯이 돗토리현에서 들어온 사람들이 개척한 동네로, 아야코의 어머니 쓰유(ツユ)는 남편과 사별한 후 차남 가족과 살고 있다.

도시코는 돗토리초에 〈가족 통신〉을 보낼 생각으로, 그 전에 쓰유에게 전화를 걸었다. 시내버스를 타면 그리 먼 거리는 아니지만 지금 다키구치가를 찾아가는 것은 꺼려졌다. 수화기 너머의 쓰유는 차남 부부에게 신경 쓰는 듯이 목소리를 낮추고 있었다.

"사부인, 그런 것은 제발 보내지 말아 주세요. 이제 저는 아야코를 딸이라고 생각하지도 않으니까요. 아야코에 대해서는 다 잊기로 했어요. 사진이나 편지도 아야코 것은 다 태워버렸어요. 이제 앞으로는 아야코와 아무런 관계도 없습니다."

떨림이 느껴지는 목소리를 들으며 도시코는 말과 반대로 쓰유의 분노보다는 슬픔 쪽을 받아들였다. 뿌리치는 듯한 그 말이 쓰유의 본심일 리 없었다. 같이 사는 아들 부부, 특히 며느리에게 마음을 쓰는 것이라는 사실을 알고 도시코도 목소리를 낮추었다.

"사부인, 낙심하지 마세요. 아야코 일은 제가 할 수 있는 건 다 할 테니까요. 도쿄에서는 이미 여러 분들이 차입 같은 것도 해주고 있다고 해요."

짧은 대화를 나누고 수화기를 놓았는데 그 후 도시코에게는 뜻밖의 의혹이 솟아났다. 조금 전 쓰유의 어조 어딘가에 자신들에 대한 원망이 느껴지지 않았나 해서 서둘러 방금 나눴던 대화를 반추했다. 마사시가 아야코를 그런 사건에 끌어들였다고 생각하여 쓰유가 자신들 일가에 원한을 가진다고 해도 이상하지 않았다. 아마 쓰유의 뇌리에 가장 강력하게 새겨져 있는 아야코의 모습이라고 하면 구시로 고료(湖陵) 고등학교 졸업식에서 졸업생 대표로 답사(答辭)를 한 자랑스러운 모습일 것이다. 쓰유로서는 학년을 대표했던 우등생 아야코가 그로부터 8년 남짓 지난 후에 그런 큰 사건의 용의자로 체포되는 모습으로 변한 것 이면에는 마사시와의 결혼이 있었다고 생각한다고 해도 전혀 이상하지 않을 것이다.

마사시와 아야코는 고료 고등학교 동창생이었다. 하지만 도시코는 당시 두 사람이 특별히 친했다는 인상을 갖고 있지 않았다. 두 사람이 다시 만나 친해진 것은 도쿄에서이겠으나 마사시에게 그 경위를 듣지는 못했다. 도시코가 '아아, 마사시는 아야코와 결혼하겠구나' 하고 처음으로 짐작하게 된 것은 나오시가 스몬병에 걸려 입원하고 있던 여름이었다. 아버지의 입원을 걱정하여 돌아온 마사시가 아야코와 함께 왔던 것이다.

결국 두 사람은 결혼식은 올리지 않고 1963년 1월 구시로 시내의 로쿠엔소(六園荘)에서 아주 소박한 피로연을 열어 각각의 가족이 대면했을 뿐이다. 그러고는 도쿄로 돌아갔다. 구시로에 눈이 내리는 날이었다. 그 후 부부가 두 번의 설에 돌아왔다. 두 사람은 도쿄에서 돌아오면 미도리가오카와 돗토리초 양쪽에 얼굴을 내밀고 가시와기초의 이모댁을 찾아가는 것도 잊지 않았다. 귀향했을 때의 일을 돌이켜봐도 두 사람의 변모를 알 수 있는 징후는 아무것도 없었다. 아야코는 아주 자상한 며느리로, 도시코에게는 여러 가지로 마사시를 존중해 주는 것이 마음에 들었다.

대체 두 사람 중 누가 리드해서 그런 방향으로 빠졌는지 도시코는 짐작도 할 수 없었다. 하지만 쓰유에게는 미안한 마음이 점점 커졌다. 동시에 또 아야코에 대한 양심의 가책 같은 것도 있었다. 자신의 걱정은 아무래도 마사시 쪽으로만 기울어졌다는 생각이 들었던 것이다. 이제는 쓰유 대신 자신이 아야코의 어머니이니까 하고 도시코는 다시 한 번 자기 자신에게 확인시켰다.

그날 오후 3시가 지나 도시코는 치코를 데리고 산책을

나가는 나오시를 따라나섰다. 일주일 동안 집에 틀어박혀 있었던 나오시는 다시 개를 데리고 산책을 나갔다. 지금 키우고 있는 치코는 아이누견의 잡종으로, 치코라는 이름을 붙인 개의 3대째다. 초대 치코는 마사시가 초등학생이던 시절에 키운 개로, 도시코와 함께 본 〈치코와 상어〉라는 영화가 마음에 들었던 마사시가 지은 이름이었다. 나오시와 도시코가 치코를 데리고 가는 산책 코스는 정해져 있다. 가까운 주택가를 빠져나가 가이즈카초의 초원까지 다녀오는 왕복 코스다. 먼 거리는 아니지만 초원에서 느긋하게 시간을 보내기 때문에 거의 한 시간이 걸린다. 이 공터는 고지대라서 끝까지 가면 수직의 낭떠러지다. 낭떠러지 끝에 서면 시야를 막는 것 없이 탁 트여 있고 동네 여기저기에 피어 있는 벚꽃을 내려다볼 수 있다.

신처럼
멀리 모습을 드러내는
아칸산 눈에 비치는 여명

도시코는 눈을 가늘게 뜨고 멀리 어렴풋이 떠오르는 오아칸다케(雄阿寒), 메아칸다케(雌阿寒)를 바라보며 이사카와 다쿠보쿠(石川啄木)의 시를 마음속으로 중얼거려 본다. 줄을 풀어주자 치코는 공처럼 튀어 나가 뛰어다니고, 풀숲에 앉은 나오시는 자못 맛있다는 듯이 담배 연기를 뿜어대고 있다. 그런 광경을 보고 있으니 도시코는 문득 착각에 빠질 것 같다. 5월 19일 이전의 광경과 아무것도 달라지지 않은 것처럼 보여 그 19일이 현실에서 있었던 일이 아니라 도시코의 악몽 속 기억이었던 듯한 기분이 들었다. 오가는 길에 만나는 사람도 이전과 다르지 않게 "안녕하세요"라고 인사를 해주고, 두 사람도 아무렇지 않게 인사를 했다. 하지만 마사시의 체포가 알려지지 않았을 리는 없었다.

40분쯤 지나 돌아오자 집 앞에 남자 세 명이 서성거리고 있었다. 사복형사라는 것을 알아차리자 도시코의 가슴은 순식간에 심하게 뛰었다.

"저희는 구시로 경찰서에서 나왔습니다."

한 사람이 경찰수첩을 보여주었다.

"실은 조금 전에 댁에 폭탄을 설치했다는 협박 전화가 소방서로 걸려왔습니다. — 혹시 모르니 집 안을 살펴볼 수 있을까요?"

도시코는 자기도 모르게 나오시의 팔을 잡고 바짝 붙었다.

"알겠습니다. 형사님들은 좀 기다려 주시겠습니까? 제가 살펴보겠습니다."

나오시의 대답에 세 형사는 살펴볼 장소를 몇 군데 지시하고 뜰 쪽으로 돌아갔다. 주위를 살피는 듯했다. 도시코는 나오시와 함께 집 안으로 들어가 현관에서부터 각 방, 부엌, 욕실 순으로 안쪽을 향해 살펴봤다. 하지만 특별히 이상한 것은 보이지 않았다. 생각해 보면 두 사람이 집을 비운 것은 채 40분이 안 되었다. 문단속을 단단히 하고 나간 집 안으로 숨어들어 폭탄을 설치를 할 시간은 없었을 것이다.

"이상한 것은 아무것도 없는 것 같습니다."

두 사람이 밖으로 나가 보고하자 형사들은 가볍게 고개를 숙였다.

"역시 장난전화였나보군요. — 그럼 이 건으로 조서를 꾸며야 하니 선생님은 서까지 같이 가주시겠습니까?"

형사가 의외의 말을 했기 때문에 나오시는 살짝 시간 간격을 두고 "그건 거절하겠습니다"라고 대답했다. "— 조서가 꼭 필요하다면 여기서 부탁하겠습니다."

형사들은 그 이상 고집을 부리지 못하고 현관 앞에서 조서를 꾸미고 돌아갔다. 그리고 밤이 되어 전화를 건 남자가 체포되었다는 사실을 알려왔다. 협박 전화는 구시로시 소방본부로 걸려왔는데 제대로 역탐지해서 밝혀낸 듯했다. 시내에 사는 56세의 남성으로 "텔레비전을 보고 있다가 다이도지의 가족이 전혀 사죄하려고 하지 않아 화가 나서 전화했다"고 자백했다 한다. 전화를 했을 때는 상당히 술에 취해 있었던 모양이다. 단순히 괴롭히려는 전화였다는 것을 알아도 도시코의 두근거림은 가라앉지 않았다.

5월 31일, 다이도지 마사시는 다시 진술을 시작한다. 이 전면적인 진술을 시작하던 즈음에 그는 옥중의 '늑대' 동료들에게 다음과 같은 메시지를 전해달라고 다카하시 검사에게 의뢰한다.

저는 오늘(5월 31일)부터 진술을 시작했습니다. 이것은 권력에 굴복해서 다시 시작하는 것이 아니라 어디까지나 저의 의지에 의한 것입니다.

저는 지금도, 그리고 앞으로도 우리가 생각해 온 것, 또 계속해 온 싸움이 틀렸다고는 생각하지 않습니다. 그렇지만 그중에서 미쓰비시에서의 실패를 인정하지 않을 수가 없습니다. 실패와 그것에 대한 저, 그리고 우리의 심정은 신속하게 밝혀야 한다고 생각했습니다. 그것이 본격적인 진술을 시작하는 이유입니다. 이상을 동지들에게 알립니다.

이것을 쓴 마사시의 의도가 어떻든 전면적으로 진술을 시작하기로 선언한 이 회람을 검찰 측이 철저하게 활용한 것은 당연하다. 검사는 여전히 묵비권을 행사하고 있는 사사키 노리오 등에게 이 회람을 보여줌으로써 이제 더 이상의 묵비권 행사가 무의미해졌다고 주장하며 한 사람 한 사람의 저항 의지를 잃게 했다. 31일의 이 진술에서 마사시는 《하라하라 시계》를 타이핑한 사람이 아라이 나호코였다는 것과 인쇄한 곳이 구시로시 기라(吉良) 인쇄소의 기라 가즈시(吉良一司)라는 것을 자백한다. 5월 28일부터 묵비권을 행사하는 동안에도 조사는 계속되었는데 검사로부터 가장 공격을 당한 것은 《하라하라 시계》를 인쇄한 사람이 누구인가 하는 것이었다.

"인쇄한 사람이 너희와 무관하다면 밝혀야 하는 거 아냐? 그냥 주문을 받고 인쇄했을 뿐이라면 그걸 증명해 줄 수 있는 건 너뿐이잖아. 아라이 나호코처럼 만약 그가 막다른 곳에 몰렸다는 심정으로 자살이라도 하면 어떡하려고?”

검사의 이 말은 추궁당하고 있는 마사시에게 위협적인 울림이 있었다. 아라이 나호코의 투신 자살 소식을 듣고 마사시는 큰 충격을 받았다. 《하라하라 시계》 타이핑을 끝낸 나호코를, 내향적이고 마음씨가 너무 착해서 도회의 게릴라 활동에 부적합하다며 동료에게서 떨어져 있게 했는데 그런 배려도 그를 구할 수 없었던 것이다. 같은 비극을 되풀이하지 않기 위해서도 사실을 말해서 기라 가즈시가 무관하다는 것을 밝히고 싶다는 생각이 마사시의 입을 다시 열게 했다.

구시로시 기라 인쇄소의 장남 기라 가즈시는 마사시의 고등학교 1년 선배이고 두 사람의 교류는 그 후에도 이어졌다. 가즈시는 와세다대 야간 문학부 사회학과를 중퇴한 후 얼마 안 있어 구시로로 돌아와 아버지의 회사에서 일하고 있었다. 마사시는 그런 그에게 부탁하여 《하라하라 시계》를 인쇄한 것이었다. 이 자백에 기초하여 경시청 극좌폭력단속본부의 기무라 가쓰키(木村勝喜) 경감 등 일곱 명의 수사관은 6월 2일 오후 1시부터 도경본부나 구시로 경찰서의 지원을 받아 구시로시의 기라 인쇄소를 가택수색하고 기라 가즈시에게 임의동행을 요구하여 조사했으나 사건과의 직접적인 관련성은 찾을 수 없었다.

이어서 6월 1일 마사시는 기업 폭파 전사(前史)라고 해야 할 그의 사상 형성, 동지 규합의 과정을 진술하는 중에 이를

테면 실험적 폭파 투쟁 단계(1972년의 '풍설의 군상' 폭파 등)에 가담했던 한 동지를 밝히라는 추궁에 나가사와(長沢)라는 조직 내의 가명을 밝혔다.

"대학 시절에 클래스투쟁위에서 만난 멤버는 지금 어떻게 지내지? 연락은 하나? 우리도 이미 조사는 했어. 클래스투쟁위에서 같은 클래스가 아닌 사람이 하나 있었잖아. 그녀석은 지금 어디서 뭘 하고 있지? 너희들은 '늑대'가 되기 전에 네 고향에서 폭탄을 터뜨렸다고 하던데. 실험을 한 거지? 그 실험은 몇 명이서 했지? 그때 그 녀석도 함께였을 거 아냐."

차례로 쏟아지는 말에서 마사시는 지금까지 자신의 인간관계가 철저하게 파헤쳐졌다는 것을 알았다. 나가사와가 드러나는 것도 이제 시간문제인 것으로 보였다. 적어도 그가 지하로 숨어들기를 바라며 그 시간을 벌기 위해 본명을 숨기고 조직 내 이름만 밝히기로 한 것이다. 실제로 수사본부는 독자적으로 전 호세이대 학생 후지사와 요시미(藤沢義美, 25세)를 밝혀냈고, 6월 16일 저녁에 체포 영장을 발부받는다. 하지만 나가노현 경찰본부를 통해 소재 확인(나가노현 나카노시)을 했더니 본인은 이미 30일 오후 2시경 자택 근처의 숲길에서 승용차 안으로 배기가스를 끌어들여 자살한 것으로 드러났다. 유서에는 "아버지, 어머니, 용서하세요"라고만 쓰여 있었다. 사이토 노도카, 아라이 나호코에 이은 세 번째 사망자였다.

수사 당국에 차례로 파악되어 가는 '사실'에 구원 활동은 휘둘릴 수밖에 없다. 사사키 데쓰야는 변호사를 통해 비명처럼 옥중을 향해 계속해서 묵비권을 행사하라고 호소했다.

하지만 일단 입을 열어 시작한 자백을 도중에 그만두게 하는 것은 이제 불가능하다. 모든 정보를 차단당한 밀실에서 엉덩이 피부가 벗겨질 만큼 오랜 시간 조사가 이어지면 온갖 심리적 고통과 도발이나 회유를 혼자 이겨 내는 것은 거의 불가능에 가깝다. 다이도지 아야코는 밀실 안에서 쏟아진 검사의 말을 나중에 이렇게 적었다.

"다이도지 마사시한테 이용당했을 뿐이지? 여자로서, 주부로서 남편이 하라는 대로 했을 뿐이라고 말하고 얼른 자유의 몸이 되어야지."

"나는 걱정돼. 가족 말이야. 알고 있지? 연합적군인 반도 구니오(坂東國男)의 아버지는 자살했고 나가타 히로코(永田洋子)의 여동생은 은행원과 결혼했는데 이혼당했잖아. 분명히 또 비극이 일어날 거야. 가족을 편하게 해주기 위해서라도 솔직히 말해. 너한테는 조카들이 있잖아. 걔들 장래도 생각해야지."

"하치몬지 미사코(八文字美佐子) 알아? 연인한테 버림받게 되자 아무 죄 없는 연인의 딸을 죽였지…. 그 여자 판결이 나왔는데 남자가 나빴다고 해서 아주 가벼운 처벌이 내려졌어. 원래 그런 거거든. 넌 여자야. 주부고. 정상참작이라는 거 알아? 남편을 따랐을 뿐이라는 걸 증명하고 사죄만

하면 세상 사람들도 이해해 줄 거야."

그는 이런 도발에 넘어간 것을 나중에 원통한 마음으로 인정한다. "나는 '여자는 어리석다. 여자가 게릴라 병사일 리가 없다. 여자는 남자의 보호를 필요로 하는 귀여운 존재가 아니면 안 된다'는 그들의 이데올로기에 강하게 반발하고 말았다. 발끈해서 듣고 있었으므로 이 의식='나는 그런 여자가 아니다'라는 자부심이 자백으로 이어진 한 요소였다"고 말이다.

마지막까지 자백을 거부한 사람은 에키다 유키코였다. 사이토 노도카가 캡슐을 삼키고 죽었는데 자신은 살아남았다는 괴로움이 자신을 배신자로 몰아세우게 했다.

'노도카는 한 번도 놈들의 밥을 먹지 않았다. 놈들의 모포를 덮고 자지 않았다. 물도 마시지 않았다…'고 생각했을 때 그는 옥중 단식투쟁을 시작했다. 그의 가장 큰 고통이 사이토의 자살에 있다는 것은 형사도 간파하고 있었다. 형사는 사이토의 일을 언급하며 집중적으로 그를 몰아세웠다.

"다른 그룹의 동료는 사이토가 개죽음을 당했다고 말하고 있어."

"네가 사이토의 투쟁을 증명하지 않으면 정말 개죽음이 되고 마는 거야."

"사이토의 투쟁을 헛되게 하지 마. 그 사람처럼 훌륭한 혁명가는 없어. 그 사람의 투쟁 의의를 전 인민에게 전하는 것은 너의 사명이잖아!"

에키다 유키코가 자백을 시작한 것은 6월 1일 저녁부터였다.

6월 9일 오전, 한국산업경제연구소 폭파 사건으로 체포되어 구류 중인 일곱 명은 미쓰비시중공업 빌딩 폭파, 다이세이(大成)건설 폭파, 가시마(鹿島)건설 내장센터 폭파 등의 혐의로 다시 체포되었다. 쓰치다 구니야스 치안경감도 이날 기자회견을 하여 연쇄 기업 폭파 사건의 전모를 거의 밝혔다고 발표한다.

"최초로 체포한 시점에서는 '꼬리뿐'이라고 했으나 그 후의 조사나 압수물 분석으로 지금은 지명수배 중인 두 사람을 포함한 열 명 중에 머리도 몸통도 모두 포함되어 있다고 판단하고 있다. 사상적으로 영향을 준 사람은 있으나 특정 정치단체의 개입은 없는 것 같다. 자금원도 마찬가지로 보인다."

당초에는 사이토 노도카와 사사키 노리오를 주모자로 봤으나 지금은 다이도지 마사시를 리더로 단정했다는 사실도 밝혔다.

2

내가 '늑대'를 테마로 작품을 쓰려고 생각하기 시작한 것은 1985년 2월 중순이다. 1984년 여름 《두붓집의 사계》에 대한 감동을 전해준 만남으로부터 옥중의 다이도지 마사시와 편지 왕래를 계속하긴 했으나 나는 그의 폭탄 투쟁의 궤적을 상세히 알고 있었던 것은 아니다. 나의 경우, 그것을 알아가기 위해서는 직접 작품으로 쓰지 않으면 안 됐다.

하지만 그때의 나는 신중했다고 고백하지 않을 수 없다. 다이도지 마사시와 정면으로 마주하는 일이 무겁게 느껴져 오히려 어머니인 도시코를 주인공으로 삼고 그의 눈을 통해 아들의 모습을 보고 싶다는 구상을 했다. 내가 보기에 다이도지 도시코는 아주 평범한 어머니다. 그런 그가 아들 부부의 체포라는 충격적인 뉴스에 깜짝 놀라 어쩔 줄 몰랐던 날로부터 어떤 심적 갈등을 거쳐 아들을 이해해 가게 되었는지를 추적함으로써 나 역시 '늑대'를 알아갈 수 있지 않을까 하는 계획을 세운 것이다. 이를테면 어머니라는 완충재를 둠으로써 나는 다이도지 마사시와 정면으로 마주하는 일에서 생길 가혹함에서 도망치려고 했던 것이다. 나는 옥중의 당사자에게도 "직구 승부는 피하고 느린 볼입니다"라고 써서 보내고, 그 역시 그것에 찬성하여 "초슬로우 볼도 괜찮습니다"라는 답장을 보내왔다.

다이도지 도시코에게 내가 사는 오이타현 나카쓰시까지 오게 한 것은 이 작품을 쓰려고 결심한 직후인 4월 6일이었다. 그는 남편인 나오시가 세상을 떠나 혼자가 되고 나서는 1년 중 대부분을 상경하여 조카인 소가 류스케(曾我龍介)의 집에 머무르며 마사시나 다른 옥중 피고와 면회하는 일을 일과로 삼고 있었다. 그런데 나의 권유를 받고 난생처음 규슈까지 내려온 것이다.

그날 밤 나는 그를 이토 루이(伊藤ルイ)와 만나게 했고, 두 사람은 같은 여관에 묵었다. 이토 루이는 내 작품 《루이즈 — 아버지에게 받은 이름은》의 주인공이며 학살당한 오스기 사카에와 이토 노에의 딸이다. 도시코와 같은 세대이기도 하고, 함께 고통스러운 처지에서 살아온 여성끼리 마음이 통하는 것이 많을 거라고 생각했다. 나중에 루이는 "정말 밝고 순수한 분이데요. 사형수의 어머니라는 울적함을 전혀 느끼게 하지 않아서 저까지 구원받은 기분이 들어요" 하고 인상을 말해주었다. 하지만 그때 나는 간신히 이틀을 취재하고 고열이 나는 바람에 드러눕고 말았다.

이어서 취재를 하기 위해 이번에는 내가 구시로로 찾아가겠다고 해서 도시코는 예년보다 일찍 도쿄를 떠났다. 북쪽 지방에서 자란 그는 도쿄의 여름이 힘들어서 매년 여름에는 구시로로 돌아갔다. 구시로에 도착한 4월 25일 저녁, 그는 공항으로 마중을 나와주었다. 나는 이튿날부터 사흘간 거의 미도리가오카의 집에 틀어박혀 그의 이야기를 들으려고 했으나, 본래 구상에서 보면 그것은 실패로 끝났다. 나는 그가 아들과의 편지 왕래나 면회를 통해 점차 폭탄 투쟁의 의미를 이해해 가는 과정을 단계적으로 알고 싶었는데 그 기대는 충족되지 않았다. 그의 경우 이 사건을 단계적으로 머리로 이해했다기보다는 그 농후한 애정으로 처음부터 마사시를 신뢰했고, 그대로 일관되게 계속해서 다가갔다는 사실을 확인하게 되었다. 그는 한 번도 마사시를 불효자식이라고 생각하지 않았고, 옥중의 아들로부터 도망치고 싶다고 생각하지도 않았다. 극적으로 변모해 가는 어머니상을 멋대로 상정하고 있던 나는 최초의 구상을 버리지 않을 수 없었다.

나흘간의 취재를 끝내고 구시로를 떠날 때 강한 인상을 받았던 것은 그 충격적인 사건으로도 흔들리지 않았던 그의 짙은 애정이었다. 그것은 도시코가 마사시의 생모가 아닌 것과 관련되어 있는 걸까 하는 생각까지 들었다. 나는 헤어질 때 도시코에게 한 가지 질문을 했다.

"당신은 폭탄 사건이 있었던 미쓰비시중공업 본사 앞에 가본 적이 있습니까?"

도쿄에 있을 때 그럴 마음만 있다면 언제든지 갈 수 있는 장소다.

"방청하다 친해진 분이 어느 날 공판이 끝나고 돌아올 때 그곳으로 안내해 주겠다는 말을 한 적이 있어요. 하지만 그것만은 할 수 없다며 거절했어요. 내 안에서 피해자 한 분 한 분에 대해서는 지금도 마음의 정리가 되지 않았으니까요."

그는 평소의 느긋한 어조로 쓸쓸한 미소를 띠며 대답했다.

다이도지 마사시가 나중에 옥중에서 보낸 편지, 수기 등을 실마리로 하여 그가 '늑대'로 변모해 가는 궤적을 더듬어 보고자 한다.

생각해 보면 저는 어렸을 때부터 상당히 조숙했던 것 같습니다. '조숙했다'고 해도 성적인 측면이 아니라 (성적인 측면은 늦깎이라고 할 수 있을지도 모릅니다) 정치적 관심을 말합니다.

옥중에서 마사시는 "네가 투쟁을 시작한 계기는 뭐지?"라는 엘렌 아이언클라우드(エレーヌ・アイアンクラウド)의 물음에 답하기 위해 위와 같이 썼다. 엘렌 아이언클라우드는 아메리칸 인디언의 샤이엔족 출신으로, 인디언 해방운동의 전사로서 싸워 합계 300년에 이르는 금고형 판결을 받고 수감되었다. 하지만 나중에 출옥을 허가받아 일본으로 이주했다. 핍박당하는 인디언, 그리고 의연히 싸우는 여성 전사에게 공명함으로써 마사시가 엘렌에게 마음을 열었음을 읽어낼 수 있는 편지다.

정치적인 관심에서 가장 큰 영향을 받은 것은 부모로부터입니다. 아버지도 어머니도 정치 활동을 했던 것은 아니지만 모두 부정을 미워하는 자세를 갖고 있었고, 식사 시간에 1960년 안보투쟁이나 미쓰이미이케 쟁의 등의 이야기를 할 때 자본이나 정부의 횡포를 비난했습니다. 저는 같이 밥을 먹고 있었으므로 두 분의 이야기를 들으며 '그렇구나' 하고 생각했습니다. 텔레비전이나 신문에서 연일 그러한 뉴스를 접하면서, 자세한 것은 모르면서도 두 분의 생각에 동의했다고 생각합니다.

마사시는 아버지의 영향으로 이미 초등학교 고학년 무

렵부터 신문을 꼼꼼히 읽었다. 스크랩북을 만들고 있는 나오시가 빨간 색연필로 둘러치는 기사를 잘라내 붙이는 일을 도와주는 것이 그 무렵 마사시의 즐거움 중의 하나였다. 나오시는 칼을 쓰지 않고 자를 대고 찌익찌익 신문을 단숨에 잘라냈다. 하지만 그렇게 할 수 없는 마사시는 가위로 잘라내지 않으면 안 되었다. 어린 마음에 그것이 분했다. 마사시도 말하는 것처럼, 다이도지 나오시는 정치적으로 어떤 행동에 나선 적이 없는 온건한 성품이었지만 세상 돌아가는 것에 대한 비판의 눈을 가진 지식인이었다고 할 수 있다.

마사시가 영향을 받았다고 하는 또 한 명의 인물은 큰이모부인 소가 히로시다.

> 또 어머니의 형부, 그러니까 저의 이모부에게 받은 영향도 있습니다. 이모부는 10년 넘게 '구시로' 도의원으로 뽑혔습니다. 사회당원으로서요. 그는 여자고등학교 교사를 하다가 의원이 되었습니다만, 어린 제가 봐도 정말 존경할 만한 사람이었습니다. 이모부는 사회당원이었는데 노조의 조직표로 인해 당선된 것이 아니라 지금 유행하는 시민정당(市民党)과 유사한 것을 배경으로 당선되었던 것 같습니다. 기울어진 낡은 연립주택에 살며 검소한 생활을 하고, 가난한 사람들에게 지지를 받았습니다. 선거 때는 예전 제자들이 도시락을 싸들고 도와주러 옵니다. 어머니에게는 형부이자 스승이기도 해서 도와주러 갔습니다. 그런 것을 옆에서 지켜보며 저도 이모부의 정치적 입장 등을 알게 되고, 어린 마

음에도 그가 속한 사회당을 좋아하고 응원한 적이 있었습니다.

이렇게 부모님이나 이모부의 영향을 받아 어렸을 때부터 아주 자연스럽게 부정을 용서하지 않는 생각을 가졌던 것 같습니다.

소가 히로시는 도시코보다 열세 살 많은 언니 고토에의 남편이다. 도시코의 아버지는 구시로 지청에 근무하고 있었는데 그가 두 살 때 병으로 세상을 떠났기 때문에 고토에가 스무 살에 소가 히로시와 결혼하자 도시코는 언니 부부와 같이 살며 어린 시절을 보냈다. 게다가 구시로 시립 실과 여자고등학교에서는 히로시의 제자이기도 했기 때문에 도시코가 형부에게 받은 영향도 컸다. 소년 시절 마사시는 어머니를 통해서도 소가 히로시의 영향을 아주 많이 받았다.

마사시는 기억 속의 첫 정치적 정경을, 엘렌에게 보낸 편지에서 이렇게 썼다.

그러고 나서 어머니와 함께 '구시로' 시내에서 일어난 1960년 안보 반대 데모를 하는 현장에 응원이랄까 구경이랄까, 아무튼 데모를 하고 있는 곳에 나간 적이 있습니다. 그때 시내의 고등학생들이 학생모를 쓰고 데모 행렬의 선두에 서있었습니다. 그중에는 저의 이종사촌들도 있어서 감동을 받았습니다. 1960년이라고 하면 제가 열두 살, 그러니까 초등학교 6학년 때입니다.

구시로는 다이헤이요(太平洋) 탄광이 있고 국철 도토(道東, 홋카이도 동부 지역—옮긴이)의 거점이기도 했기 때문에 노동조합 세력이 강한 곳이다. 그래서 1960년 안보투쟁의 기세가 아주 높았다. 구시로 고료 고등학교에 다니고 있는 이종사촌 류스케(소가 히로시의 셋째 아들)가 누사마이바시에서 미나미오도리를 가득 메운 데모대의 선두에 서있는 것을 본 흥분은 마사시의 인상에 강하게 각인되었다.

마사시와 도시코는 혈연관계가 아니기 때문에 이종사촌 류스케와 마사시 사이에도 혈연관계는 없다. 하지만 마사시에게는 류스케의 영향도 크게 작용했을 것이다. 나중에 류스케가 도쿄외국어대의 러시아과를 나와 사사키 데쓰야 등과 함께 레볼트사에 속했던 것을 봐도 짐작할 수 있다. 마사시가 체포되어 가택수색을 당한 방에서 〈세계혁명운동정보〉라는 기관지가 다수 압수되었는데 이것은 레볼트사의 류스케가 발행한 것이다. 체 게바라의 논문을 소개하거나 프란츠 파농의 "폭력론"을 연재하거나 조선 문제에 주력하는 등 이 잡지가 전하는 제3세계의 혁명운동 정보는 게릴라전사를 지향하는 마사시에게 분명히 사상적 영향을 끼쳤을 것이다.

마사시가 엘렌에게 보낸 편지에서 구시로에 따옴표를 붙인 것은 원래 그곳이 아이누 모시리(아이누의 영토)로, 자신은 아이누 모시리를 침략한 식민자의 후예라는 속죄의식에서일 것이다. 훗날 마사시의 행동의 원점에 아이누에 대한 그런 문제의식이 있었다는 것은 빼놓을 수 없는 사실이다. 마사시가 다닌 닛신(日進) 초등학교에는 아이누인 동급생이 없었지만, 야요이(弥生) 중학교는 아이누인이 많이 거주하는 하루토리 지구(春採地区)가 학구에 포함되어 있어 아이누인 학생이 여러 명 있었다.

> 중학교에 들어가자 그곳은 아이누인들의 거주지에서 가까운 탓에 아이누인 학생이 여러 명 있었습니다. 3년간 여러 명의 아이누인 학생과 같은 반이 되기도 하고 친구가 되기도 했습니다. 모두 인격적으로 뛰어난 사람들이었지만, 교실에서 그들이 진심으로 즐거운 표정을 지었던 순간은 떠올릴 수가 없습니다. 저희 일본인은 차별했다는 의식이 없어도 '일본인으로서의 의무교육' 그 자체가 그들에게는 고통이었음이 틀림없습니다. 그리고 졸업할 때 그들에 대한 차별이 분명해졌습니다. 취직 희망자 중 일본인은 이른 시기에 취업이 정해지지만, 성적도 인격도 뛰어난 아이누인 학생들은 취직자리를 찾을 수가 없었습니다. 경제적인 이유에서, 또는 '일본인으로서의 고등교육'을 받는 걸 거부해서 진학을 포기한 그들의 마음속은 어땠을까요?

그러나 마사시가 그것을 정말 심적인 고통으로 의식하는 것은 고료 고등학교에 진학하고 나서의 일이다. 전신이 구제 구시로 중학인 고료 고등학교는 진학 명문고다. 마사시의 입장에서 고료 고등학교는 아버지의 모교이고 이종사촌인 류스케가 나온 고등학교라서 당연한 선택이었다. 하지만 막상 다니기 시작하자 고료 고등학교에 진학할 수 없던 이들의 존재가 심적 고통이 되어 마음에 똬리를 틀었다.

마사시가 고료 고등학교에 입학한 것은 1964년 봄이다. 그 직후 한 사건이 일어난다. 4월 초의 어느 날 밤, 저녁을 먹고나서 얼마 지나지 않았을 때 도시코가 마사시의 공부방으로 들어왔다.

"마사시, 잠깐 할 이야기가 있는데 괜찮아?"

어쩐 일인지 도시코의 목소리가 떨리는 것 같았으므로 책상을 향해 있던 마사시는 깜짝 놀라 돌아보았다. 내일 학교에 가져가기 위한 호적등본을 손에 든 도시코가 굳은 표정으로 서 있었다. 의자를 돌려 마주보자 도시코는 방 한가운데에 앉아 얼굴을 숙인 채 말을 고르고 있는 것 같았다.

"— 엄마 이야기를 하려고 하는데 들어줘. … 엄마는 마사시의 진짜 엄마가 아니야. 지금까지 말 못해서 미안해."

단숨에 말하고 나서 얼굴을 들었는데 도시코의 눈은 이미 젖어 있었다.

"하지만 엄마는 지금까지 마사시를 친자식으로 생각해 왔고, 앞으로도 그럴 생각이야."

도시코의 눈에서 나온 눈물이 볼을 따라 흐르기 시작하는 것을 보며 마사시는 가슴속이 뜨거워지는 것과 동시에 뭔가 굉장히 부끄러운 것 같은 기분이 들기도 했다.

"마사시, 놀랐지?"

도시코가 이렇게 묻자 마사시는 순간적으로 머뭇거렸다. 서둘러 입을 열더니 반항하는 듯한 대답을 했다.

"아무것도 아니야. 신경 쓰지 않으니까 괜찮아. 알았어."

이런 식으로 도시코와의 대화를 중단할 수밖에 없을 만큼 그는 거북해 하고 있었다. 자신이 생각해도 이상할 정도로 놀라지 않았다. 그는 언젠가부터 어쩌면 그럴지도 모른다는 의심을 하고 있었다. 나오시의 형제자매는 많고 전국에 흩어져 있으나 부모의 묘가 구시로에 있기 때문에 추석 같은 때에 누군가 돌아오기도 한다. 그럴 때 백부나 백모들이 "도시코 씨에게는 정말 감사하고 있어요"라든가 "도시코 씨는 정말 잘해주시네요"라고 아주 정중하게 인사하는 것이 마사시에게는 이상하게 여겨졌다. 뭔가 사정이 있는 듯했고, 그 사정을 생각하면 한 가지 추측밖에 할 수 없었다. 마사시는 그것을 확인하고 싶지 않았다. 도시코가 울며 방을 나간 후 마사시는 역시 울적한 기분에 빠져 있었다. 도시코에게 좀 더 부드럽게 말했어야 한다고 후회하면서도 그렇게 하기 위해 다시 부모의 방으로 가는 것도 쑥스러웠다.

그날 밤 이후에도 두 사람의 관계에는 아무런 변화가 없었다. 그것을 입 밖에 내는 일도 두 번 다시 없었다.

1960년 안보투쟁으로 타오른 정치의 계절에서 불과 몇 년밖에 지나지 않았는데도 마사시가 입학한 무렵의 고료고등학교에는 이미 예전의 정치적 열기는 그 여열조차 남아 있지 않았다. 반대로 그 반동으로 학생에 대한 관리가 심해져 행동을 규제하고 있었다. 유일하게 그들의 자유를 관대하게 봐주는 것은 문화제 때 정도였다. 마사시는 1학년 때부터 반에서 반전(反戰) 테마의 전시를 하자고 주장했다.

문화제는 여름방학이 끝나고 2, 3주가 지난 무렵에 하는 행사다. 고료 고등학교의 명물인 제등행렬이 전야제로 열린다. 제등이라고 하지만 작지 않다. 각재를 골조로 하여 사방 몇 미터나 되도록 아주 크게 만들고 각각에 공들여 색칠을 한다. 거기에 선박용 배터리를 이용하여 등불을 켜고, 반별로 짊어지고 차례로 시내로 나간다. 시민들도 많이 구경하러 나온다. 그런 만큼 학생들은 여름방학이 끝날 무렵부터 이미 여기저기에 모여 제등 만들기와 문화제의 학급 발표 준비에 들어간다.

마사시는 고등학교에서 3년간의 문화제를 통해 오에 겐자부로(大江健三郎)의 《히로시마 노트》를 극화하여 보여주기도 하고, 민족해방전선 병사 스타일이나 베트남 민중의 의상인 아오자이를 입은 채 베트남 전쟁 반대를 호소하며 날개가 움직이는 비둘기를 제등으로 만들어 짊어지고 돌아다니는 등 평소의 울적한 기분을 폭발시켰다. 키가 크고 용모가 야무진 미남의 마사시는 다이짱이라 불리며 반에서도 인기가 많았다. 하지만 여학생들에게 말을 걸거나 하는 싹싹한 분위기는 없었다. 그러므로 나중에 결혼하게 되는 다키구치 아야코와도 특별히 친해지는 일은 없었다. 문화제를 제외하면 일상적으로는 교내에서 활동할 자리나 함께 정치 문제를 말할 수 있는 동급생도 없었다. 그래서 그는 혼자 학교 밖으로 나가 사회당이나 공산당계의 집회나 데모에 참여하곤 했다. 부모에게는 반드시 말을 하고 나갔다. 그가 고료 고등학교를 다니던 시기, 커다란 정치 문제라고 하면 베트남 전쟁과 한일 문제가 있었다. 그에게 베트남은 아직 멀게 느껴졌기에 한일 문제에 가장 큰 관심을 가졌다.

사토 내각의 외상 시이나 에쓰사부로(椎名悅三郎)가 한국을 방문하고 한일기본조약에 가조인(假調印)한 것은 1965년 2월 20일이다. 이 조약에 대해 한일 양국에서 민중의 반대운동이 격렬하게 전개되었다. 원래 이 조약은 북베트남에 폭탄을 퍼부으면서 베트남 전쟁에 깊숙이 관여한 미국이, 박정희 군사정권의 안정 강화에 일본의 협력을 요청하려는 의도에서 시작한 것으로, 일본과 한국의 과거를 진실로 청산하는 조약이라고는 할 수 없었다. 한반도에서 다시 군사 충돌이 일어나면 일본의 자위대가 참전하는 것을 상정한, 방위청 통합막료회의(統幕会議)의 극비문서 〈미쓰야(三矢) 연구〉가 국회에서 추궁당한 것은 2월 10일의 일이다. 한국의 민중은 예전 종주국인 일본이 다시 한반도에 연루되는 것에 경계심을 품고 있었다. 한국과만 조약을 맺어 남북한의 분단을 고정화하는 것도 문제였다.

고등학교 2학년이 된 마사시는 시내에서 열리는 사회당계의 집회나 데모에 열심히 참여했다. 하지만 결과적으로 혁신정당에 의한 운동의 한계를 통감하게 된다. 12월 11일 참의원 본회의에서 한일기본조약이 가결되어 성립했다. 그의 정신적 좌절이 결코 작지 않았던 것은, 이듬해 수학여행에 가지 않았던 것으로도 알 수 있다.

그러나 한일조약 저지 투쟁에 참여하는 가운데 한국을 침략했던 일본의 역사나 강제연행, 강제노동, 그 결과로서 재일조선인 문제를 알게 된 것은 마사시에게 큰 사상적 영향을 남긴다. 이는 그가 진학할 대학으로 오사카외국어대를 선택한 것에도 영향을 미쳤다. 마사시의 고등학교 시절 성적은 그다지 두드러지지 않은 정도였으나 영어는 좋아하는 과목이고 또 그만큼 잘하기도 했다. 오사카외국어대를 선택한 것은 재일조선인이 많은 곳이 오사카였기 때문으로, 그 현장에 뛰어들고 싶다는 젊은이다운 지향과 내지(內地)로 나가보고 싶다는 지망이 겹쳐진 결과다. 삿포로보다 멀리 가본 적이 없는 마사시는 처음으로 기차를 타고 쓰가루 해협을 건너 니혼카이(日本海) 쪽으로 흔들리며 나아갔다. 그때 차창에 기댄 채 그가 생각한 것은 외국어를 습득해서 언젠가 해외로 나가보고 싶다는 정도의 막연한 꿈이었다.

마사시가 없어진 방 벽에 그가 베껴 쓴 나카하라 주야(中原中也)의 시가 붙어 있었다.

더럽혀진 슬픔에
오늘도 살짝 눈이 내린다
더럽혀진 슬픔에
오늘도 바람까지 불어댄다

더럽혀진 슬픔은
예컨대 여우 가죽옷
…

나카하라 주야와 아르튀르 랭보는 당시 마사시가 애송했던 시인이었다. 마사시가 없는 방으로 가서 벽의 시를 바라보는 사이에 도시코의 눈은 눈물로 부예졌다. 앞으로 마사시가 자신에게서 가속도적으로 멀어져 갈지도 모른다는 쓸쓸함과 불안이 도시코의 가슴에 복받쳤다.

3

1967년 봄, 마사시는 오사카외국어대의 입학시험에 떨어진다. 시험은 이틀에 걸쳐 치러졌는데 첫날 수학에서 치명적인 실수를 했기 때문에 이틀째는 아예 포기하고 말았다. 원래 자신이 있었던 것은 아니었기 때문에 불합격에 타격을 입을 일은 없었다. 하지만 기대하고 있던 부모에게 할 변명을 생각해야 하는 것이 괴로웠다. 내년에 다시 한번 시험을 보고 싶으니 오사카의 재수학원에서 공부하고 싶다고 하자 부모는 허락해 주었다. 그는 오사카에 사는 사촌 누나의 소개로 아베노구 마쓰무시에 다다미 석 장 반이 깔린 방을 빌려 자취하기로 했다.

하지만 그는 입학한 유히가오카(夕陽ヶ丘) 재수학원에 한

달도 다니지 않았다. 시험공부 때문에 지금의 귀중한 시간을 써버리는 것이 아까워서 견딜 수가 없었다. 좀 더 다른 무언가를 해야 하지 않을까 하는 목소리가 가슴속에 술렁거려 마음이 가라앉지 않았다. 5월부터는 덴노지(天王寺) 공원의 도서관에 다니며 한국 문제 관련 책을 중심으로 한 독서를 일과로 삼게 된다.

자취방에서 덴노지까지는 걸어서 15분쯤 걸리는 거리인데 그 도중에 날품팔이 노동자들의 인력 시장이 있는 가마가사키(釜ヶ崎)가 있다. 처음에는 가마가사키에 들어가는 것이 무서워서 그 바깥을 여기저기 돌아다니며 쓰우텐카쿠 주변의 신세카이에서 밥을 먹기도 했다. 드디어 마음을 굳게 먹고 그 안으로 발을 들여놓은 것은 어느 일요일 낮이었다. 길 하나를 사이에 둔 곳이었는데도 그곳은 순식간에 나타난 딴 세상이었다. 허름한 차림의 남자들이 이상할 정도로 꿈실꿈실 걷고 있었다. 젊은 여자도, 아이들의 모습도 전혀 찾아볼 수 없는 살벌한 세계로, 뭔가 남자들의 살기등등한 시선에 옴짝달싹할 수 없을 것 같은 기분이 들어 서둘러 돌아 나왔다. 두 번째로 들어간 것은 평일 저녁이었는데 날품팔이 일에서 해방된 남자들이 먹고 마시는 일종의 장절하기까지 한 시끌벅적한 에너지에 압도당하고 말았다.

히가시요도가와구의 피차별 부락으로 들어가 길을 헤맨 적도 있다. 처마가 낮은 집들이 밀집되어 있고 좁은 골목은 미로처럼 뒤얽혀 있었다. 그곳 공중목욕탕에 들어가 봤는데 욕조도 몸 씻는 곳도 타일이 붙어 있는 것이 아니라 콘크리트가 그대로 드러나 있어 깜짝 놀랐다. 조선인 부락으로 알려진 이쿠노구 이카이노(猪飼野)에도 몇 번 가봤다. 순환선 쓰루하시역에 내리자 한복을 입은 사람들이 걷고 있고 조선 요릿집이나 그 재료를 파는 가게들이 줄지어 있었다. 마사시는 읽을 수 없는 한글 간판도 있었고 동네 전체에 어딘지 모르게 김치 냄새가 배어 있었다. 덴노지 도서관에서 이제 막 읽고 온, 일본이 한국을 침략했다는 증거인 눈앞에 펼쳐진 광경에 마사시는 충격을 받았다.

마사시가 가마가사키로 일하러 간 것은 이미 가을이 깊어지고 나서였다. 구시로의 부모가 매달 2만 엔을 보내주고 있어서 방값 4,000엔을 내고도 자취 생활을 해나갈 수 있었기 때문에 가마가사키로 일거리를 찾으러 간 것은 생활상의 필요에서가 아니었다. 인력 시장과 거기서 일하는 하층 노동자의 실태를 직접 체험하여 알고 싶었기 때문이다. 첫날에는 공사판 막벌이꾼 차림이 아니라 면바지에 점퍼에다 운동화를 신고 갔더니 역시 아르바이트 학생이라는 것을 알아봐서인지 일을 얻을 수가 없었다. 가마가사키에서 일하는 남자들은 하루 품삯이 그대로 그날의 목숨을 잇는 생활비였기 때문에 일이 할당되는 이른 아침의 인력 시장은 살기등등했다. 그 절실함이 없는 마사시가 그들 대열에서 튕겨 나오는 것은 당연했다. 일을 얻을 때까지 마사시는 심약한 탐색을 두세 번 시도해야 했다.

드디어 얻은 첫 일은 기타구의 빌딩 건설 현장의 잡일이라 불리는, 말 그대로 자질구레한 일이었다. 콘크리트 패널

을 정리한다거나 사다리를 타고 재료를 운반해 올리는 등 현장 감독이 턱 끝으로 지시하는 작업이다. 함께 일한 파트너는 이미 쉰 살이 넘어 보이는 안색이 안 좋은 남자로, 결국 마지막까지 한마디도 하지 않았다. 다음으로 얻은 일은 굉장히 위험하고 힘든 일이었다. 오사카항 선박의 하역 작업이었는데 배 밑바닥으로 내려가 강재를 크레인에 동여매는 일로, 동료들 사이에서는 줄걸이 작업이라 했다. 헬멧을 빌려주었지만 발판이 나쁜 데다 끊임없이 머리 위로 내려오는 크레인을 조심해야 했기 때문에 긴장을 늦출 수가 없었다. 들어 올리는 강재는 무겁고 온몸이 검은 기름으로 끈적끈적하게 더럽혀졌다. 도중에 축 늘어져 쉬고 있을 때 함께 일하고 있던 남자가 "형씨, 담배 안 피나?" 하고 말을 걸어왔다. 지금까지 마사시는 담배를 피워본 적이 없었지만 여기서 거절하면 더욱 도련님으로 보일 것 같아서 "고맙습니다" 하며 받아들었다. 필터 없는 '신세이(しんせい)'는 독했고 숨이 막히지는 않으나 토할 것 같아 필사적으로 참았다.

올 때는 준비된 차로 왔지만 돌아갈 때는 전철을 탔다. 승객이 마사시 일행을 피해 앉는다는 것을 뼈에 사무치게 알 수 있었다. "다들 우리를 피하네. 짜증나게"라고 스기(杉) 씨가 속삭였다. 동료들 사이에서 스기 씨라 불리는 이 남자와 마사시는 머지않아 친해지게 되었다. 가마가사키 사람들은 서로의 신상 이야기를 하지 않는 것이 암묵적인 룰이어서 마사시는 스기 씨가 어디서 흘러들어와 어떤 사정으로 이런 곳에 있는지 결국 물어보지 못하고 말았다. 그와 자주 이야기를 나누게 되고 나서 한 번 베트남 전쟁 반대 이야기를 한 적이 있는데 스기 씨는 잠자코 듣기만 할 뿐 아무 말도 하지 않았다. 스기 씨는 그다지 술을 좋아하지 않아 밤에는 간이숙소의 다다미 석 장이 깔린 방에서 도서대여점에서 빌려온 야마모토 슈고로(山本周五郎)의 소설을 읽는 일이 많았다. 그런데 가마가사키에서는 이렇게 조용히 시간을 보내는 사람이 드물었다. 대부분 일을 하고 돌아오면 술집에서 고주망태가 되어 밤을 보냈다. 마사시도 지금은 그들이 그렇게 할 수밖에 없는 마음을 실감할 수 있었다. 간이여관으로 돌아와도 가족이 있는 것이 아닌 그들에게는 비슷한 처지의 사람들과 모여 술을 왕창 마시는 것밖에 울분을 풀 방법이 없는 것이다. 이곳은 그날그날 일해서 목숨을 부지하는 것 외에 아무것도 없는 장소라고 할 수 있었다. 희망을 품을 수 없는 이상 찰나적인 생활 방식을 취할 수밖에 없다. 도쿄의 산야, 요코하마의 고토부키초(寿町), 오사카의 가마가사키, 이렇게 전국의 대표적인 인력 시장을 전전하며 이리저리 떠돌아다니는 사람도 적지 않았다.

마사시에게는 돌아갈 자취방이 있고, 결국 막다른 길에 이르면 언제든지 따뜻하게 맞아줄 구시로의 부모가 있다. 하지만 가마가사키의 간이숙소에서 사는 사람들은 이제 돌아갈 곳이 어디에도 없었다. 안색이 나빠져 어디 아픈 거 아니냐는 의심을 받으면 순식간에 취업 알선업자는 말을 걸지 않는다. 일을 얻지 못하는 날이 계속되면 간이숙소에서도 나가야 한다. 겨울이 되면 노숙하다가 얼어죽는 사람도 드물지 않았다.

마사시는 이제 대학에 진학하고 싶은 마음을 완전히 잃어버렸다. 가마가사키의 현실을 안 이상, 자신만 태평하게 대학에 진학하여 특권적으로 공부하는 일은 도저히 용서받을 수 없다는 기분이 들었다. 가마가사키에 깊숙이 들어가면 갈수록 고도 경제 성장으로 번영하고 있는 이 나라의 모순이 이곳에 응축되어 있는 것 같아서 견딜 수가 없었다. 사실은 이 현장에서 그들과 함께 뭔가를 하지 않으면 안 된다는 생각은 있었지만, 지금의 마사시에게 그것은 너무나도 책임이 무거운 과제여서 그 실마리조차 찾을 수 없을 것 같았다. 덴노지 도서관에서 했던 마사시의 독서가 혁명을 테마로 한 책으로 기울어졌던 것은 이 무렵부터다. 마사시가 처음으로 폭탄과 만난 것은 러시아혁명에 관한 책에서였다. 차르를 타도하려는 러시아사회혁명당 당원이 사용한 것이 흑색 화약 폭탄이라는 것을 알게 되자 이번에는 화학 책에서 흑색 화약 폭탄의 재료를 알아보려고 했다.

마사시가 오사카에서 자신이 해야 할 일을 모색하며 괴로워하고 있던 1967년 가을, 도쿄의 학생운동은 사토 총리의 남베트남 방문을 앞두고 방문 저지를 외치며 아주 시끄러운 상태였다.

그해 2월 제2차 내각을 발족시킨 사토 총리는 6월에 박정희 대통령 취임식에 참석하기 위해 한국을 방문한 데 이어 9월에는 타이완, 동남아시아의 여러 나라를 방문했다.

나아가 남베트남을 포함한 제2차 동남아시아, 오세아니아 지역의 국가를 차례로 방문하기 위해 10월 8일 하네다 공항에서 출발하기로 되어 있었다. 그날 기동대는 벤텐바시, 아나모리바시, 이나리바시에 저지선을 치고 공항 진입을 목표로 나아가는 데모대를 장갑차로 막아 다리 위가 격돌의 아수라장이 되었다. 데모대는 투석과 깃대로 공격하고 기동대는 경찰봉과 물대포로 응수하여 좁은 다리 위에서 강으로 떨어지는 사람이 속출했다.

마사시는 가마가사키 근처의 싸구려 식당의 텔레비전으로 교토대 학생 야마자키 히로아키(山崎博昭)의 죽음을 보고 충격을 받았다. 자신과 같은 열아홉 살이라는 사실에 충격이 한층 컸다. 야마자키 히로아키의 죽음은 사토 총리가 하네다 공항을 출발한 후에 일어났다. 벤텐바시에서 경찰이 버려두고 도망친 장갑차에 학생이 올라타 "모든 학우는 이 장갑차를 따라 공항 안으로 진격해 주십시오"라고 마이크로 알리며 다른 장갑차나 살수차에 부딪치는 것을 되풀이했는데 좁은 다리 위에서의 혼란스러운 상황 속에서 한 학생이 쓰러져 있는 것이 발견되었다. 경찰 측은 학생이 운전하는 장갑차가 치었다고 발표하고 학생 측은 기동대가 때려서 죽였다고 주장하며 대립했다.

이 '10.8' 하네다 투쟁은 그 이후 너울처럼 이어지는 일련의 신좌익 운동의 기폭제로 기록된다. 학생들이 적극적으로 투석이나 깃대를 무기로 하여 싸우기 시작한 것도 이때부터였다. 밋밋한 장갑차, 살수차, 두랄루민 방패로 몸을 보호하며 경찰봉을 휘두르는 기동대에 대항하기 위한 학생들의 필연적인 선택이라고 할 수 있었다.

1968년은 시작부터 단숨에 긴박해진다. 베트남전에 참전하고 있는 미 7함대 소속의 원자력 추진 항공모함 엔터프라이즈호가 나가사키현 사세보시에 기항하자 이를 저지하기 위한 전학련의 투쟁 태세는 1960년 안보투쟁 이래 최대로 고조된 분위기를 띠었다. 한편 경찰의 대응도 과도했다. 1월 15일 아침, 사세보로 향하기 위해 호세이대를 출발한 중핵파(中核派) 200명을 기동대가 덮쳐 흉기준비집합죄로 131명을 체포한 것을 시작으로 속속 규슈로 들어가려는 학생들을 하카타역에서 기다리고 있다가 검사하여 예방구속을 계속했다. 17일, 미군기지에 진입하려고 한 삼파계(三派系) 전학련은 히라세교(平瀬橋) 위에서 바리케이드를 구축한 기동대와 격돌했다. 기동대는 최루탄과 살수차로 학생 부대의 진격을 막고, 기가 죽은 학생들에게 경찰봉 세례를 퍼부었다. 이 과도한 경비 모습을 목격한 사세보 시민 대다수가 이튿날인 18일의 격돌에서는 학생들을 지원하여 기동대에 투석을 되풀이하는 광경이 출현했다. 사세보 현지에서는 23일의 엔터프라이즈호 출항까지 연일 학생과 기동대의 격돌이 이어져 다수의 부상자와 체포자가 나왔지만 그사이 수도권에서도 현지에 호응하는 집회와 데모가 전개되었다.

마사시가 드디어 상경한 것은 아직 엔터프라이즈호 투쟁의 여열이 아직 완전히 가시지 않은 1월 말이었다. 가마가사키에서 가장 친했던 스기 씨에게 상경 사실을 알리자 “그게 좋겠지. 젊을 때 공부해야지” 하며 찬성해 주었다. 구시로의 부모에게는 와세다대 정경학부에 들어가겠다는 명목으로 상경했다. 하지만 대학에 들어갈 의지는 없고 격렬하게 들끓고 있는 투쟁의 와중에 몸을 던지고 싶은 충동이 더 컸다. 부모를 납득시키기 위해 일단 입시 절차만은 취했으나 결국 시험은 보지 않은 채 떨어졌다고 알렸다. 이번에는 도쿄에서 재수 생활을 하겠다고 해서 허락을 받았다.

3월 말 드디어 지리에도 익숙해진 스기나미구 시모이구사에서 다다미 석 장이 깔린 방을 빌리고 신주쿠구 요쓰야의 라면집에서 일하기 시작한 무렵부터 그는 밤의 집회나 데모에 참여하기 시작했다. 마사시는 아직 어느 섹트와 함께 행동해야 할지 정하지 못한 채 구시로 고료 고등학교 시절의 동급생과 함께 행동했다. 제1차 하네다 투쟁, 제2차 하네다 투쟁부터 사세보의 엔터프라이즈호 투쟁으로 이어진 베트남전 반대 운동의 커다란 물결은, 3월에 접어들어 오지(王子) 미군 야전병원 개설 반대 투쟁으로 이어지면서 새로운 분위기가 고조되고 있었다. 베트남 전쟁이 격화함에 따라 전장에서 후송되는 미군 부상병도 급증하여 사이타마현 아사카시의 미군 야전병원만으로는 다 수용할 수 없었기 때문에 미군은 도쿄의 오지 캠프 내에 새로운 야전병원 개설을 계획하고 있었다. 이미 1년 전부터 현지 주민에 의한 반대 운동이 시작되었지만, 여기에 학생운동이나 반전 청년위원회 노동자가 가세하자 운동은 단숨에 격화하였다. 3

월 28일 밤에는 오지역 앞 광장에서 1만 명이 넘는 데모대와 기동대가 격돌하여 마치 시가전의 양상을 띠게 된다. 학생 부대가 물러난 뒤에도 여전히 기동대와 대결하는 '싸우는 시민'의 등장이 주목을 받았다.

마사시가 처음으로 경찰봉 세례를 받은 것은 4월에 접어든 오지 투쟁에서였다. 기타구 주조의 좁은 주택가로 내몰린 마사시는 도망칠 곳도 없는 채 기동대의 두랄루민 방패와 경찰봉으로 난타당해 길바닥에 쓰러졌다. 이대로 죽을지도 모른다는 공포가 온몸에 엄습했지만, 죽는다면 죽어도 좋다는 비통한 도취감도 젊은 핏속을 맴돌고 있었다. 여기서 죽는 것이야말로 베트남 해방 싸움에 진실로 연대하는 일로 여겨졌다. 달려온 새로운 데모대 세력에 의해 구출되었을 때 마사시는 자신의 부상이 큰 것이 아니라는 것을 알고 약간 부끄러웠다. 정신을 차리고 보니 운동화는 어딘가에서 잃어버려 두 발 모두 맨발이었다. 2월부터 4월 중순까지 계속된 오지 투쟁은 부상자가 1,500명에 이르렀고 600여 명이 체포되었으나, 결국 미군의 계획을 철회시키면서 승리로 끝났다.

마사시가 상경한 지 얼마 되지 않아 나중에 '전공투 시대'로 불리는 캠퍼스 반란이 시작되었다.

도쿄대 의학부 학생들이 인턴 제도 문제로 무기한 스트라이크에 돌입한 것은 1월 29일이지만, 대학 측의 처분을 둘러싸고 학생들의 반발이 확산하자 6월 15일 새벽 의학부 전학투(全学鬪)는 야스다 강당 점거에 들어갔다. 여기에 대학 측이 기동대를 투입하자 도쿄대 투쟁은 단숨에 불타오르게 된다. 7월 2일 아침 9시 전, 야스다 강당은 학생들에 의해 다시 점거되었고, 5일에는 4,000명의 학생들이 해방강당에서 전학총궐기 집회를 개최하면서 그 자리에서 도쿄대 투쟁 전학공투회의(전공투)가 결성되었다.

한편 니혼대 투쟁은 도쿄국세국에 의해 대학 회계에 사용이 불투명한 거액이 포함되어 있는 것이 적발되면서 시작되었다.

마사시는 하쿠산도리를 가득 메운 니혼대 전공투의 데모 대열을 목격하고 전율하는 듯한 흥분을 느꼈다. 헬멧 부대는 아주 소수이고, 대부분은 모자도 쓰지 않은 커터 셔츠 차림의 학생들이 손을 이어 잡고 있었는데 그 숫자가 압도적이었다. 싸움에는 결코 나서지 않을 거라고 했던 니혼대 학생들이 각 학부의 깃발을 나부끼며 거리를 가득 메우고 있는 광경을 앞에 두고, 믿을 수 없는 것을 보고 있는 것처럼 마사시는 눈을 크게 떴다. 1968년 6월 이후 캠퍼스에 바리케이드를 친 젊은이들의 반란은 마치 요원(燎原)의 불길처럼 눈 깜박할 사이에 전국 대학으로 퍼져 나간다.

마사시가 구시로 고료 고등학교 출신의 재경 학생들과 의논하여 구시로에서 베트남전 반대 집회를 기획한 것은 그해 여름방학이다. 구시로로 돌아가 준비를 시작한 마사시는 어느 날 유인물을 배포한 후 3학년 때의 학급 동창회가 사카에마치의 도키와 그릴 별관에서 열리는 것을 알고 가봤다.

"이야, 오랜만이다. — 미안하지만 아야코 있으면 좀 불러주지 않을래?"

마사시가 이렇게 부탁한 남자는 그도 동창회에 참가하러 온 것이라고 착각한 것 같았다.

"아, 마사시구나. 얼른 들어와. 다들 있어."

"아니, 오늘은 볼일이 있어서. 아야코 좀 불러줘."

"그래 —"

남자는 의아한 얼굴로 아야코를 부르러 갔다. 마사시는 다음 집회에 아야코를 데려갈 생각이었다. 그가 도쿄의 호시 약과대에서 자치위원을 하고 있다는 것은 상경 후에 곧 들어 알고 있었다.

"마사시, 왜 들어오지 않는 거야?"

2층에서 내려온 아야코가 다소 수줍어하는 듯이 마사시를 내려다보았다. 1년 반 만에 대면하는 아야코가 도회풍으로 세련된 듯해서 마사시에게는 눈부셨다.

"다 같이 이런 걸 해. 너도 꼭 참가해 주었으면 싶어서."

마사시는 유인물 한 장을 아야코에게 내밀었다. 그 자리에서 대충 훑어본 아야코가 "좋아. 나도 참가할게"라고 말했다.

"그럼 부탁해."

이렇게만 말해두고 마사시는 벌써 밖으로 나갔다. 고등학교 무렵부터 연애에는 무관심한 것으로 보였던 그에게는 그 이상의 대응이 불가능했던 것이다.

사카에마치(栄町) 공원에서의 집회는 불과 서른 명밖에 참가하지 않았지만 베트남전 반대, 안보조약 분쇄를 연호하며 역 앞까지 기타오도리를 행진을 하고 다시 유턴하여 공원으로 돌아왔다.

도쿄로 돌아가고 나서 마사시는 아야코를 데리고 어느 사회주의연구회에 출입하게 된다. 구시로 고료 고등학교의 선배들이 중심인 연구회로, 마르크스의 초기 저작을 학습했다. 한 멤버가 근무하는 사무실을 무단으로 사용했기 때문에 토요일 저녁 9시부터 새벽 5시까지 학습하고, 그 후 일요일 정오까지 선잠을 자고 헤어졌다. 대학에서 반더포겔부(도보운동 동아리—옮긴이)에 속한 아야코는 침낭을 가지고 참가했다.

다이도지 마사시가 지금도 취재자인 나에게 숨기고 밝히지 않는 것이 이 선배 그룹과의 '연구회'다. 나는 옥중의 다이도지와 편지를 주고받는 방식으로 취재를 했다. 물론 양자의 편지는 도쿄 구치소의 검열을 당하고 있다. 지금까지의 조사나 공판을 통해서 당국이 거의 전모를 파악하고 있는 다이도지에게는 이제 와서 검열을 고려해 쓰지 말아야 하는 부분은 거의 없는 것 같다. 그런데도 '연구회'에 대해서는 어물쩍 넘어가는 것은 당국에도 이 부분의 진상을 계속 숨겨왔다는 것일까. 아마 관계자가 지금도 현역에서 활동하고 있는 것으로 보인다.

여름방학에 구시로에서 베트남전 반대 데모를 한 마사시는 10월 초 연구회의 멤버 6인과 다시 구시로로 돌아가

시외의 해안에서 화염병 투척 훈련을 했다. 눈앞으로 다가온 국제반전데이의 가두 투쟁을 대비해서다. 은밀한 행동이어서 집에는 얼굴을 비치지 않은 채 도쿄로 돌아갔다.

국제반전데이인 1968년 10월 21일 저녁, 그는 라면집에서 일찌감치 급료를 받자 서둘러 메이지 공원으로 갔다. 국철 센다가야역에서 이미 진압복 차림의 기동대가 빽빽이 벽을 만들고 경찰봉으로 찌르기도 하고 방패로 밀치기도 했다. 그런 기동대를 뚫고 연구회 멤버 십수 명이 모였다. 그들이 반전청년위원회 대열의 후미에 붙어 국회의사당을 향해 출발한 것은 저녁 8시경이었다. 반일본공산당계 각파의 공격 목표는 방위청, 국회, 신주쿠역으로 나뉘어 있었다. 1967년의 '10.8' 하네다 투쟁 이후 각파가 대립하면서 이번에는 분열되어 행동했으나, 결과적으로 그것이 동시다발 게릴라전이 되어 경비진을 혼란에 빠뜨렸다.

압도적인 수의 기동대의 규제를 받아 샌드위치 상태에서 억지로 코스를 변경당하는 등 마사시 일행의 데모 대열은 좀처럼 나아가지 못했다. 돌이 날아가고 화염병이 불을 뿜고 각목이 두랄루민 방패에 맞아 둔한 소리를 냈다. 격돌의 와중에서 차례로 부상자와 체포자가 나왔다. 얼마 후 중핵파가 신주쿠역으로 우르르 들이닥쳐 미군용 연료 탱크를 막았다는 정보가 전해졌다. 순식간에 "신주쿠로 가자"는 목소리가 일어나 그들은 흥분하여 공격 진로로 바꿨다. 이미 국철은 멈춰 있어 걸어서 요쓰야 쪽에서 신주쿠역 동쪽 출입구로 나아갔다. 시간은 10시를 지나고 있었고 신주쿠역 주변은 군중과 데모대가 몸을 움직일 수 없을 정도로 가득했다.

그날 저녁 8시경, 오차노미즈역 앞에서 집회를 한 중핵파, ML파, 제4인터내셔널이 국철 요요기역에서 하차하여 선로를 따라 신주쿠역 구내로 진입하여 투석으로 플랫폼 위의 기동대를 남쪽 출입구 쪽으로 몰아갔다. 전차는 부서지고 신호기는 미친 듯이 점멸을 되풀이하며 계속 벨을 울려댔다. 학생, 노동자에 더해 군중까지 선로 위로 뛰어내려 투석에 가세함으로써 신주쿠역은 실로 해방구의 양상을 드러내고 있었다. 그러나 동쪽 출입구의 마사시 일행은 기동대에 밀려 역 구내로 진입하지 못하고 반대로 가부키초의 코마 극장까지 후퇴했다. 차례로 쏘아대는 최루가스가 코를 찔렀고 눈이 아팠다. 역 앞의 마이크로버스가 옆으로 쓰러져 불길이 치솟았다. 비상사태라고 본 경시청이 '소란죄' 적용을 결단하여 일제 검거에 나선 것은 22일 0시 15분이다. 이미 주력 부대는 해산한 상태였다.

그해가 저물 무렵부터 마사시가 속한 '연구회'에서는, 그가 내년 봄 호세이대에 들어가야 한다는 논의가 있었다. '연구회'의 운동 전략상의 요청이었다. '연구회'에는 이미 세 명의 호세이대 학생이 있어 호세이대에 기반을 굳히려고 한 것이다. 마사시에게도 이제 전공투 운동은 혁명의 가장 유력한 기폭제로 보였고, 자신도 그 와중에 몸을 던질 필요를 느끼고 있었다. 배우기 위해 대학에 가는 것이 아니라 싸우기 위해 대학에 진학하는 것이다. 지금이야말로 그때라고 생각되었다. 대학 캠퍼스에 거칠게 불어대는 에너지는 무시무시했다. 모든 기성 권위를 부정하고 대학생으로서 자신의 특권도 부정하는 논섹트 학생들이 일어서고 있는 것이다. 지금 불어대고 있는 폭풍에는 인간의 존재를 근저에서부터 뒤흔드는 열기가 소용돌이치고 있었다.

1968년을 바리케이드 봉쇄 상태로 끝낸 대학은 15군데에 이르렀고 그 몇 배의 대학이 분쟁 상태를 계속하고 있었다. 동맹휴학 중인 도쿄대에서 공개 자주 강좌를 호소하는 유인물은 그 고양된 생각을 다음과 같이 말하고 있다.

> "가르치기란 희망을 말하는 것, 배우기란 성실을 가슴에 새기는 것." 이는 레지스탕스가 불타오른 프랑스에서 루이 아라공(Louis Aragon)이 드높이 제창한 '대학'이다.
>
> 우리의 도쿄대 투쟁은 우선 사실을 직시하는 데서 시작되었다. 우리가 본 사실은 — 체제의 구조가 그대로 대학 안에 관철되고 있다는 것이고, 따라서 반체제 사상을 가진 자는 추방되고 남은 우리들 어린 양은 체제를 위해 마차를 끄는 말처럼 일하는 인간을 만들어 내기 위한 틀에 넣어져 추출된다는 — 것이었다.
>
> 이 사실, 이념을 잃은 대학의 추하고도 거무칙칙한 상처를 결사적으로 호도하려는 사람들, 교수진을 우리가 놀라움을 갖고 새롭게 바라본 것은 이때였다. '그들은 희망을 말하지 않는다.' 몇 년이 지나도 한 구절, 한 마디 변하지 않는 수업. 희망도 없고 분노도 불안도 없는 곰팡이 핀 사무로서의

교육. 그들의 교육은 체제가 정성껏 다듬어 준, 자신의 복사판을 만드는 것일 수밖에 없는 것이다. 우리의 놀람이 공포로 바뀐 것은 그때다. 우리가 추구한 인간상은 지금 칠판 앞에서 마른 목소리로 말하고 있는 그런 사람의 축소판이 아니다. 그런 자(또는 물건?)가 되기 위해 우리는 대학에 온 것이 아닐 뿐 아니라 대학도 그런 곳이 아니다.

이러한 현실에서 우리가 도쿄대 투쟁에 전력을 기울인 것은 바로 진실의 추구, 성실을 가슴에 새기는 일이었다. 종잡을 수 없는, 노래하면 그저 달콤한 말의 낡아빠진 어수룩한 콧노래 따위를 노래하고 있던 우리들 어린 양은 묘지 위에서 미친듯이 타오르는 파란 도깨비불을 보고 난생처음 활시위를 잔뜩 잡아당겼던 것이다. 이 상쾌함은 무엇인가. 이는 우리의 인간 선언. 내팽개칠 일 따위는 있지 않다. 왜냐하면 어린 양은 돼지가 되는 것을 거부했기 때문이다.

이 진실을 추구하는 과정에서 우리는 새로운 대학의 창조를 제언한다. 희망을 말하는 자와 성실을 가슴에 새기는 자. 거기서 대화가 일어나고 대화의 테두리가 넓어지고 상호 비판 정신을 키워가는 … 그 과정에서 새로운 대학이 창조된다…. 우리는 넋을 잃고 그런 상상을 한다.

4

각목을 들고 기동대에 부딪칠 때의 기분은 어땠습니까

—라는 나의 물음에 옥중의 다이도지는 이렇게 써서 보냈다.

기동대의 벽에 돌진할 때는 역시 무서웠습니다. 그래서 노동가를 부르기도 하고('바르샤바 노동가'나 '인터내셔널가' 등), 끊임없이 슬로건을 외치기도 하고 또 보도를 쇠파이프로 탕탕 두드리며 기분을 고양시키기도 했습니다. 그리고 함성을 지르며 달려가면 공포감은 없어집니다. 엉거주춤한 자세를 취하면 오히려 얻어맞거나 부상을 당할 가능성이 높습니다. (이건 베테랑들한테 들은 말이고 또 실제로 보고 듣기도 했습니다.)

기동대는 매일 훈련을 하고 있고 덩치도 크지만 그들도 겁을 먹고 있습니다. 그런 만큼 돌진할 때는 돌진하지 않으면 안 됩니다.

그러나 어느 정도의 거리가 있는 경우, 또는 기동대가 미리 진을 치고 있는 경우는 최루탄을 뻥뻥 쏘아대고 살수차도 대기하고 있어서 힘듭니다. 최루탄은 정말 어떻게 해볼 수가 없습니다. 수건을 물에 적셔 눈이나 코에 대기도 하고 레몬이 효과가 있다고 해서 미리 레몬을 얇게 썰어 비닐 주머니에 넣어가기도 했습니다.

'격돌의 아수라장'이라고 해도 이제 필사적으로 하니까요. 돌진할 때는 오로지 돌진하여 그 기세로 기동대를 후퇴시키려고 하고(방패로 딱딱, 쿵쾅쿵쾅 소리를 내면 기동대도 무섭지 않겠어요), 이쪽이 도망치게 되면 필사적으로 도망칩니다. 우리가 밀집해서 돌진하면 기동대도 기가 죽어 퇴각합니다.

하지만 밀집되지 않을 때 그쪽은 빈틈이 없고 단단하며, 일단 뿔뿔이 흩어지면 이쪽에 좋지 않기 때문에 그때는 자연발생적인 게릴라전의 모습이 됩니다.

저 자신은 죽임을 당할지도 모른다고 생각한 적이 있었습니다. 1969년이었나(어쩌면 1968년 가을이었나?), 무슨 집회였는지 확실치 않습니다만, 분쿄구에 레키센(礫川) 공원이라는 곳이 있습니다. 고라쿠엔(後楽園) 구장 근처로, 주오대 이공학부 옆입니다. 주오대의 학원 투쟁 지원이나 도쿄대 투쟁 지원이었을지도 모릅니다. 비교적 많은 사람이 모인 집회로, 집회 자체는 그다지 긴박감도 없어서 저는 헬멧은 썼습니다만 그것뿐이었습니다. 각목 하나 돌멩이 하나도 갖고 있지 않았습니다.

집회가 끝나고 데모로 옮겨가고 나서 기동대가 아주 심하게 치고 나왔습니다. 도쿄대 쪽으로 향하려고 한 데모대를 쫓아 해산시켰는지 모르겠지만, 그다지 나아가지 못한 사이에 데모대는 뿔뿔이 흩어지고 말았습니다. 그때 저는 뒤쪽에 있었기 때문에, 그리고 비교적 느긋하게 있었기 때문에 고등학교 시절 동기생을 찾아서 이야기하기도 했습니다. 그런데 앞쪽에서부터 기동대가 덮쳐와 뿔뿔이 흩어졌습니다. 그리고 경찰봉을 아주 심하게 휘둘러 댔습니다. 그래서 저희도 앞쪽에서 밀리는 형태로 도망쳤습니다만, 벼랑 위로 내몰렸습니다. 아래까지는 3미터쯤 되었고 아래에도 기동대가 대기하고 있었습니다. 위로는 기동대가 닥쳐와 경찰봉으로 머리며 배며 할 것 없이 내리쳤기 때문에 쾅쾅, 탁탁

소리가 들리고 헉헉 소리가 들려왔습니다.

그때는 저도 당하겠구나 하고 생각했습니다. 그래서 어쩔 수 없이 3미터 아래로 뛰어내렸습니다. 거기에는 기동대가 있었기 때문에 상당히 발에 차였습니다. 그런데 저와 마찬가지로 위에서 떨어지는(내려온다기보다는 떨어졌습니다) 사람이 몇 명 있어서 저에게만 집중되지 않았고 발이 삐고 시퍼런 멍이 든 것으로 그쳤습니다. 그리고 체포되지도 않았습니다.

제가 가진 각목은 그때마다 달랐습니다만 5센티미터 굵기의 서까래로, 길이는 1.5미터쯤 되었습니다. 그리고 곡괭이 자루, 또는 수도관 등을 1미터 정도로 자른 것도 가진 적이 있었습니다. 서까래라는 것은 가볍지만 금방 부러졌고 곡괭이 자루는 튼튼하지만 무거웠습니다. 목장갑을 끼고 있어서 쇠파이프는 미끄러지기 쉬웠습니다.

1968년 봄부터 1970년 중반까지 약 2년간(그것이 '전공투 시대'라 불리는 짧은 반란의 계절인데) 마사시는 도쿄 내의 헤아릴 수 없이 많은 집회와 데모에 참여했다. 그래서 지금은 어느 게 언제의 기억인지 혼란스럽고 모호해졌지만, 그래도 돌이켜 보아 선명하게 특정할 수 있는 장면은 몇 가지 있다고 한다. '간다(神田) 카르티에 라탱'이라 불린 해방구 투쟁이 그중 하나다. 도쿄대 야스다 강당의 함락과 결부되어 잊을 수가 없다.

도쿄대 야스다 강당 공방전이 시작된 것은 1969년 1월

18일 오전 7시다. 대학 측의 요청으로 8,500명의 기동대가 구내로 들어왔지만 그중 80명은 권총 부대였다. 장갑차, 살수차에 더해 하늘에서는 헬리콥터도 공격에 가세하는 대대적인 포진이었다. 최루탄만 해도 1만 발이나 준비했다. 농성하는 측은 바리케이드를 철사로 고정하고 각목, 쇠파이프, 투석용 벽돌, 책상, 의자, 화염병, 황산, 염산을 무기로 하여 철저한 항전으로 나왔다. 오후 3시 반까지 렛핀칸(列品館), 법학부 연구실이 함락되었고, 남은 야스다 강당을 향한 총공격이 시작된 것은 오후 3시 15분이다. 고압 살수차에서는 최루액이 든 몇 줄기의 거센 살수가 집중되고 최루탄이 발사되었다. 상공의 헬리콥터에서는 분말 가스가 뿌려졌다. 500명의 농성조는 화염병을 던지고 벽돌이나 책상을 내던지며 저녁까지 거세게 항전하여 결국 이날의 공격은 중지되었다. 기세가 오른 해방 강당에서는 "전국의 학생, 노동자 여러분, 결연한 실력 투쟁에 나서라!"라고 호소했다.

이날 마사시는 '연구회' 동료와 함께 무장하고 메이지대 학생회관에서 출격하여 메이다이도리에서 데모를 되풀이하며 몇 번이나 기동대와 격돌했다. 도쿄대의 다급함을 알고 달려간 학생, 노동자, 그리고 시민들로 눈 깜짝할 사이에 숫자가 불어나 오차노미즈에서 간다에 이르는 길은 해방구가 되었다. 메이다이도리는 버스나 승용차로 방벽이 구축되고, 길거리 여기저기에 책상이나 의자나 벽돌로 바리케이드가 설치되었다. 보도블록은 벗겨지고 깨져 투석용의 탄환이 되었다. 전해의 파리 5월 혁명에 출현한 '카르티에 라탱'의 재현에 젊은이들은 기뻐서 어쩔 줄 모르며 흥분했다. 이는 야스다 강당을 공격하는 기동대에 대한 양동작전이었고 동시에 도쿄대로의 진격을 꾀하는 작전이기도 했다. 오후 4시경에는 오차노미즈에서 스루가다이시타에 걸쳐 1만 명에 가까운 학생, 노동자, 시민이 기동대를 압도하고 결국 히지리바시 방면으로 격퇴하고 말았다.

이튿날인 19일에도 마사시는 메이지대 학생회관에서 가두로 출격했다. 이날은 도쿄대로의 진입을 시도했으나 기동대에 진로가 막혀 국철 오차노미즈역 근처의 히지리바시를 비롯한 이십 몇 군데에 바리케이드를 쳤다. 오차노미즈역 앞 파출소에는 '해방구'라는 입간판이 세워졌다. 오후 4시가 지나 트랜지스터 라디오에서 인터내셔널가가 띄엄띄엄 흘러나오자 바리케이드 안의 젊은이들도 화답하여 합창이 일어났다. 마사시는 노래하며 눈물을 흘릴 뻔했다. 볼을 적시고 있는 사람도 적지 않았다. 라디오에서 들려오는 인터내셔널가는 야스다 강당의 옥상에 정렬한 농성자들이 체포를 눈앞에 두고 합창하고 있는 것이었다.

"우리의 싸움은 승리했습니다. 전국의 학생, 시민, 노동자 여러분, 우리의 싸움은 결코 끝난 것이 아닙니다. 우리를 대신하여 싸우는 동지 여러분이 다시 해방 강당에서 시계탑 방송을 할 때까지 이 방송을 중지합니다."

점거 중에도 계속되었던 시계탑 방송이 마지막 메시지를 보낸 것은 오후 5시 45분이었다. 기동대가 강당 시계탑 옥상에서 적기(赤旗)를 계속 흔들고 있던 마지막 한 사람을 체포한 것도 그 시각이었다. 점거가 풀린 시계탑 벽에는 다음과 같은 글자가 쓰여 있었다.

"연대를 구하며 고립을 두려워하지 않는다. 힘이 부족해 쓰러지는 것은 개의치 않으나 힘을 다하지 않고 좌절하는 것은 거부한다!"

마사시가 호세이대에 응시한 것은 '연구회'의 전략적 요청이었지만 문학부 사학과를 선택한 것은 자신의 의지에 따른 것이었다. 어차피 배운다면 근대사를 공부하고 싶었다.

그는 시험을 마친 날부터 호세이대에 출입하며 자치회 활동에 참여한다. 합격할지 아닐지는 거의 개의치 않았다. 캠퍼스에는 각 학부의 자치회나 섹트 입간판이 죽 늘어서 있고 여기저기에 수십 명에서 백 명 규모의 작은 집회가 마이크 볼륨을 높이고 있었다. 그 옆에는 가두 데모나 돌격 훈련으로 기세를 올리고 있는 헬멧 부대도 있어 전체가 떠들썩하고 활기에 차 있었다. 모두 세력을 과시하며 신입생의 가입을 권유하려는 속셈인 것이다. 도쿄대 투쟁도, 니혼대 투쟁도 압도적인 기동대의 힘에 무너졌으나 캠퍼스의 반란은 오히려 그 후 전국으로 확대되었다.

학내 문제에서 발단하여 어떤 섹트에도 속하지 않은 사람들이 일어선 도쿄대나 니혼대의 투쟁과 달리 호세이대의 경우는 온전히 정치 투쟁이 주류였다. 그만큼 세미프로적인 활동가가 많고 섹트 연합이라는 색채가 짙었다. 섹트로서는 중핵파가 최대 규모였지만 사청동해방파(社青同解放派, 파란색 헬멧), 프롤레타리아군단(검은색 헬멧), ML파(빨간색 헬멧), 그 밖의 작은 섹트가 혼재해 있고, 각 학부마다 섹트가 달랐다. 합격한 마사시는 직접적으로 섹트에 속하지는 않았으나 문학부의 자치회실을 장악하고 있는 것이 사청동해방파여서 당분간 그들과 행동을 함께했다. 사청동해방파가 로자 룩셈부르크의 평의회 운동에 기초하여 반제학생평의회를 자칭하는 것에도 공명했다.

일본 부도칸(武道館)에서 열린 입학식 때 마사시는 신입생인데도 불구하고 선배들과 함께 신입생에게 유인물을 배포하러 갔다. 4월 28일의 오키나와 투쟁을 향한 4월 18일의 '전학공투회의 준비회 결성대회'를 호소하는 유인물이었다.

마사시는 분주했다. 낮에는 입간판을 그리기도 하고 유인물을 등사하기도 하고 각 대학에 가입을 권유하러 다니기도 하고 가두 선전 활동이나 모금 활동을 위해 근처의 국철 이다바시역이나 이치가야역으로 나가기도 했다. 마사시와 가장 많이 행동을 같이한 사람은 후쿠시마 출신의 야간부 학생으로, 사세보 투쟁 때 장갑차 위로 올라가 전학련 깃발을 흔들었다는 용맹한 사람이었다. 선동 연설도 하지 못하고 유인물 원고도 쓰지 못하지만 헬멧을 쓰면 엄청난 활약을 한다는 단순 실력 행동파로, 늘 조리를 딱딱 울리며 걷는 모습은 아무리 봐도 야쿠자풍이었다. 그가 반드시 데모 행렬의 선두에 섰기 때문에 마사시도 선두에 서는 일이 많았다. 그를 따라 배에 단단히 천을 둘렀다. 이는 기동대의 가스총이나 경찰봉에 배를 맞을 때를 대비하기 위해서였다.

이제는 아르바이트를 갈 틈도 없어졌지만, 같이 활동하는 동료 중 문학부 2부에 다니는 학생이 운송회사의 사무를 하고 있어 그가 이따금 운전 조수 일을 소개해 주었다. 돈이 없어서 점심은 대체로 학생식당에서 동급생 이 사람 저 사람에게 얻어먹고, 밤에는 조직에서 나오는 빵과 우유로 때우는 일이 많았다. 그래서 늘 배고픈 상태였다. 그리고 몹시 졸렸다. 밤이 되어 캠퍼스에서 일반 학생의 모습이 사라지면 바리케이드를 실력으로 해체하려는 민청(공산당)의 헬멧 부대가 출격해 오기 때문에 느긋하게 잘 수도 없었다.

하지만 그의 정신은 전례 없이 고양되어 있었다. 간다의 헌책방 거리에서 사회주의 관련 책을 찾아서 차례로 독파해 나갔다. 마르크스, 엥겔스, 레닌 등의 고전과 그 해설서, 러시아 혁명, 중국 혁명, 쿠바 혁명 등의 책으로, 난해함도 장애가 되지 않았다. 이전부터의 '연구회'에도 출석하고 있지만 거기서 만나는 아야코와는 이미 서로 사랑하는 사이였다. 언제 어떤 계기라고 하기보다는 아주 자연스럽게 그렇게 되었고, 주위에서도 동향의 동급생으로서 그것이 당연한 것처럼 여겨지고 있었다. 마사시는 그의 성실한 성품이 마음에 들었다.

1968년 당시 영세한 두붓집을 운영하고 있던 서른한 살의 나는 전공투 운동을 어떻게 보고 있었을까. 이제 와서 보면 나는 그것을 감추려고 해도 감출 수 없는 글을 써두었다.

다름 아닌 《두붓집의 사계》에 나오는 엔터프라이즈호의 입항을 둘러싸고 사세보에서의 격돌을 다룬 "거함이 오다"라는 글이다. 그 전문을 인용한다.

사세보에서는 이미 피할 수도 없이 학생과 기동대의 무참한 격돌이 시작되었다. 17일, 구마모토대의 미쓰루(満)로부터 동요의 편지를 받았다. 정치에 관심이 희박했던 동생이 처음으로 그 고민을 두서없는 형태로 써서 내게 호소하려는 것이다.

항공모함이 다가와도 그저 졸업논문에 힘쓰겠다고 보내온 막냇동생의 글, 대단히 혼란스럽다.

공학부에 다니는 막냇동생의 연구 주제는 비등점에 관한 것인 듯한데 설명을 들어도 나는 이해할 수 없었다. 실험 장치 만들기에 전념하고 있는 지금, 마음은 혼란스러우나 사세보에는 가지 않겠다고 쓰여 있었다.

나도 그 문제를 생각하고 고민하지 않을 수 없었다. 그 생각을 아사히신문의 '목소리(声)'에 투고했다.

— 각목을 들고 기동대에 덤벼들어도 무익하다. 적의 본체는 전쟁 협력 자세를 가진 현 정권 자체다. 이를 선거로 타도하는 것 외에 길은 없다. 사세보에서의 투쟁이 여론의 기폭제가 된다면 모르겠지만 현실에서는 권력에 도저히 이길 수 없다는 무력감을 조장시킬 뿐이지 않은가.

성인식을 맞이한 아내에게 당선을 노리는 보수 후보에게서 축전이 왔다. 아마도 그는 또 이길 것이다. 사세보에서 참혹한 격돌에 학생들이 다치고 있을 때 이렇게 그들은 빈틈없이 표를 다지고 있는 것이다. 지방선거 구민의 낮은 의식은 아직도 인정이나 의리에 얽매어 있다. 학생이라면 사세보에서 싸우는 것보다 지방으로 흩어져 수수한 태도로 교화에 힘쓰는 것이야말로 제일 중요한 게 아닐까.

— 이런 것을 썼다. 투서를 보낸 날 밤, 막냇동생은 사세보로 떠났다.

고민하다 헬멧을 갖지 않고 사세보로 출발한다고 막냇동생이 짧게 전해왔다

지금 야간버스를 탄다고 전화가 왔다. "그래, 다치지 마"라고 나는 한마디 했다. 단독행동이라고 한다.

내가 써서 보낸 '목소리'는 20일에 실렸다. 글은 상당히 축약되어 있었다.

치고받는 그들을 슬퍼하며 쓴 '목소리' 읽어주기를, 짧지만.

21일, 미쓰루로부터 보고가 왔다. 5만 명이 참석한 대집회에 참가했는데 조용한 데모의 한계를 통감했다고 한다. 만약 이 5만 명이 삼파계와 함께 기동대에 돌진했다면 압도적으로 이겼을 거라고 분한 듯이 썼다. 삼파계의 비장한 돌격을 직접 보고 미쓰루의 마음은 크게 흔들렸던 것이다.

이틀 밤낮을 한숨도 자지 않고 빵 두 개만 먹고 몹시 지친 채 기숙사로 돌아와 다시 새벽녘까지 논쟁을 벌였다고 한다. 형의 '목소리'를 읽었다고 덧붙여져 있었다.

나는 곧 미쓰루에게 답장했다. 설령 5만 명이 기동대를 분쇄해도 그것은 일시적인 혼란이고 정부의 기본 정책은 흔들리지 않을 것이다. 기동대를 더한층 강화할 뿐일 것이다라고.

다시 미쓰루에게서 엽서가 왔다. 진눈깨비가 내리는 날, 혼자 아소산에 올랐다고만 쓰여 있었다. 번민하며 생각에 잠겼을 것이다.

사세보에서 돌아와 자신을 돌아본다며 막냇동생은 혼자 아소산에 올랐다.

또 한 군데, 《두붓집의 사계》에는 싸우는 학생들을 다룬 글이 있다. 다이도지 마사시도 참가했던 1968년 10월 21일의 국제반전데이 때 신주쿠 소란 사건을 전하는 신문기사를 읽고 쓴 글이다.

이튿날 아침 신문을 보고 도쿄 신주쿠역에서 학생과 기동대의 무시무시한 공방이 있었음을 알았다. 겁이 많은 나의 가슴은 읽으며 불안에 떨었다. 세상은 대체 어떻게 되어가는 것일까. 1970년을 향해가며 이런 과격한 소란은 더욱 박차를 가하게 될 것인가.

이런 시대를 나는 어떻게 살면 되는 것일까. 나는 지금까지 그저 성실하게 자신의 가업에 힘쓰며 사람들에게 맛있는 두부와 유부를 제공하는 삶을 살아왔다. 아내를 사랑하고 늙은 아버지를 공경하며 누나와 남동생들과 서로 돕고 격려해 왔다. 남들과는 결코 다투지 않고 그들에게 폐가 되지 않도록 조용히 살아가려고 해왔다. 세상을 위해 아무것도 할 수 없기 때문에 적어도 세금만이라도 속이지 않고 많이 내겠다고 아버지와 이야기해 왔다. 철저히 그런 삶을 살아왔다.

하지만 이제 세상의 격렬한 움직임은 시민 한 사람 한 사람에게도 격렬한 삶을 요구하기 시작한다. 나처럼 살아온 사람은 거세당한 자이고 겁쟁이이며 무사안일한 가족중심주의자로서 규탄당하는 때가 온 것인지도 모른다. 그런데도 역시 지금까지의 생활 방식밖에는 가능하지 않을 것 같다. 적어도 이 글을 쓰고 있는 지금의 솔직한 고백은 그것뿐이다.

경멸당해도 내게 침을 뱉어도 나는 조용히 살아가고 싶다. 설령 주의(主義) 달성을 위해서라고 하더라도 나는 남에게 돌을 던지고 각목을 휘두를 수는 없다. 자신은 부상을 당해도 남에게 한 방울의 피도 흘리게 할 수 없다. 이는 겁쟁이인 내가 절대 굽힐 수 없는 신조다. 나의 반전 사상의 뿌리다. 나는 더할 나위 없이 겁이 많고 나약한 사람이라서 남을 다치게 하는 일은 결코 할 수 없는 것이다. 하물며 이 세상에 단 한 번밖에 태어나지 않는 사람의 생명을 빼앗는다는 것은 생각만 해도 무서운 일이다. 어떻게 그것이 가능하단 말인가.

세상이 몹시 거칠게 격동하는 날에도 사람들은 두부를 먹을 것이다. 나는 묵묵히 두부를 계속 만들 것이다. 겁이 많고 나약한 나는 그런 조용한 일밖에 할 수 없다. 그런 나약한 생활에서 나온 나의 노래 따위는 세상의 그늘진 것에 지나지 않는다. 하지만 나약한 나는 그런 덧없는 노래에 기대서 살 수밖에 없는 것이다.

자신의 전 존재를 걸고 기동대와 격돌했던 학생들에게 나의 이런 글이 어떻게 받아들여졌을지는 짐작이 간다. 나 또한 그때부터 5, 6년 후에 스스로 개발 반대 운동의 와중에 몸을 두면서 내가 썼던 짤막한 글을 부끄러워하게 되었으니까 말이다.

만약 간행 직후인 1969년에 다이도지 마사시가 《두붓집의 사계》를 집어들었다면 위와 같은 문구에 걸려 그는 틀림없이 이 책을 내팽개쳤을 것이다. 그것은 확실하게 추정할 수 있다. 그러고 보면 그때부터 십수 년이 지나 문고판으로 복간된 것을 계기로 그가 이 책과 만났다는 의미는 중요하다. 옥중에서의 십수 년 사이에 그는 《두붓집의 사계》를 받아들일 만큼의 변화를 겪었다는 이야기가 된다. 대체 왜 그는 《두붓집의 사계》에 그렇게나 감동한 것일까. 그 하나의 대답으로 보이는 문장이 그의 편지에 있다.

'인민'이라는 개념이 있습니다. 제가 아직 완고하게 허세를 부리던 무렵, 저는 이 '인민'이나 '대중'이라는 표현을 아주 무심하게 써왔습니다. 그것은 10대 후반부터 좌익 운동에 들어가 그런 표현에 마비되어 있었던 탓이겠지요. 마르크스나 레닌의 책에도 쓰여 있고요. 마오쩌둥은 더욱 철저히 했으니까요.

그런데 '인민'이나 '대중'이라고 해버릴 때 개별 생활자의 특수성 같은 것은 보이지 않게 됩니다. 운동의 역학이라는 것으로 말하자면, 선거 같은 것에서 무장투쟁까지 집단(mass)으로서의 '대중'이든 '인민'이 문제가 된다는 것은 알 수 있습니다. 다만 그때 그 '대중'이든 '인민' 한 사람 한 사람의 생활, 특수성을 생각하지 않으면 그것은 완전히 인간성을 결여한 것이 됩니다.

제가 《두붓집의 사계》에 감동하여 눈물을 흘린 것은 결코 '대중'으로서 완전히 묶어버릴 수 없는 생활을 보여주었기 때문입니다. 제가 인민이나 대중으로 묶어버리는 것 안에 마쓰시타전기에 다니던 청년의 생활이 있었던 것이고, 미쓰비시 건물 앞에서 죽었거나 부상당한 사람들도 포함됩니다. 저는 그런 것이 전혀 보이지 않았던 게 아닐까 하고 생각했습니다. 그 반성과 그것을 보게 된 기쁨이 있었습니다. (감동은 두 사람의 맑은 사랑에 대한 것이기도 했지만요.)

제3장

늑대의 탄생

1

마사시가 들어간 1학년 L클래스는 사십 몇 명이었는데 그가 교실에 얼굴을 비치는 일은 거의 없었다. 이따금 얼굴을 내비친다고 해도 수업을 듣기 위해서가 아니라 집회나 데모에 참가할 것을 호소하기 위해서였다. 때로는 강사와 교섭하여 수업을 클래스 토론으로 전환하기도 했다. 이 클래스에서 재수한 사람은 마사시와 가타오카 도시아키뿐이었다. 특히 일찍부터 활동했던 마사시는 급우들 눈에 선배처럼 보였다. 나중에 동지가 되는 아라이 마리코가 마사시와 만났을 때의 정경이 그 무렵 마사시가 클래스에서 차지하는 위치를 잘 보여준다.

아라이 마리코가 한 여학생과 함께 봉쇄 중인 도서관 바리케이드 입구로 온 것은 입학한 직후인 4월 중순의 일이었다.

"1학년 L클래스 동급생을 찾고 있는데요…. 이름은 모릅니다. 키가 크고 얼굴이 하얀 남학생인데, 항상 점퍼를 입고 있어요…."

마리코가 이렇게 말하자 파수를 보던 학생은 어리둥절한 표정으로 도서관 안으로 사라졌다. 클래스로 와서 연설했을 때 마사시의 모습은 인상에 남아 있지만 마리코도, 그가 데려온 여학생도 그의 이름을 알지 못했던 것이다. 찾으러 간 학생은 곧 돌아왔다.

"어렵겠는데요. 이름을 모르면…."

"아, 그런가요. 늘 필터 없는 담배를 피우는 학생인데요."

이번에는 짐작이 간 모양인지 곧바로 마사시를 데려왔으므로 마리코는 친구와 얼굴을 마주하며 웃었다. 대학 근처의 커피숍에서 세 사람은 이야기를 나누었다. "왜 바리케이드 스트라이크를 하고 있는지, 그 이유를 들려주었으면 한다"는 것이 마리코와 친구가 마사시를 찾아온 목적이었다. 함께 막 입학했을 뿐인 동급생에게 그것을 묻는다는 것도 기묘한 일이지만, 그만큼 동급생의 눈에 비친 마사시는 선배 활동가로 보였던 것이다. 그는 그때 오키나와 투쟁의 의미를 중심으로 이야기했는데 마리코는 순진한 고등학생 같은 표정으로 끼어들지 않고 열심히 들었다.

아라이 마리코만이 아니라 공부하는 것을 목적으로 입학한 학생이 바리케이드 스트라이크를 어떻게 생각할지는 어려운 문제였다. 성실한 학생일수록 그것을 골똘히 생각했다. 역시 나중에 '늑대'의 동지가 되는 가타오카 도시아키는 마사시와 마찬가지로 재수를 해서 들어왔지만 바리케이드 스트라이크에는 비판적이었다. 그런 그가 크게 방향을 바꾼 것은 고등학교 시절의 선배와 바리케이드 스트라이크를 두고 논쟁을 하고 나서였다.

"전공투의 방식을 저는 도저히 이해할 수가 없습니다. 대학 문제 이외의 일로 왜 바리케이드 스트라이크를 해야 하는 거죠? 학생은 우선 공부를 해야 한다고 생각합니다."

가타오카가 평소의 생각을 말했을 때 전공투파의 선배는 한마디로 되받아쳤다.

"전공투는 학생으로서의 그런 특권을 부정하는 거야."
그 말에 가타오카는 강한 충격을 받는다.

저(가타오카)는 생각에 잠겼습니다. 제가 전공투를 비판하고 바리케이드 스트라이크에 반대한 것은 제가 학생이라는 것, 그래서 학문을 할 권리가 있다는 것을 당연한 전제로 하고 생각했기 때문입니다. 그런데 그런 전제가 절대로 옳은 것일까. 우선 그 전제 자체를 의심해 봐야 하는 게 아닐까? 지금 이 순간 오키나와 사람들이나 베트남 사람들은 해방을 요구하며 싸우고 있습니다. 그리고 우리 한 사람 한 사람에게 '너는 이 싸움에 대해 어떤 태도를 취할 것이냐?'고 묻고 있습니다. 이 물음 앞에서 내가 학생이라는 것이나 학문의 권리 같은 것은 무관한 사항에 지나지 않은 게 아닐까? 한 명의 인간으로서 그들에게 연대하는가, 아니면 적대하는가, 그것만을 묻고 있는 게 아닐까? 그렇다면 나는 그들과 연대하는 길을 취할 수밖에 없을 것이다. 학생의 지위나 특권이 만약 자신이 선택해야 할 생활 방식과 모순된다면 그 지위나 특권이야말로 부정해야만 할 것이다. 친구가 말한 '자기부정'이란 그런 의미가 틀림없다고 생각했습니다.

그렇게 바리케이드 스트라이크의 의미를 알게 되자 눈앞이 환하게 열린 듯한 느낌이 들었습니다. (《폭탄 세대의 증언》)

바리케이드 스트라이크를 해제하자는 주장을 한 민청의 후보와 경쟁한 자치위원 선거에서 마사시는 1학년 L클래스의 압도적인 지지를 얻었다. 이때 아라이 마리코는 마사시를 응원하는 활동을 했다. 그가 클래스 대표로 뽑힘으로써 1학년 L클래스는 전공투계가 된 것이나 마찬가지였다.

마사시는 원래 얼굴이 하얬지만, 호세이대에 들어간 이 시기에는 특히 얼굴이 창백해서 아라이 마리코는 그가 내장에 병이 있는 게 아닐까 하고 의심했다. 마사시는 줄담배를 피우는 데다 술도 자주 마셨다. 신주쿠역 서쪽 출입구 근처의 통칭 소변 골목이 그가 출입하는 곳이었다. 거기에 가면 늘 전공투계 학생들이 많이 모여 있었고, 열기로 후끈한 연대감과 에너지가 소용돌이치고 있었다. 약간의 술로도 순식간에 분위기가 고양되고 낯선 사람끼리 어깨를 맞대고 〈아바시리 번외지(網走番外地)〉(반사회적 풍조를 조장할 우려가 있다고 하여 방송 금지된 동명의 영화 주제가—옮긴이)를 부르기도 했다.

봄에, 봄에 쫓겨, 꽃도 떨어지고
마셔라, 마셔라, 종일 마셔라
어차피 우리가 가는 곳은
그 이름도 아바시리 번외지

그것은 곧 개사를 한 합창으로 바뀐다.

경찰에, 경찰에 쫓겨, 전공투
데모하면 얻어터지고 잡혀
어차피 우리가 가는 곳은

그 이름도 도쿄 경시청

다카쿠라 겐(高倉健) 주연의 번외지 시리즈는 마사시도 이케부쿠로의 극장 분게이자(文芸座)에서 심야 상영으로 반복해서 봤다. 영화관도 반란하는 젊은이들이 점유하고 있었다. 견디다 못한 다치바나 신이치(橘真一, 다카쿠라 겐 분)라는 주인공이 단도를 들고 습격하러 갈 때 세찬 박수와 휘파람 소리가 울렸다. 어쩔 수 없이 일신을 내던져 일어서는 다카쿠라 겐의 어두운 정념에 지금의 자신을 그대로 투영하여 화면에 흐르는 노래에 도취할 수 있었던 것이다. 〈붉은 모란의 도박꾼(緋牧丹博徒)〉 시리즈도, 재상영된 〈겡카 엘레지(けんかえれじい)〉도 마사시가 자주 보러 다녔던 영화다.

마사시가 가타오카 도시아키와 만난 것은 소변 골목의 술집에서였다. 같은 1학년 L클래스에 속했으면서도 학교 밖에서 만난 것도 기묘하지만, 마사시가 좀처럼 교실에 얼굴을 비치지 않았으므로 어쩔 수 없었다. 가타오카의 입장에서 보면 1학년 L클래스에서 재수해서 들어온 사람은 자신과 마사시뿐이라는 친근감을 은밀히 품고 있으면서도 지금까지는 개인적으로 말을 섞을 기회를 얻지 못하고 있었다.

선배와의 문답으로 바리케이드 스트라이크를 이해했다고는 하지만 가타오카의 고민은 아직 계속되고 있었다. 크리스천인 그가 지금까지 활동해 온 조직은 교회의 '베트남에 평화를! 시민연합'(베평련)이었는데 거기서는 이미 한계를 느끼고 열정을 잃어버리고 있었다. 게다가 대학의 섹트 활동에 대한 위화감도 강해서 그 안에 들어갈 마음도 없었다. 마사시와 이야기를 해보고 그 역시 섹트에 대한 위화감을 갖고 있다는 걸 알고 나서 두 사람은 자주 밖에서 만나게 되었다. 마사시의 섹트 비판은 그 조직 구조에 있었다. 피라미드형의 조직과 상명하달의 가부장적인 방식은 기성 조직과 완전히 같은 구조로, 혁명을 꿈꾸어야 할 당파가 왜 그러는지 이상해서 견딜 수 없었던 것이다. 예를 들어 바리케이드 내에서의 남존여비 문화처럼 농후하게 드러나는 구태의연한 체질은 마사시에게는 가장 익숙해지지 않는 점이었다. 몇 번인가 본심을 말하는 중에 마사시와 가타오카는 클래스에서 논섹트 전공투 운동을 시작하자는 의견에 일치한다.

호세이대에서는 '대학 치안 입법 분쇄', '11월 사토 방미 분쇄', '1970년 안보 조약 분쇄', '오키나와 투쟁 승리'라는 슬로건을 내세우고 이루어진 6월 20일의 전학일제학생대회(全学一斉学生大会) 이후 전 대학 무기한 스트라이크에 돌입하는데, 마사시는 이 학생대회 직전에 쓰러졌다. 이미 봄 무렵부터 식사 때마다 복통이나 구역질이 계속되었고, 견디기 힘들어 찾아간 병원 대합실에서 결국 정신을 잃고 말았다. 십이지장 궤양이라는 진단을 받고 안정을 취하라는 말을 들은 그는 바리케이드를 나와 자취방에 틀어박힌다.

마사시가 갑자기 구시로로 돌아간 것은 7월 중순이다. 아버지 나오시가 스몬병이라는 진단을 받고 입원한 사실을 도시코의 편지로 알았던 것이다. 아버지가 생각지도 못한 난치병에 걸린 것에 마사시는 큰 충격을 받았다. 비통한 기분으로 돌아갔으나 다행히 생각했던 정도의 증상은 아니었다. 다만 이 병의 특징으로, 무릎 아래로 마비가 와서 혼자서는 일어설 수 없기에 도시코가 온종일 병원에 붙어 있어야 했다. 보다 못한 마사시가 이따금 교대를 해주었다. 나오시는 쑥스러운지 마사시가 옆에 붙어 있을 때는 툭하면 혼자 서보려고 쓸데없는 고생을 했다. 옆에 붙어 있어도 아버지와 아들 간 대화는 거의 없었다. 마사시는 침대 옆에서 책을 읽으며 시간을 보내고 아버지는 라디오로 영어 회화 같은 걸 듣고 있었다. 병 탓에 눈이 흐릿해져 독서도 할 수 없었다.

여름방학도 다 끝나갈 즈음, 불안한 마음으로 마사시는 클래스의 몇 명에게 편지를 보냈다. 정황을 알려달라는 것이기도 했지만, 가을 이후에 함께 뭔가 행동을 해보지 않겠는가 하는 의논이 주된 목적이었다. 다들 당파 활동에 불만이나 비판 의식을 가진 학생들로 마사시를 믿고 따라주고 있었다. 그들을 중심으로 하여 클래스 안에 논섹트 래디컬스를 결성해 보려는 것이 마사시의 구상이었다. 특정한 지도자 없이 한 사람 한 사람이 평등하게 자신의 책임으로 참여하는 자주적인 운동이라고 해도 좋았다. 누구의 지시로 움직이는 것이 아니라 자신의 의지에 충실하게 행동하는 자의 결집이고자 했다. 마사시 자신은 이것을 계기로 사청동해방파에서 벗어날 생각이었다.

편지를 받은 학생들은 모두 뜸을 들이지 않고 곧 답장을 해왔다. 함께 하고 싶으니 얼른 돌아왔으면 좋겠다는 것이었다. 이해 여름 도쿄의 전공투 운동은 이미 기세가 꺾이고 있었다. 도쿄대, 교육대를 비롯한 도쿄 내의 19개 대학에서는 학교 당국에 의한 휴교가 이어졌고 바리케이드 스트라이크는 기동대에 의해 차례로 무너져 지금 남은 곳은 호세이대, 메이지대, 와세다대 등 불과 몇 개 교에 지나지 않았다. 9월 5일, 히비야 공원에 2만 5,000명의 학생이 모여 전국전공투연합결성대회가 열렸을 때 마사시는 아직 구시로에 있어 신문으로 그 소식을 알았다. 의장으로 예정되어 있던 도쿄대 전공투 대표 야마모토 요시타카(山本義隆)는 회장 입구에서 체포되었고, 부의장으로 예정되어 있던 니혼대 전공투 대표 아키타 아케히로(秋田明大)는 도피하여 회장에 나타나지 않았다. 논섹트 래디컬스의 리더가 없는 전국전공투연합의 서기국을 8파의 신좌익 당파가 차지했고 회장에서는 이미 섹트 사이의 폭력적인 대립이 시작되고 있었다. 도쿄대, 니혼대의 전공투 운동을 고조시킨 논섹트 래디컬스의 물결이 퇴조하고 섹트에 의한 지도가 시작되었다.

그 기사는 마사시를 상경하게 한 계기가 되었다. 나오시는 아직 입원해 있었지만 점차 좋아지고 있었고, 만약 무슨 일이 있으면 금방 돌아오겠다는 약속을 하고 마사시는 도쿄로 돌아왔다. 곧바로 가타오카 도시아키, 아라이 마리코 등 클래스의 몇 명과 학습회를 시작했다. 텍스트로는 마르크스의 《공산당 선언》, 《임노동과 자본》, 해리 맥도프(Harry

Magdoff)의 《제국주의 시대(The Age of Imperialism)》 등을 골랐다. 마르크스의 책은 어려웠지만 맥도프의 책은 이해하기 쉬웠다. 학습회 때마다 깔끔하게 요약해 오는 아라이 마리코의 성실함이 눈에 띄었다.

10월 8일, 넉 달 가까이 계속된 호세이대의 전학 바리케이드도 해제되었다. 이날 오전 6시가 지나자 열 대의 장갑차와 500명의 기동대가 학내로 들어와 바리케이드를 제거하고 6시간에 걸쳐 학내를 수색했다. 기동대가 철수한 후 200명의 민청, 우익 등의 질서파와 대학 당국에 의해 캠퍼스는 제압당했고 이제 바리케이드의 재구축은 불가능했다. 다만 마사시는 이해 가을에 대학에 있지 않고 스기나미구 구가야마(久我山)의 노무자 합숙소에 들어가 있었다. 클래스 학습회에도, 이전부터의 '연구회'에도 이 노무자 합숙소에서 다녔다. 섹트와의 인연을 끊기 위해서는 대학으로 돌아가지 않는 것이 낫다는 판단도 작용했다. 하지만 그에게는 그 이상으로 그렇게 하지 않을 수 없는 절실한 이유가 있었다. 아버지의 병환을 생각하면 본격적으로 생활비를 벌어야만 했던 것이다. 마사시가 받은 일은 건설 중인 빌딩의 잡일로, 재료를 운반하거나 현장 청소라는 단순 노동이어서 마음이 편했다. 하지만 노무자 합숙소의 대우는 가혹했다. 학습회의 급우는 몸에 노무자 합숙소 냄새를 묻혀 오는 마사시에게 압도당했다.

아라이 마리코가 시내에서 야쿠자가 자신의 어깨를 두드려 깜짝 놀라 자리에 선 채 꼼짝하지 못하자 "나야, 나" 하고 마사시가 검은색 선글라스를 벗고 웃었다는 일도 이 무렵의 일이다. 야바위꾼이 입는 듯한 7부 소매에 옷깃 없는 셔츠, 바짝 치켜 깎은 머리에 검은색 선글라스를 썼으니 아라이 마리코가 자리에 선 채 꼼짝하지 못한 것도 무리는 아니었다. 노무자 합숙소나 일터에서 학생으로 보이지 않기 위한 차림새였지만 사복형사에 대응하기 위한 변장이기도 했다.

1970년의 미일안보조약 개정을 눈앞에 두고 도쿄의 전공투 운동이 다시 고양되었다. 10월 10일 통일행동에는 메이지 공원에 10만 명의 학생이 모였고, 이어서 10월 21일 국제반전데이에는 도쿄 내의 모든 집회, 데모가 불허되었는데도 도처에서 게릴라전이 전개되었다. 11월 17일, 사토 총리는 하네다 공항에서 미국으로 출발했는데 이를 저지하려고 16일에는 전국에서 항의 집회와 데모가 격렬하게 전개되었다. 도쿄 내에서는 각 섹트가 하네다를 목표로 하여 진격했고, 국철 가마타역 동쪽 출입구, 서쪽 출입구, 게이힌 가마타역이 최대 격전지가 되었다. 최루탄을 난사하고 착색 살수로 일제 검거에 나선 기동대에 돌팔매질과 화염병이 난무하여 노상은 불바다가 되었다. 마사시는 '연구회' 멤버와 함께 방미 저지 투쟁에 참여했다. 하지만 클래스의 학습회는 아직 가두 행동에 나서는 데까지는 이르지 못했다. 기동대의 벽은 압도적이어서 밤이 되자 산발적으로 여기저기서 던지는 화염병 불꽃이 도깨비불처럼 깜박깜박 길을 기어가고 있는 모습이 어쩐지 쓸쓸하고 안타까웠다. 결국 어느 대열도 하네다 공항에 진입하지는 못했고 체포된 자는 전국에서 2,000명에 이르렀다.

가타오카도 전부터 속해 있던 '도키와다이(ときわ台) 교회 베평련'과 함께 참여했는데 이때의 패배감이 무장투쟁을 생각하는 하나의 계기가 된다. 조직화하지 못하고 무기도 없는 군중의 무력함을 절감했던 것이다. 그러나 이때 가타오카는 아직 화염병은 고사하고 각목을 손에 드는 것조차 망설이고 있었다.

구가야마의 노무자 합숙소에서 사이타마현의 노무자 합숙소로 옮겨가 도로 공사장에서 일하고 있던 마사시가 대학으로 돌아와 클래스 학생들에게 투쟁위원회 결성을 호소한 것은 1970년 봄이다. 그는 전혀 강의에 출석하지 않았지만 어쩐 일인지 2학년으로 진급해 있었다.

클래스 투쟁위원회에서 미일안보조약 개정 저지를 위해 빈번하게 되풀이되는 집회와 데모에 참가하는 학생이 회를 거듭함에 따라 늘어나 때로는 클래스 인원 40명 중 20여 명이 데모 대열에 참가하게 되었다. 게다가 대부분이 데모를 처음으로 경험하는 학생들인 만큼 그 스크럼은 진지했다. 여기서 힘을 얻은 마사시는 후지사와 요시미에게 호소하여 그가 속한 국문과 클래스에도 참가를 촉구하고, 나아가 철학과에도 손을 썼다. 후지사와와의 만남은 입학식 때 마사시가 나눠준 유인물을 들고 그 이튿날 바리케이드 안으로 만나러 와주었을 때부터로, 그는 가끔 도서관에서 묵고 가기도 했다. 함께 사는 친형이 엄격한 사람이어서 계속 머물 수 없다는 것을 투덜대기도 했다. 체격이 탄탄했으나 무척 과묵했다.

얼마 후 마사시의 클래스를 중심으로 국문과와 철학과 학생도 가세하여 많을 때는 백수십 명이나 되는 논섹트 그룹이 대열을 이루게 되었다. 헬멧의 색도 모두 달랐고 그중에는 교과서를 들고 있는 학생도 있었다. 마사시의 L클래스에서는 헬멧을 통일하여 흑백을 반반으로 칠하고 중앙에 L이라는 글자를 넣었다.

하지만 미일안보조약이 자동 연장된 6월 23일의 투쟁을 마지막으로 전공투 운동은 소멸되어 간다. 섹트가 주류인 호세이대에서는 갑자기 입간판이 사라지거나 하는 일은 없었으나 퇴조의 기미를 감출 수는 없었다. 클래스 투쟁위원회도 자연스럽게 소멸한다. 별도로 상의해서 결정한 것은 아니었지만 이때 마사시도 가타오카도 아라이도 자퇴한다. 그들만이 아니라 전공투에서 활동한 많은 학생들도 이 시기를 전후로 대학을 떠났다. 전공투라는 운동이 자기 자신의 삶을 근저에서부터 캐묻는 운동이고 무엇을 위해 배우는지를 모색하는 괴로움이었던 것을 생각하면, 많은 사람이 참가하는 운동이 끝났다고 해서 대학에서의 학업으로 돌아가는 것은 스스로 용납할 수 없었던 것이다.

마사시가 클래스 투쟁위원회의 중심 멤버 일곱 명과 이야기하여 연구회를 시작한 것은 8월부터다. 연구회에 참여한 멤버들은 이대로는 안 된다는 초조감에 시달리고 있었다. 이 연구회에서는 한국에 대한 일본의 침략사가 점점 큰 비중을 차지해 가고 있었다. 그것은 마사시의 원래 의향과 다르지 않았으나 이해 7월 7일 화교청년투쟁연합이 입국관리법안 반대 집회에서 결별 선언으로 인해 충격을 받은 것도 큰 동기가 되었다. 화교청년투쟁연합은 7월 7일 집회에서 "일본 계급투쟁 안에 결국 피억압 민족 문제는 정착하지 못했다", "억압 민족으로서의 입장을 철저하게 검토했으면 한다. 우리는 더욱 자신의 입장에서 끝까지 싸울 것이다. 또한 이를 선언하며 결별 선언으로 삼고 싶다"는 성명을 내고 신좌익에 대한 불신을 들이댔다. 이는 재일조선인과 중국인에게는 생사를 건 문제인 입국관리법안 반대 운동에서 일본의 좌익 운동이 얼마나 진지하게 싸우고 있는지에 대한 규탄이기도 했다. 이러한 계기로 피억압 민족 측에서 일본을 다시 보는 것이 마사시 등이 속한 이 연구회의 긴요한 주제가 되었다.

가타오카는 일본이 예전에 엄청나게 많은 조선인을 강제연행하고 일본 국내에서 소나 말처럼 강제노동을 당했다는 사실을 이 연구회에서 처음으로 직면하게 되었다. 박경식의 《조선인 강제연행의 기록》을 통해 알려진 무참한 사실에 그는 세상이 일변한 듯한 충격을 받았다.

그들은 이 학습에 필요한 일이기도 해서 간단한 한국어도 배우기 시작했다. 한편으로 알제리 혁명이나 쿠바 혁명 등 제3세계의 혁명 운동에도 눈을 돌려 프란츠 파농이나 체 게바라의 논문을 읽었다. 그들의 또 한 가지 큰 테마가 무장투쟁이었기 때문에 도시 게릴라의 실제를 배우기 위해 나치에 대한 프랑스의 레지스탕스, 프랑스를 상대로 한 알제리의 게릴라 투쟁, 우루과이 투파마로스의 도시 게릴라전 등의 자료를 입수해서 읽었다.

기동대의 압도적인 힘에 억눌린 채 끝난 전공투 운동, 1970년 안보투쟁을 돌아볼 때 "할 만큼 했다"는 알리바이적 반성은 아무런 의미도 없었다. 안전한 일본에 있으며 아무리 "미국은 베트남에서 나가라!", "일본 정부는 베트남 침략에 가담하지 마라!"라고 외쳐 봐야 실제로 그것을 허락하고 있는 이상, 백만 번의 외침도 의미 없는 일이 아닌가. 에르네스토 체 게바라의 "제2, 제3의 베트남을!"이라는 호소에 응답하기 위해서는 이곳 일본에서 무기를 들고 기동대 정치를 깨부수고 베트남 침략에 가담하는 것을 실제로 그만두게 하는 것 외에는 달리 방법이 없다고 생각한 것이다.

이미 전공투 운동의 좌절에서 무장투쟁을 지향하기 시작한 사람들이 적지 않았다. 재빨리 공공연하게 모습을 드러낸 것은 적군파로, 1969년 9월의 전국전공투연합 결성대회에 등장했다. 1969년 11월 5일, 총리 관저 습격을 위한 무장 훈련을 위해 야마나시현 다이보사쓰(大菩薩) 고개에 집결하는 중에 경찰의 습격을 받아 53명이 체포되었는데 그중에는 아야코의 대학 선배 한 명도 포함되어 있었다. 큰 타격을 입은 적군파는 1970년 3월 31일, 아홉 명의 멤버가 일본항공기 '요도호'를 하이재킹하여 북한으로 들어갔다.

마사시는 그때 엄청난 일을 했다는 흥분을 느꼈으나 북

한에서 무엇을 할 것인가라는 의문에 고개를 갸웃했다. “우리 대부분은 북한에 감으로써 그곳을 근거지로 만들도록 최대한의 노력을 경주함과 동시에 현지에서 훈련을 받고 우수한 군인이 되어 어떤 어려움이 있더라도 동해(日本海)를 건너 일본으로 돌아가 전단계 무장봉기의 전투에 나설 것이다. … 공산주의자동맹 만세! 그리고 마지막으로 확인하자. 우리는 ‘내일의 조’(당시 인기 있던 만화로 권투선수 ‘조’가 마지막에 하얗게 불타 재가 된 것에 영감을 받아 한 말—옮긴이)다.”

스물일곱 살의 다미야 다카마로(田宮高麿)가 남겼다는 ‘출발 선언’도 마사시에게는 비현실적으로 여겨졌다. 그는 어디까지나 국내에서의 무장투쟁을 모색하려고 했다.

연구회가 무장투쟁의 실전으로 수렴되어감에 따라 멤버 중에 동요가 생기기도 했다. 11월에 접어들어 두 명이 무장 노선에 따라갈 수 없다며 탈퇴하고, 그 대신 다키구치 아야코가 가세하게 된다. 그는 이미 멤버들과 서로 잘 아는 사이여서 언제 합류할지 그 기회를 엿보고 있었다. 이것으로 나중의 ‘늑대’ 멤버는 이 연구회에 거의 다 모인 셈이다.

2

1971년 1월을 맞이하여 그들은 구시로에서 폭탄 실험을 하기 위해 홋카이도를 향해 출발한다. 실험을 위해 일부러 홋카이도까지 가는 것은 너무 먼 길이었으나 이전에 마사시가 선배들과 실험한 적이 있는 안전한 해안을 알고 있다는 이점이 있었고 또 홋카이도를 모르는 멤버들뿐이라서 이 기회에 꼭 한번 가보고 싶다는 요망도 있었다. 마사시와 아야코가 한발 앞서 출발하고, 나머지 다섯 명이 구시로에 도착한 것은 1월 8일 저녁 7시 무렵이었다. 남자들은 미도리가오카의 마사시 친가에 묵고 여성들은 아야코의 집에 묵었다.

퇴원하여 집에 있던 나오시가 그들을 맞이했는데 다들 마사시의 할아버지가 아닐까 생각하고 당황했을 만큼 병을 앓고 난 후 그의 머리는 백발로 변해 있었다. 그날 밤 남자들 네 명은 가장 안쪽의 다다미 여섯 장이 깔린 방에 이불을 깔고 잤는데, 덮는 이불 끝이 장작을 때는 간이 난로에 닿아 타는 큰 소동이 벌어지기도 했다. 그들이 온다고 해서 새로 장만한 손님용 이불이었다는 것을 알고 마사시는 어머니에게 미안한 마음을 느꼈다. 다들 홋카이도는 처음이었던 만큼 모든 것이 신기해서 갯장어를 구워 내놓아도 무척 기뻐했다. 도쿄에서 나고 자란 가타오카는 역시 도회풍의 분위기가 그리워서인지 이틀째가 되는 날 밤에 혼자 커피를 마시러 나갔는데 돌아와서는 코로폭쿠루라는 작은 커피숍에 소박하고 귀여운 아가씨가 있었다는 것을 득의양양하게 말했다.

태평양 연안의 겨울형 기후에 속하는 구시로의 1월은 맑은 날이 이어지고 눈은 적게 내린다. 실험을 한 날의 낮도 살짝 맑았고 영하 5도를 가리키고 있었다. 마사시가 실험

장소로 고른 곳은 구시로에서 앗케시 방면으로 가는 도중에 있는 기토우시(キトウシ)라는 해안으로, 곤부모리(昆布森) 근처에 있다. 이 해안에는 봄부터 가을까지 다시마를 채취하는 어부 몇 가족이 살고 있지만 겨울 동안에는 빈집이어서 다가오는 사람이 없었다. 눈앞의 바다는 파도도 잔잔하고 짙고 어두운 색을 띠고 있다.

이때의 폭탄은 이른바 흑색 화약으로, 조미료나 식탁에 놓는 소금을 담는 작은 병에 질산칼륨, 석탄가루, 유황 등을 담아 도화선을 붙였을 뿐인 간단한 것이었다. 화약의 양은 10그램에서 30그램 정도였다. 가타오카가 모두의 도움을 받으면서 그 자리에서 만들었다. 처음에 가타오카에게 폭탄 만드는 법을 가르친 것은 마사시였다. 원래 이과계를 지망했던 가타오카는 참고서만으로 금세 요령을 파악하고 있었다. 막 만든 수제 폭탄을 일곱 명 전원이 차례로 투척해봤다. 도화선에 불을 붙이고 나서 던지기까지 하나, 둘, 셋 하고 헤아리는데 초조해서 일찍 던지면 도화선이 젖은 모래에 파묻혀 불발되고 만다. 딱총 정도의 소리가 났지만 그래도 처음에는 모두 귀를 막았다. 어른어른 하얀 연기가 나고 유황 냄새가 코를 찔렀다.

이 투척 실험은 폭탄의 성능을 확인한다기보다는 오히려 그들 한 사람 한 사람이 각오를 다지고 결단을 내린다는 의미가 더 컸다. 소규모 폭발이지만 이때부터 무장투쟁은 관념론에서 구체적 실천으로 한 발짝 나아가게 된다. 그런 만큼 도쿄로 돌아오고 나서 한 사람 한 사람의 내심에는 새로운 동요가 생겨나고 있었다. 2월에 접어들어 아지트를 국철 나카노역 남쪽 출입구의 번화가 뒤쪽으로 옮긴 것을 계기로 모두가 술을 마시며 서로 솔직한 마음을 이야기하려고 했다. 하지만 오히려 수습이 안 되는 상태가 되었다. 지금까지 남녀 사이에 개운치 않게 맺혀 있던 감정이 한꺼번에 분출했던 것이다.

2월 중순, 가타오카 도시아키는 갑자기 혼자 오사카로 떠났다. 지금까지의 생활을 청산하고 스스로를 다시 단련하기 위해서라고 마사시에게 말해두었다. 오사카에 지인이 있는 것도 아니고, 오사카에서 재일조선인 문제를 생각해보고 싶다는 것이 동기였다.

연구회는 어이없이 와해된다.

연구회가 해산했으므로 빌린 지 얼마 안 된 아지트에서 철수한 마사시는 이를 기회로 아야코와 함께 살기로 하고 두 사람은 시부야구 니시하라의 공동주택으로 이사했다. 아야코가 호시약과대를 졸업한 3월 초의 일이다. 신혼집은 게이오선 하타가야와 오다큐선 요요기우에하라의 중간쯤이다. 하지만 마사시와 아야코의 경우 신혼 살림을 차렸다기보다는 동지가 언제든 들를 수 있는 아지트를 준비한다는 기분이 더 컸다.

그래도 아야코의 화장품 케이스가 들어오고 전등 끈에 가련한 인디언 인형이 매달리자 역시 신혼집 같은 낯간지러움은 숨길 수 없었다. 창문을 열면 바로 옆집 담벼락으로 막혀 있어 방에는 온종일 햇빛이 들지 않았다. 하지만 그 담장 위를 오가는 길고양이에게 말린 멸치를 주며 놀고 있는 아야코의 모습은 지금까지 몰랐던 본모습을 보여주는 것 같아 마사시의 가슴은 충족감으로 가득했다.

이해 봄 마사시와 아야코는 주로 후지사와 요시미와 연락을 취하며 당분간은 집중적으로 활동 자금을 모으는 데 전념한다. 그 때문에 마사시는 낮에 니혼바시의 약품 도매점에서 일하고 밤에는 도시락 배달을 했다. 약품 도매를 선택한 것은 폭탄 제조에 필요한 약품을 빼낸다는 은밀한 목적에서였다. 연구회는 해산했다 하더라도 무장투쟁 준비를 포기한 것이 아니었다.

한편 약제사 자격증을 가진 아야코는 개인병원에서 근무했지만 두 사람의 생활은 무척 검소했다. 마사시는 본격적으로 무장투쟁에 뜻을 두고 나서는 술도 딱 끊었고 원래 재즈 카페에서 모던재즈에 귀를 기울이는 유흥 정도밖에 몰랐으므로 쓸데없는 지출은 전혀 없었다. 주위 사람들의 눈에는 요즘 시대에 보기 힘든 성실한 신혼부부로 보였을 것이다.

활동 자금이 모여감에 따라 마사시는 하루라도 빨리 구체적으로 움직이고 싶은 조바심이 심해졌다. 이미 도쿄 내에 본격적인 폭탄 투쟁이 등장하고 있었다. 6월 17일, 오키나와 반환 저지 집회가 열린 메이지 공원에서 쇠파이프 폭탄이 폭발하여 기동대 30명이 중경상을 입은 사건이 발생했다. 마사시도 쇠파이프 폭탄을 연구하고 있었으므로 이 사건으로 위력을 똑똑히 알게 되었다. 하지만 그 뒤를 따르고 싶다고 안달해도 아야코와 후지사와, 이 세 사람만으로는 어쩔 도리가 없었다. 본격적인 행동을 하기 위해서는 오사카에 가있는 가타오카를 불러올 수밖에 없었다. 마사시와 아야코는 그 일로 며칠이나 의논을 했다. 가타오카를 불러오는 일은 실제로 폭탄을 만드는 걸 의미했고, 이제 돌이킬 수 없는 길로 들어서는 일이다. 그런 각오에 두 사람 모두 움츠러든 것은 아니었다. 지금까지 축적해 온, 연구회에서 배운 것을 실천하려고 한다면 그 목적지는 혁명을 목표로 하는 무장투쟁이어야 한다. 오히려 두 사람의 고민은 좀 더 가까운 곳에 있었다. 마사시 아버지의 병이다. 일단 증상이 호전되었다 하더라도 두 다리에 마비가 남아 있어 원래의 몸으로 돌아가는 것은 생각할 수 없었다. 외아들인 자신이 아버지 옆에 붙어 있어야 할까 하는 고민은 마사시에게 심각한 문제였다. 아버지 옆으로 돌아가는 것과 무장투쟁은 양립할 수 없다. 마사시와 아야코가 그 문제를 두고 아무리 의논을 되풀이해도 제자리걸음일 뿐이고 깔끔한 결론을 낼 수는 없었다. 막내인 아야코는 그런 점에서 홀가분했지만, 결혼하고 나서는 시아버지 나오시를 걱정했다. 결국 마사시와 아야코의 무장투쟁을 선택하는 것으로 결론을 내렸다. 그 대신 되도록 여러 번 구시로로 돌아가 효도를 하자고 재차 확인하여 자기 자신을 납득시킬 수밖에 없었다.

마사시의 연락을 받고 가타오카 도시아키가 도쿄로 돌아온 것은 8월이다. 가타오카가 혼자 오사카로 간 것은 무장투쟁에서 도망치기 위해서가 아니라 오히려 그때까지 자신의 진지함이 부족했던 생활을 청산하고 무장투쟁에 어울리는 전사로 다시 단련하고 싶은 충동에서였다. 그래서 마침내 구체적으로 움직이기 시작하고 싶다는 마사시의 연락에 가타오카도 망설일 이유가 없었다.

가타오카는 싸우지 않는 데 실망해서 교회를 떠났으나 신앙까지 버리지는 않았기에 크리스천으로서 무기를 드는 것에 심각한 갈등이 있었다.

> 이런 제가 무장투쟁을 실제로 결의하는 것은 엄청난 일이었습니다. 머리로 그 필요성을 이해하는 것만으로는 안 되었습니다. 무장투쟁의 필요성은 알지만, 저는 할 수 없다고 고민하며 계속 결단을 내리지 못하고 있었습니다. 제가 그 갈등을 말끔히 끊어버린 것은 텔레비전에 의한 '체험'이었습니다. 저녁 7시 반쯤 시작하는 NHK의 다큐멘터리 프로그램으로, 어느 날 베트남 전쟁의 난민 모습을 특집으로 보여주었습니다. 필름은 미군의 공격으로 마을이 불탄 사람들의 모습을 비추고 있었습니다. 그 화면에서 노인에게 안긴 작은 갓난아기가 죽어갔습니다. 갓난아기의 슬픈 눈은 저를 바라보고 있는 것처럼 느껴졌습니다. 저는 작고 무력한 그 아이의 생명을 빼앗은 베트남 침략 전쟁에 대해 울부짖고 싶은 분노를 느꼈습니다. 이 불의의 침략 전쟁을 떠받치기 위해 우리의 반대를 무릅쓰고 미국으로 날아간 사토 총리에게 격렬하고 무거운 살의를 느꼈습니다. 그의 방미를 저지하려고 했으나 저지하지 못했던 원통함에 저는 텔레비전을

보며 눈물을 뚝뚝 흘렸습니다. 그리고 '아가야, 이 원수는 꼭 갚아주마'라고 마음속으로 맹세했습니다. 저는 그때 자신의 마음을 계속 묶고 있던 '사람을 죽여서는 안 된다'는 족쇄를 풀었습니다. 사람을 죽이는 것은 나쁩니다. 그러나 죽이지 않으면 불의가 될 때도 있습니다. 저는 그런 시대에 태어난 것입니다. 그 진실을 받아들인 저는 이제 자신의 신앙과 무장투쟁이 모순된다고 느끼지 않게 되었습니다. 저는 그 이후 거의 망설이지 않고 무장투쟁의 길을 걷기 시작했습니다.(《폭탄 세대의 증언》)

가타오카의 귀경과 함께 마사시는 드디어 구체적인 표적을 향해 움직이기 시작한다. 그와 함께 행동하는 것은 가타오카 도시아키, 다이도지 아야코, 후지사와 요시미, 이 세 명이다. 그들은 지금까지 학습해 온 일본의 침략사를 고발하고 규탄하기 위한 대중 투쟁으로서 폭파의 표적을 정하려고 했다. 체제나 권력에 대해 직접적인 타격을 주는 것이 아니라 오히려 그들의 사상을 표현하는 상징적인 폭탄이라는 자리매김이었다. 어쨌든 본격적인 무장투쟁을 장래의 목표로 설정해 두고 지금은 자신들의 사상과 폭탄 기술을 단련하기 위한 전 단계 투쟁으로 생각한 것이다. 누구에게도 직접 위해를 가하지 않는 계획이라는 것이 그들의 마음을 편하게 했다.

아타미(熱海)에 있는 흥아관음(興亜観音)과 순국칠사지비(殉国七士之碑)를 최초의 표적으로 고른 것은 마사시였다. 흥아관음은 난징대학살의 책임자 마쓰이 이와네(松井石根)가 중국 대륙에서 전사한 일본 병사와 학살당한 중국인을 함께 위령할 목적으로 1940년에 건립한 관음상이다. 아타미의 이즈산(伊豆山) 중턱의 절 경내에 있다. 같은 장소에 순국칠사지비도 있는데, 이는 도조 히데키(東条英機) 이하 처형된 일곱 명의 A급 전범을 모시는 비석이다.

표적을 정한 후 준비를 시작하고 얼마 지나지 않은 10월 24일 새벽, 마사시는 가타오카가 운전하는 자동차에 동승하고 있었다. 카라디오의 임시 뉴스로 도쿄 내 나카노 경찰서, 모토후지 경찰서 야요이초 파출소 등에서 폭탄이 터졌다는 사실을 알았다. 그 외에도 도쿄 내 몇 군데에서 폭파가 동시에 일어난 듯 뉴스의 내용은 아직 혼란스러웠다.

"해냈구나."

평소 차분한 마사시가 흥분하여 소리를 질렀다.

"어떤 폭탄일까?"

역시 가타오카의 관심은 거기에 있었다.

"위험하겠는데. 오늘 밤은 돌아가자."

마사시가 주의를 주자 가타오카는 차를 유턴했다. 만약 비상 검문이라도 만난다면 큰일이었다. 그들도 수상해 보이는 물건을 싣고 있었던 것이다.

10월 24일 새벽 2시에 폭발한 것은 나카노 경찰서와 야요이초 파출소에 설치된 폭탄이었지만 폭탄은 다른 네 군데에도 설치되어 있었다. 그런데 그것들은 모두 불발로 끝났다. 나중에 흑헬그룹(黒ヘルグループ)으로 알려지게 되는 가

마타 도시히코 등에 의한 도내 연쇄 파출소 폭파 사건이다. 경시청의 동요는 컸다. 이미 9월 18일에는 고엔지역 앞의 파출소에서 귤통조림 폭탄이 폭발했고, 22일에는 신주쿠구의 경시청 제4기동대 독신 기숙사에서 시한폭탄이 폭발했다. 10월 15일에 경시청 공안총무과에 폭탄 전담반을 설치하여 수사에 혈안이 되어 있는 상황에서 일어난 연쇄 폭파였다. 각 경찰서는 숙직을 배로 늘리고 엄중 경계 태세에 들어갔다. 그런데 11월에 들어서도 도쿄 내 파출소에서 차례로 쇠파이프 폭탄이 폭발한 것이다. 마사시는 노리는 대상이 자신들과 다르지만 권력 타도를 목표로 여러 그룹이 각각 무장투쟁에 나서는 것에 격려를 받았다.

12월 12일 오후 마사시, 가타오카, 후지사와 세 사람은 이즈산으로 출발했다. 쇠파이프 폭탄은 007가방에 숨겨 마사시와 후지사와가 신칸센으로 옮기고, 소화기 폭탄은 시멘트로 위장했으므로 가타오카가 차로 운반했다. 검문을 받아도 의심받지 않기 위해 연말 선물 상자로 보이도록 종이로 포장해 두었다. 소화기를 시멘트로 굳힌 것은 위장임과 동시에 탄체(彈體)를 강화하여 폭발력을 세게 하는 방법이기도 하다. 세 사람은 현지 버스정류장에서 만나 오후 4시가 지날 무렵 이즈산의 돌계단을 올라갔다. 이미 몇 번인가 사전 답사를 와서 설치 작업의 순서도 정해두고 있었다. 후지사와가 망을 보고 마사시와 가타오카가 설치를 담당한다. 흥아관음에는 쇠파이프 폭탄을 굵은 철사로 감아 고정시키고 순국칠사지비에는 소화기 폭탄을 설치했다. 흥아관음과 순국칠사지비 사이에는 대동아전(大東亜戦) 순국 전사 1088령위 공양비가 또 있어 여기에도 쇠파이프 폭탄을 설치했다. 시한장치는 저녁 10시로 맞추고 그 시한장치를 폭파하기 위한 쇠파이프 폭탄도 설치했다.

해가 지자 산속은 역시 암흑으로 변했고 절벽 아래로 펼쳐지는 태평양도 아득한 어둠으로 푹 가라앉아 있었다. 마치 자신들 세 명만이 암흑의 우주에 떠 있는 듯한 기묘한 불안감에 빠질 것 같았다. 살짝 오른쪽 앞쪽에 아타미 온천 거리의 현란한 네온사인이 빛나고 그 불빛이 닿는 범위에만 하얀 파도가 보인다. 마사시와 후지사와는 저녁 7시가 지나 신칸센을 타고 철수했다.

그날 밤 11시 뉴스에서 마사시는 순국칠사지비가 폭파됐다는 것은 알았지만, 흥아관음은 불발로 끝났다. 나중에 알게 된 바로는 공양비는 표면이 살짝 손상되는 것에 그쳤다. 이때 쓴 것은 흑색 화약이었는데 불발의 원인은 전기계통의 실수였다. 마사시는 자신들의 기술이 아직 미숙하다는 것을 절감했다.

마사시 등의 첫 번째 폭파는 거의 사회적인 주목을 받지 못 하고 끝났다. 하지만 연말에 이어진 도쿄 내의 폭탄 사건 두 건은 큰 충격을 주었고 사람들을 불안에 빠뜨렸다. 도시마구 조시가야의 경시청 경무부장 쓰치다 구니야스의 자택에 배달된 소포가 폭발, 아내 도미코가 즉사하고 넷째 아들이 부상을 입은 사건이 발생한 것은 12월 18일 오전 11시 반이었다. 정확히 1년 전의 이날, 무장투쟁을 지향하는 게

이힌안보공투(京浜安保共闘)의 세 명이 이타바시구 시무라 경찰서 가미아카쓰카 파출소를 습격했고 그중 한 명이 경찰에게 사살되었다. 이 사건에 대한 보복으로 추정되었는데 권력에 대한 테러가 그 가족에게까지 피해를 입힌 것은 충격적이었다.

이어서 12월 24일, 크리스마스이브의 인파로 붐비는 신주쿠 이세탄 백화점 앞 네거리에서 큰 폭발이 일어나 경찰 한 명이 중태, 그 밖에 통행인, 경찰 11명이 중경상을 입었다. 폭탄은 요쓰야 경찰서 오이와케 파출소 옆의 보도에 종이봉투에 담긴 크리스마스트리로 위장되어 있었다. 시민을 말려들게 하는 무차별 테러의 출현에 신문은 "과격파는 시민의 적이다"라고 비난했다. 마사시 등에게도 이 두 번의 폭탄 사건은 충격이었다. 지금 그들이 하고 있는 것은 사람에게 위해를 가하지 않는 대중 투쟁으로서의 폭파이지만 얼마 후 본격적인 무장투쟁으로 이행할 때 사람을 죽이거나 상처를 입히는 일이 절대로 없다고 할 수 있을까. 이 가혹함을 이어받지 않을 수 없는 날이 언젠가는 올지도 모른다는 울적한 예감 같은 것도 마음속에 응어리져 있었다.

전공투 운동도, 1970년의 안보투쟁도 기동대의 압도적인 힘에 봉쇄된 후 1971년은 바로 폭탄의 해였다. 11도도부현에서 51건의 폭탄 사건이 발생했고 32건 36개의 폭탄이 폭발하여 42명의 사상자가 나왔다.

3

1972년을 맞이하여 동지를 늘릴 필요성에 몰린 마사시는 다시 아라이 마리코에게 참여할 것을 요구한다. 마리코도 호세이대를 중퇴하고 아다치구 센주의 공동주택에서 언니 나호코와 살며 함께 서민 동네에 있는 플라스틱 가공 공장에서 일하기 시작했다. 마사시는 상승 지향을 거부한 그런 엄격한 생활 방식을 마리코의 성실함이라 보고 있었다.

순국칠사지비의 폭파에 마리코의 참여를 권유하지 않았던 것은 그를 믿지 않아서가 아니라 마리코의 성격을 배려한 것이었다. 마리코는 너무 고지식하다고 할까, 지나치게 원칙적인 답답함이 있었다. 예컨대 연구회에 파친코점에서 받은 커피를 가져오는 사람이 있는 정도의 일에도 불쾌한 얼굴을 했다. 그 결벽성이야말로 장점이지만, 때로는 임기응변의 속임수나 책략도 요구되는 도시 게릴라에 적응할 수 없을 것처럼 보였다. 아울러 가타오카와 마리코의 대립되는 성격도 걱정이었다. 무슨 일에나 합리적인 사고를 하는 가타오카와 융통성 없는 원칙론을 가진 마리코가 대립하여 거북해지는 일이 있었다.

하지만 지금 마사시는 다음 표적을 위해 추가 멤버가 필요했고, 일단 아라이 마리코는 신뢰할 수 있는 몇 안 되는 사람 중 한 명이었다. 마리코도 마사시의 권유에 주저하지 않고 응했고, 비슷한 시기에 다나카(田中) 아무개, 다케시타(竹下) 아무개라는 두 명의 남성도 가세했다. 모두 마사시와 전부터 아는 사이로 그의 부탁에 응한 것이었다.

일곱 명의 그룹이 고른 다음 폭파 표적은 요코하마시 쓰루미구에 있는 조동종(曹洞宗) 오모토야마 소지지(大本山総持寺)의 납골당이다. 세상에는 거의 알려져 있지 않은 이 납골당을 표적으로 삼은 점에서 오히려 마사시 등이 조선 문제를 얼마나 중요하게 생각했는지 그 깊이를 엿볼 수 있다. 일본 정부는 식민지 시대의 조선에서 사망한 일본인 식민자 위령을 위해 1971년에 서울 근교에 위령비를 건립했다. 그리고 한국의 민중은 위령비에 다이너마이트를 설치하거나 페인트로 훼손하는 등의 항의를 되풀이했다. 이에 일본 정부는 위령비를 철거하고 유골을 소지지로 가져와서는 1971년 9월에 새로이 철근콘크리트조 육각당(六角堂)의 납골당을 건립하여 모셨다. 이에 더해 위령을 위한 관음상 건립 계획도 나왔는데 그런 문제에 관심을 가지는 사람은 거의 없었다. 마사시 등은 일부러 한국 민중의 항의 행동에 호응하여 이 납골당 폭파 날짜를 3월 1일로 정했다. 이날은 한국의 3·1 독립운동 기념일로, 그들의 의사를 표시하기에 가장 어울리는 날이라고 생각했다.

그러나 이 계획은 처음부터 차질이 생긴다. 사전에 소지지로 답사를 간 마리코가 사찰 관계자에게 얼굴을 확실히 보이고 말았던 것이다. 마사시와 가타오카는 이대로 결행하는 것은 위험하다고 판단하여 연기하려고 했으나, 다나카와 다케시타는 "그런 생각은 기회주의"라고 비난하며 어디까지나 3월 1일에 결행할 것을 주장하여 대립한다. 원칙적인 사고를 중시하는 마리코 역시 다나카와 다케시타의 주장에 가세하여 그룹은 둘로 분열되었다. 결국 그대로 결행해야 한다고 주장한 세 사람이 떨어져 나가 마사시 등은 지켜보기로 했다. 마사시는 호언장담하는 다나카와 다케시타의 태도를 염려했다.

마사시 등이 생각지도 못한 일로 차질이 생겼던 2월 말, 아사마 산장 사건이 일어나 일본 전역에 충격을 주었다. 연합적군의 반도 구니오, 사카구치 히로시(坂口弘) 등 다섯 명이 가루이자와의 가와이악기(河合楽器) 소유의 아사마 산장에서 농성하며 경찰과 10일에 걸친 총격전을 전개했다. 이 시기 마사시는 약품 도매를 그만두고 긴자의 고급 요정에서 도시락 배달을 하고 있었는데 한 개에 3천 엔, 5천 엔이나 하는 도시락을 관청이나 기업에 배달하는 도중에 텔레비전으로 총격전 실황 중계를 넋을 잃고 바라봤다. 그들에게 호응하여 경찰서 습격을 결행하는 문제로 가타오카와 의논했으나 다나카 등과 분열한 지금은 자중하자는 결론을 내렸다. 그 후 대량의 린치 살인이 밝혀졌을 때는 역시 기력을 잃었다. "경찰의 날조겠지", "그런 어처구니없는 일이 어디 있겠어"라고 동료들과 이야기를 나눴지만 12명이나 되는 사체가 발견된 사실을 부정할 수는 없었다. 다만 자신들의 동지 관계에서는 그런 참극이 일어나지 않을 거라는 확신만이 구원이었다.

3월 1일은 지났지만 소지지의 납골당 폭파는 일어나지 않았다. 나호코에게 연락을 해서 마리코는 이미 다나카, 다케시타와 싸우고 갈라섰다는 사실을 알았다. 그래서 그들에게는 폭파를 실행할 의지가 없다고 판단할 수밖에 없었다. 폭탄 소식이 있을까 그저 대기하며 초조해 하고 있던 마사시 등은 곧 움직이기 시작하여 4월 4일 밤, 차를 이용하여 폭탄을 납골당 뒤쪽의 묘지로 옮겼다. 5킬로그램의 흑색화약을 담은 소화기를 시멘트로 굳혀 묘석으로 보이게 했으므로 묘 사이에 놓으면 구별이 안 됐다.

4월 6일 새벽 0시 5분, 소화기 폭탄은 큰 소리를 내며 폭발하여 소지지 승려들을 놀라게 했지만 피해는 납골당의 유리창이 깨진 것에 그쳤고 바닥에 큰 구멍이 뚫린 정도였다. 신문에는 묘석에 붙은 유인물 문구를 전하며 왜 이런 곳에 폭탄을 설치했는지 고개를 갸웃하는 듯한 기사가 실렸다.

6월에 마사시와 아야코는 아라카와구 미나미센주 6초메의 공동주택으로 이사했다. 미나미센주 경찰서와 도쿄 스타디움 사이의 영세한 공장들 한가운데로, 구장의 함성이 들리는 장소였다. 이를 기회로 아야코는 나카노의 병원을 그만두고 아다치구의 종합병원으로 자리를 옮겼다. 마사시는 시간이 자유로워야 하기 때문에 산야에서 날품팔이 일을 구했다. 산야까지는 걸어서 20분쯤 걸렸다. 하지만 공치는 날이 많아 돈벌이가 되지 않았으므로 생활비는 아야코의 급료로 버텼다.

여름이 되어 마리코가 마음에 걸린 마사시는 다카다노

바바(高田馬場)의 커피숍으로 불러내 그와 이야기를 나눴다. 마사시에게는 그를 비난할 생각이 전혀 없었다. 하지만 그는 고개를 숙인 채 거의 말도 하지 않았다. 그 무력한 모습은 애처로웠다. "나는 역시 무장투쟁에는 맞지 않는지도 모르겠어—"라고 중얼거리는 그에게 마사시는 귀향을 권했다. 나호코도 마리코도 시골의 조용한 생활이 어울리는 사람인 것이다. 결국 마리코는 10월에 미야기현 후루카와시의 집으로 돌아가 입시 공부를 시작한다. 무장투쟁을 따라가지 못한 그는 벽지 의료에 종사함으로써 사회의 모순에 맞서려고 마음먹고 도호쿠대 부속 의료기술 단기대학을 목표로 했다.

중국 침략, 한국 침략의 기념물에 폭탄을 설치해 온 마사시 등이 또 한 가지 강하게 집착하는 침략사가 있었다. 일본인(샤모シャモ)에 의한 아이누 모시리 침략이다. 홋카이도 출신의 마사시와 아야코에게는 간과할 수 없는 부채 의식이 있는 과제였다. 그들이 설치하는 세 번째 폭탄은 아이누에 대한 침략을 고발하기 위해 터뜨리는 것이어야 했다. 표적으로 고른 것은 홋카이도대에 있는 북방문화연구 시설과 아사히카와시의 도키와(常盤) 공원에 있는 '풍설의 군상'이다. 전자는 아이누의 문화유산을 수집하고 있는 시설이고, 후자는 홋카이도 개척 100년을 기념하여 세운 동상이다. 마사시 등의 관점에서 보면 전자는 아이누의 유산을 약탈하여 구경거리로 만들고 있는 용서하기 힘든 시설이고, 후자인 동상은 침략 행위의 과시 그 자체로 보였다. 홋카이도 출신 조각가 혼고 신(本鄉新)의 작품인 이 동상은 시작(試作) 단계에서부터 문제를 안고 있었다. 처음에는 네 명의 젊은 일본인(和人) 나체 입상 앞에 한 명의 아이누 에카시(エカシ, 노인)가 무릎을 꿇고 목적지를 가리키고 있는 형상이었다. 그런데 아이누 조각가로부터 아이누 멸시가 아니냐는 비판이 나오자 노인을 나무 그루터기에 앉힌 형태로 바꾼 것이었다.

마사시 등이 두 개의 시한폭탄을 터뜨리는 날을 똑같이 10월 23일로 정한 것은 아이누 모시리의 리더로 반일 무장봉기에 앞장서서 싸웠던 샤쿠샤인이 일본인과의 강화회담에서 모살을 당한 것이 약 300년 전의 바로 이날이었기 때문이다. 먼 지역이었지만 모두가 두 번쯤 사전 답사를 위해 홋카이도로 갔다.

현지에는 삿포로 조와 아사히카와 조로 나누어 따로 출발하기로 했다. 삿포로 조는 마사시와 가타오카로, 10월 22일 '유즈루 1호'(우에노에서 오후 7시 50분 출발)를, 아사히카와 조는 아야코와 후지사와로 '유즈루 2호'(우에노에서 오전 10시 정각 출발)에 탔다.

마사시 조가 삿포로에 도착한 것은 23일 오후 1시 45분이고, 아야코 조는 거기서 다시 아사히카와로 향했다. 마사시 조는 대학의 문이 열려 있는 낮에 설치했지만 아야코 조가 노리는 대상은 공원에 있기 때문에 되도록 밤에 가까운 시간일수록 좋았다.

마사시와 가타오카는 삿포로역 지하의 화장실에 들어가

입고 있던 양복을 스웨터, 점퍼로 갈아입고 바지도 청바지로 갈아입었다. 이때 폭탄에 시한장치를 접속했다. 벗은 옷은 코인로커에 넣고 홋카이도대로 향했다. 캠퍼스에는 아직 학생들이 있었는데 마사시와 가타오카는 무심코 얼굴을 마주보았다. 전국의 대학에서 반란의 바리케이드가 사라진 지 불과 3년이 지났을 뿐인데 지금 그들이 보는 캠퍼스의 분위기는 완전히 변해 있었다. 예전에 줄지어 늘어서 있던 입간판은 거의 사라지고 두 사람이 점퍼로 갈아입고 온 것이 오히려 눈에 띌 정도로 학생들은 깔끔한 복장을 하고 있었다. 교과서를 든 학생이 많은 것도 놀라웠다. 마사시는 **그 시대**가 끝난 것을 새삼 실감하는 기분이었다.

두 사람은 문학부 건물 2층으로 올라갔다. 고고학 진열코너는 2층 계단참에 있었다. 가타오카가 망을 보고 마사시가 케이스를 들여다보는 척하며 아이누 의상이 진열된 케이스 아래에 전병통 폭탄을 설치했다. 설치를 마치자 곧바로 홋카이도대를 나와 삿포로역으로 돌아가서는 다시 원래의 양복으로 갈아입었다. 그러고 나서 다누키코지의 커피숍에 들어가 지금까지의 행동에 빠뜨린 것이 없는지 둘이서 체크했다. 뒷골목의 작은 곱창구이집에서 징기스칸 요리(양고기 구이)를 먹으며 시간을 보내고 20시 5분에 출발하는 '아오조라 3호'를 타고 삿포로를 떠났다. 아사히카와에서 바로 그날 돌아온 아야코 조도 이 기차에 타고 있었지만 서로 눈짓만 했을 뿐 따로 행동하는 것을 유지했다. 심야의 연락선으로 혼슈로 건너가 새벽 4시 50분에 출발하는 '하쓰카리 1호'를 타고 아오모리역을 떠났다. 폭발은 전날 밤 11시 반에 맞춰놓았으므로 당연히 아침 뉴스에 나올 것이다. 가타오카가 이어폰을 귀에 꽂고 계속 트랜지스터 라디오를 듣고 있었는데 폭파 뉴스는 나오지 않았다.

오전 9시가 지나 양쪽 멤버 모두 센다이역에 내려 역 근처의 커피숍에서 처음으로 합류했다. 이것은 출발 전부터 약속해 둔 것으로, 여기서 폭파 성과 등을 검토할 예정이었다. 그러나 역에서 산 신문에도 폭파 기사는 실려 있지 않았다.

"불발되었나…. 하지만 둘 다 불발될 리는 없을 텐데…."

폭탄 제조 책임자인 가타오카는 자꾸만 고개를 갸웃거렸다. 어쩌면 폭발했는데도 보도를 덮었는지도 몰랐다.

아무튼 도쿄로 돌아가기로 하고 네 사람은 정오가 지나 특급열차를 탔다. 좌석에 앉자마자 이어폰을 귀에 꽂고 라디오를 듣고 있던 가타오카가 옆에 앉은 마사시의 옆구리를 찌르며 속삭였다. "야, 됐어." 가타오카는 참지 못하고 웃고 있었다. 두 개의 폭탄은 맞춰 놓은 시각에 폭발했다. 아사히카와의 동상 군상은 다섯 개 중 네 개가 파괴되는 위력을 발휘했으나 북방문화연구 시설 쪽의 피해는 미미한 것으로 전해졌다.

일련의 대중(カンパニア, 캠페인) 투쟁을 마친 1972년 말 마사시 등의 부대명이 정해졌다. 동아시아반일무장전선 '늑대'다.

동아시아반일무장전선이라는 호칭은 일찌감치 정해져 있었다. 동아시아반일무장전선이라는 이름은 전쟁 전부터의 제국주의적 체질을 그대로 질질 끌며 지금도 여전히 동아시아 국가들에 경제 침략을 계속하는 일본을, 침략당한 측의 인민과 연대하여 이 나라 내부에서 타도해 가자고 결의한 그들의 사상과 의지를 가장 정확하게 드러낸 호칭이라는 자부심이 있었다. 다만 이 호칭을 그들만의 그룹명으로 할 수는 없었다. 동아시아 국가들에서 반일 투쟁을 하고 있는 민중은 모두 이 전선에 서는 일원이며 마사시 등도 그 전선의 일익을 담당하는 단위 부대라는 것이 그들의 해석인 이상 부대명이 따로 필요했다.

연말이 가까운 어느 날, 마사시와 가타오카는 우에노의 시노바즈 연못 근처의 뒷골목에 있는 커피숍 '백조'에서 만났다. 클래식 음악이 흐르는 큰 가게였다. 두 사람은 손님이 없는 구석 자리를 골랐다.

"—그런데 이름 말이야, 그 뒤로 뭐 생각난 거 없어?"

가타오카가 묻자 마사시는 "그게 좀처럼 딱 어울리는 게 없어서 말이야…"라며 쓴웃음을 지었다. 가타오카는 처음에 의병(義兵)이 어떠냐는 의견을 냈으나 보류되었다. 일본이 조선을 병합하기 전, 항일 의용군 투쟁이 있었는데 그들은 스스로를 의병이라고 칭했다. 하얼빈역에서 이토 히로부미를 습격한 안중근도 의병이었다. 그런 유서 깊은 이름을 잇는 데는 다들 주저함이 있어 보류했다.

"늑대는 어떤가 싶은데. —단순해서 오히려 괜찮은 거

같아.”

가타오카는 마사시와 이야기할 때는 일부러 무뚝뚝하게 말한다.

“늑대라— 좋은데. 좌익 냄새가 나지 않아서 좋네.”

늑대라는 호칭에서는 아직 누구의 손때도 묻지 않은 고고한 울림이 느껴졌다. 타협도 공모도 세차게 거절하고 싸우는 짐승이 늑대다. 인간에게 막다른 곳으로 몰려 사라진 일본 늑대를 떠올려 보면, 늑대를 부대의 이름으로 함으로써 자신들 역시 억압받은 사람 쪽에 있다고 선언하게 될 것이다.

연말의 인파 속을 걸으며 마사시는 마음속으로 ‘나는 고고한 늑대다’라고 되뇌어 봤다. 목소리로는 나오지 않았지만 되풀이할 때마다 뜨거운 피가 온몸에 도는 것 같았다. 드디어 늑대 부대로 본격적인 무장투쟁에 돌입한다고 생각하니 몸서리칠 정도의 흥분에 휩싸였다. 들판의 늑대라면 지금쯤 멀리서 겨울 하늘을 향해 짖고 있을 것이다, 하고 마사시는 몽상했다.

그러나 1973년은 늑대 부대에게 가만히 숨어 지내는 해가 된다. 본격적으로 무장투쟁을 하려면 폭탄 개량과 개조 권총 제작에 집중해야 했기 때문이다. 폭탄에 관한 그들의 지식은 지금까지 체계적으로 배워온 것이 아니라 손에 들어온 팸플릿이나 참고 도서에서 배운 것을 실험이나 대중투쟁을 통해 하나하나 확인해 온 것에 지나지 않는다. 폭탄

에 관한 지하출판물로는 1950년대에 일본공산당이 출판한 《구근재배법(球根栽培法)》이라는 것이 있고, 카스트로와 체 게바라에게 게릴라전을 가르친 알베르토 바요(Alberto Bayo)의 《게릴라전 교본》이나 역시 남미에서 출판된 《장미의 노래(薔薇の詩)》 등이 잘 알려져 있다. 그것들은 빠짐없이 훑어봤고 《화약과 발파》, 《화약 기술자 필휴》, 《신화약 독본》 등의 전문서도 참고로 하며 암중모색해 온 것이다. 폭탄 제조는 가타오카가 중심이었으나 마사시도 대충은 알고 있었고, 약학부를 나온 아야코에게도 화약 조합 같은 것은 익숙한 일이었다.

지금까지 그들이 취급해 온 것은 흑색 화약과 백색 화약, 두 종류이고 화약의 양도 소규모였다. 흑색 화약은 초산칼륨(초석), 목탄, 유황 분말을 혼합한 것을 말한다. 이 경우 초산칼륨은 염소산칼륨 또는 염소산나트륨으로 대용할 수 있고 목탄은 설탕으로 대체할 수 있다. 백색 화약은 오장드르(Augendre) 화약이라고도 불리는데 염소산칼륨, 페로시안화칼륨(황혈염), 설탕 분말을 혼합한 것이다. 염소산칼륨은 염소산나트륨으로, 설탕은 목탄으로 대체해도 된다.

지금까지의 경험에서 폭발 감도가 높은 순서로 늘어놓으면 염소산칼륨을 사용한 백색 화약, 염소산칼륨을 사용한 흑색 화약, 염소산나트륨을 사용한 백색 화약, 염소산나트륨을 사용한 흑색 화약 순이다. 염소산칼륨을 주성분으로 하는 것이 파괴력이 강하다는 것은 알고 있었으나 염소산칼륨은 입수하기 힘들다는 어려움이 있었다. 입수하기 쉬운 염소산나트륨을 주성분으로 하여 폭발력을 얼마나 높일 수 있는지가 그들의 당면 과제였다.

가타오카는 선반 기술 등을 습득하기 위해 아카바네 직업훈련소에 다니기 시작했다. 개조 권총을 만들기 위해서는 선반 기술을 반드시 익혀야 했다. 마사시는 공치는 날이 많은 산야에 다니는 것을 그만두고 분쿄구 유시마의 일본잡지판매주식회사에 다니기 시작했다. 대중 투쟁으로 자금이 바닥나서 우선 활동 자금부터 마련해야 했다. 모두가 낮에 규칙적으로 일하고 밤의 한정된 시간을 무기 개발에 썼기 때문에 일이 지지부진하여 순조롭게 진행되지 않았다. 개조 권총을 만들기 위해 소형 선반을 공동주택의 방에 둔 가타오카는 밖으로 새는 소리에 주의를 기울여야 했다.

여름이 오고 늑대 그룹은 귀중한 전력을 잃는다. 후지사와 요시미가 이탈한 것이다. 나가노현의 부모로부터 돌아오라는 말을 듣고 꽤 고민한 듯하지만 그런 고민을 털어놓지 않는 것이 그의 성격이었다. 봄에 일단 귀향했다가 다시 도쿄로 돌아온 후 마사시 등과의 연락을 끊었다. 마사시가 자취방을 찾아가도 없는 날이 많았다. 몇 번인가 어렵게 만났을 때도 방에는 빈 술병이 나뒹굴고 있고 생활은 피폐해져 있었다. 체격이 탄탄했던 후지사와는 평소에 거의 발언을 하지 않는 대신, 일단 행동을 하게 되면 선두에 서서 빠릿빠릿하게 움직이기 때문에 동료들 사이에서는 '대장'으로 불렸다. 아라이 나호코와 마음이 맞는 듯해서 마사시와 아야코는 그 두 사람이 맺어지면 좋겠다고 은밀히 지켜보고 있었지만 두 사람 모두 무척 과묵해서 어떻게 진행되는지 알 수가 없었다.

"어떻게 할 생각이야?"라고 마사시가 캐묻자 후지사와는 "일단 시골로 돌아가고 싶어"라고 괴로운 듯이 대답할 뿐이고 그 이유까지는 털어놓으려고 하지 않았다. 후지사와가 그렇게까지 외곬으로 생각하고 있는 이상, 마사시는 설득할 수 없었다. "할 마음이 생기면 언제든지 연락해"라고 말하고는 헤어졌다. 이탈하는 그를 미워하는 마음은 전혀 없었다. 늑대 그룹의 누구나 그의 인품을 사랑했다.

후지사와와 요시미는 다시 도쿄로 돌아오지 않았고, 마사시 등이 체포되었다는 소식을 듣고 자살한다. 옥중의 가타오카가 나중에 추모의 마음을 적었다.

> 그에 대해서는 추억이 너무 많아 오히려 사실 아무것도 쓸 수 없을 것 같다.
>
> 그가 1972년 말까지 살았던 아라이야쿠시의 다다미 넉 장 반이 깔린 공동주택은 검소하고 쓸쓸했다. 우리 생활은 모두 검소했지만 다이도지와 아야코는 부부 살림이라 정취가 있었고 나는 공동주택에서 살았으나 도쿄의 부모 집으로 돌아가 가정적인 식사를 할 수도 있었다. 후지사와에게는 그런 것이 없었다. 그는 코카콜라를 무척 좋아한다고 말하며 세끼 모두 코카콜라와 빵만으로도 아무렇지 않은 생활을 하고 있었다. 그의 얼굴이 늘 창백했던 것은 그 탓이었을 것이다. 그러나 체격은 우리 중에서 가장 다부졌다.

1972년 여름, 우리는 오쿠타마의 구라사와에서 사흘간 캠프를 했다. 소지지 폭파(1972년 4월) 후 다음 방침을 정하자는 명목이었다. 하지만 레크리에이션이 돋보인 즐거운 캠프였다. 고기를 구워 먹을 계획이었고 내가 고기 준비를 맡았다. 고기를 1킬로그램쯤 사서 된장 절임이나 간장 절임을 해서 가져갔다. 된장 절임을 한 고기는 무척 맛있었으나 간장 조림을 한 것은 잘 보존되지 않아서 약간 상하고 말았다. 나와 마사시는 "이건 먹을 수 없겠다" 하고 얼굴을 찡그리며 안타까워했으나 후지사와는 "아무렇지 않은데", "맛있어, 맛만 있구먼" 하며 맛있다는 듯이 다 먹고 말았다.

캠프를 설치한 닛파라가와(日原川) 지류에는 곤들매기가 있었는데 우리는 낚시 도구를 갖고 있지 않았다. 후지사와는 찌를 듯이 차가운 물살에 무릎까지 담그고 바위 밑을 더듬어 요령 좋게 손으로 곤들매기를 잡았다. 두세 마리를 잡는 성과를 보였다. 곧바로 모닥불에 구워 다 같이 맛보았다. 의기양양해하던 그의 얼굴이 지금도 눈에 선하다. 나호코도 후지사와도 자연의 아이였다.

1973년 여름, 후지고코에서의 훈련 캠프를 마지막으로 후지사와는 우리 그룹을 떠났다. 가족의 장래 등 여러 가지 생각이 있었을 것이다.

4

1973년 여름이 끝나려고 할 때 늑대 부대는 이제 마사시와 아야코, 가타오카 도시아키, 이 세 명이었다. 또 한 명의 준 구성원이라는 형태로 아라이 나호코가 있기는 했으나 실행 부대로 들어오게 할지 말지 마사시는 망설이고 있었다. 마리코가 도회에서의 게릴라 활동에 맞지 않는 것 이상으로 나호코의 성격은 도회 생활에 맞지 않았다. 사람과 만나기보다는 말 없는 화초를 상대하는 것이 더 편한 성격이어서 자취방의 손바닥만 한 공터에도 밭을 일구었다. 어느 날 시골에서 보내온 감 상자에 왕겨가 채워져 있었는데 그것을 태운 재를 밭의 비료로 만들자고 생각한 그는 마리코와 둘이서 아라카와와 스미다가와를 잇는 수로 옆으로 가서 왕겨를 태우기 시작했다. 순식간에 자전거를 타고 달려온 경찰의 꾸중을 듣고 태우던 왕겨에 찬물을 끼얹어야만 했다. 이런 에피소드 하나만으로도 나호코를 실행 부대에 들어오게 하는 것이 주저되었다. 나호코에게는 이미 세 번의 폭탄 투쟁도 털어놓았고 그도 나름대로 공명해 주고 있는 것은 알고 있었다.

가을이 되어 우연히 값이 싼 새 타자기를 입수해서 마사시가 진작부터 계획하고 있던 것을 구체화할 수 있게 되었다. 《병사 독본 Vol. 1》의 원고를 집필하고 나호코에게 타이핑을 부탁했다. 《병사 독본》의 출판은 지금까지 그들이 학습해 온 사상과 실천해 온 폭탄 기술을 정리하는 작업이다.

그것을 타이핑하는 과정에서 나호코의 각오가 정해지면 실행 부대에 들어오게 하자고 생각한 것이다.

마사시가 《병사 독본 Vol. 1》의 집필을 시작한 것은 12월 상순이었다. 그것은 그들의 사상을 검토하고 평가하는 동시에 앞으로의 무장투쟁을 공공연하게 선언하는 일이기도 했다. 기존의 섹트에 흔히 있을 법한 좌익적인 호언장담으로 끝나는 것이 아니라 '늑대'가 말한 것은 반드시 실행한다는 것을 보여주고 싶었다. 나아가 그들의 생각에 공명하고 함께 동아시아반일무장전선에 자원할 사람을 기대하는 마음도 있었다. 마사시가 강조하고 싶었던 것은 동아시아반일무장전선이라는 호칭으로 상징되는 그들의 생각이었다. 혁명을 입에 담는 기성 좌익과 신좌익에는 자신을 포함한 경제 대국 일본이라는 존재 자체가 아시아 민중을 억압한다는 인식이 결정적으로 빠져 있었다. 그것을 내세우고 싶다는 것이 《병사 독본》을 집필하는 한 가지 동기였다. 또 하나의 큰 동기는 폭탄 기술을 해설하고, 도시 게릴라 병사의 마음가짐을 보여주는 것이었다. 관념적으로 선동하는 책이 아니라 병사를 지향하는 자라면 한 번 읽는 것만으로도 교본이 되는 구체적인 내용을 담아야 했다.

서문에서 마사시는 '늑대'의 기본적인 생각을 항목별로 나눠서 썼다. 이 책 제1장 2에서 이미 그 서문의 일부를 소개했기 때문에 인용하지 못하고 남겨둔 부분부터 여기에 싣는다.

5. 일제의 침략, 식민지배 야욕에 대해 다양한 형태로 일제 반대 투쟁이 조직되어 있다. 태국에서는 '일본 수입품 배척 운동', '일본 상품 불매 운동'이라는 일제 반대 투쟁이 도화선이 되어 타놈 반혁명 군사독재정권을 타도했다. 한국에서도 학생을 중심으로 일제 반대, 박정희 반대 투쟁에 목숨을 걸고 있다. 그러나 과거의 모든 역사가 그랬던 것처럼 우리는 또다시 기회주의적으로 관망하는 중이다. 베트남 혁명전쟁의 좌절과 우리의 관계에서도 그러하다. 일제 본국 중추에서의 베트남 혁명전쟁의 전개가 아니라 '베트남에 평화를' 하고 외친다. 미제의 반혁명 기지를 묵인하고 일제의 베트남 특수로 우리도 배를 불린 것이다. 지원이나 연대라고 외칠 뿐 일제 본국 중추에서의 투쟁은 철저히 소홀했던 것이다. 베트남 혁명전쟁의 좌절로 비판을 받아야 하는 것은 먼저 우리 자신이다.
6. 우리가 부여받은 역할은 일제를 타도하는 투쟁을 개시하는 것이다. 법적으로도 시민사회로부터도 허용되는 '투쟁'이 아니라 법과 시민사회에서 비어져 나온 투쟁=비합법 투쟁을 무장투쟁으로 실체화하는 것이다. 자신의 도피처=안전판을 남기지 않고 "일신을 내던져 스스로 반혁명을 청산하는" 것이다. 일제 반대 무장투쟁의 공격적 전개야말로 일제 본국인의 유일한 긴급 임무다. 지난날 지하에 도피 중이던 아무개가 공표한 글에서 보이는 기회주의는 부정하지 않으면 안 된다.

《병사 독본》의 또 한 가지 테마인 '기술편'은 가타오카가 집필했다. 쪽수로 보면 오히려 이 부분이 더 많아 36쪽의 책자에서 23쪽을 차지한다. '전기전관'이나 '시한장치'를 만드는 법은 도해로 들어가 알기 쉽게 설명되어 있다. 이 부분으로 인해 지금까지의 지하출판물에는 없는 새로운 느낌이 있었다.

원고가 나오는 대로 나호코가 타이핑을 해서 1974년 2월 초에 인쇄소로 보냈다. 지하출판물인 이상 아무 인쇄소에서나 인쇄할 수 없어서 구시로의 기라 가즈시에게 부탁했다.

타이핑한 원고를 인쇄소에 넘기는 단계에서 제목을 《도시 게릴라 병사의 독본 Vol. 1》로 정했다. 하지만 아무래도 재미가 없다는 의견이 나와 그것을 부제로 돌리고 다른 제목을 생각하기로 했다. 원래 폭탄을 해설하는 지하출판물은 《장미의 노래》라든가 《구근재배법》이라는 식으로 위장한 제목이 많기 때문에 그런 의표를 찌르는 제목을 붙이고 싶었다. 시한장치를 해설하는 내용이 실려 있으니 뭔가 시계와 관련된 제목이 어떻겠느냐는 이야기가 나와 모래시계라든가 꽃시계 같은 것을 늘어놓는 중에 배꼽(腹: はら, 하라) 시계라는 말이 나왔다. 재미있겠다며 그것으로 정하려는 순간 가타오카가 "뭔가 좀 박력이 부족한데"라고 말했다. "한번 더해서 하라하라(腹腹) 시계라고 하는 건 어떨까? — 시한장치로 하라하라(はらはら, 조마조마하다는 뜻—옮긴이)하다는 의미도 있고." 마사시가 이렇게 말한 순간 다들 웃으며

병사 독본의 표제는 《하라하라 시계》로 정해졌다. 한국어로 하라하라라고 하면 '~하라'라는 의미가 되는 것도 왠지 어울려 보였다.

소책자 《하라하라 시계》 200부가 완성된 것은 1974년 2월이다. 산야, 가마가사키 등 인력 시장에서 활동하는 그룹이나 재일조선인 그룹, 신좌익계 기관지 발행처에 보냈고, 그 외에는 운동 단체 기관지 같은 것을 취급하는 서점에 마루코시 레이닌(丸越礼人, 마르크스 레닌)이라는 이름으로 보냈다. "대금은 회수하지 않으니 매대에 놓아주세요"라는 취지의 편지를 첨부해 두었다.

나중에 이 한 권의 소책자가 그들이 일제히 체포당하는 단서가 되는데 이때의 마사시는 글에 굳이 "'늑대'는 현재 몇 개의 폭탄 '사건'으로 치안경찰로부터 '추적'당하고 있지만 치명적인 수사 자료는 남기지 않았다. 그리고 다음 '사건' 준비를 착착 진행하고 있다"는 도전적인 말을 남겼을 만큼 수사진에 대해 자신감을 갖고 있었다.

잇따른 폭탄 사건으로 궁지에 몰린 경시청은 공동주택 롤러 작전(도피 생활이 예상되는 곳을 한 집씩 방문하여 수사하는 방식—옮긴이)을 전개하여 모든 집을 이 잡듯이 샅샅이 탐문 수사하여 수상한 과격파를 색출하려고 안간힘을 쓰고 있었다. 하지만 아주 성실한 '시민 생활'을 하고 있는 '늑대'들이 그 수사망에 걸릴 리가 없었다. 실제로 마사시의 공동주택(2월에 같은 미나미센주의 오토모소로 이사했다)에도 탐문을 하러 찾아온 형사가 있었다. 하지만 아야코의 응답에 의문을 가질 만한 점은 하나도 없었다. 형사의 눈에도 결혼한 지 얼마 안 된 호감 가는 젊은 부부라는 인상만 남았을 것이다.

그들은 근무처에서도 결코 좌익적인 언동으로 눈에 띄는 짓은 하지 않았고, 남들 앞에서 그런 종류의 책을 읽는 일도 없었다. 늑대 그룹으로 행동할 때는 서로 가명으로 불러 만일의 경우를 대비했다. 후지사와가 나가사와(長沢), 가타오카가 다카하시(高橋), 나호코가 세키구치(関口), 마사시가 다카사와(高沢), 아야코가 아사카와(浅川)였다. 이렇다 할 이유가 있는 게 아니라 그저 문득 생각난 이름일 뿐이지만 아야코의 경우는 유래가 확실히 있었다. 가수 아사카와 마키(マキ)의 이름 그대로 아사카와 마키(真樹)라고 했던 것이다. 아야코는 아사카와 마키를 좋아해서 노래 〈밤이 새면(夜が明けたら)〉이나 〈기러기(かもめ)〉를 라디오로 듣고 자주 흥얼거렸다. 노래에 담긴 어두운 정념에 끌린 듯했다. 아사카와 마키의 노래가 풍기는 불량스러운 느낌이 성실한 아야코에게는 오히려 매력적이었는지도 모른다.

《하라하라 시계》를 공표한 후 마사시는 나호코에게 '늑대'에서 떠날 것을 권했다. 본격적인 무장투쟁의 가혹함 속으로 그를 끌어들여서는 안 된다는 결론을 내린 것이다. 나호코도 자신이 도시 게릴라에 적합하지 않다는 것을 인정하고 후루카와시로 돌아갔다.

《하라하라 시계》를 통해 이를테면 공공연하게 다음 폭탄 투쟁을 선언한 '늑대'는 1974년 봄부터 가타오카를 중심으로 세디트(Cheddit) 폭탄 개발에 집중한다. 마사시 등은 세디트라는 폭약이 있다는 것은 이전부터 알고 있었으나 그 약품의 혼합비를 알지 못해 손을 대지 못하고 있었다. 그런데 우연히 《화약과 발파》라는 실용서에서 그것을 발견하고 세디트 폭탄 제조에 착수했다. 이미 염소산칼륨이나 유황, 황혈염 등의 원료가 입수하기 어려워져 흑색 화약이나 백색 화약을 대량으로 만들 수 없게 되었다. 그런 점에서 세디트는 염소산나트륨(제초제 쿠사토루 등)과 파라핀, 바셀린이 재료이기 때문에 입수에 고생하지 않아도 된다. 3월 말에는 일찌감치 최초의 소규모 실험을 시도했지만 성공하지 못했다.

가타오카는 직업훈련소를 졸업하고 본격적인 무기 비밀 공장을 설치하기 위해 적당한 공동주택을 찾고 있었다. 5월 중순에 비교적 집세가 비싼 아라카와구 마치야의 고바야시소(小林荘)로 이사했다. 이때의 거래 보증금 20만 엔은 '늑대'의 활동 자금에서 나갔다. '늑대'의 활동 자금은 '세금'이라 불리는 것으로, 각자에게 매월 갹출했다. 마사시가 2만 엔, 아야코가 1만 5천 엔을 냈고 가타오카는 이 비밀 공장의 집세를 부담하는 형태로 '세금'은 면제되었다. 다만 보너스가 나오는 시기에는 가타오카도 마사시 등과 마찬가지로 그 절반을 냈다.

마침 가타오카가 공동주택을 찾고 있던 무렵, '늑대'는 드디어 새로운 멤버를 받아들인다. 홋카이도 오타루 출신의 사사키 노리오로, 권유한 사람은 마사시다. 전해 봄 요쓰야

공회당에서 상영한 〈아이누시탓피리(アイヌシタッピリ)〉라는 영화를 보러 가서 얼굴을 마주한 것이 계기였다. 원래 사사키 노리오는 형 사사키 데쓰야와의 관계로 일찍부터 레볼트사에 출입하며 '조선혁명연구회'에 얼굴을 내밀기도 했고, 마사시도 소가 류스케와의 관계로 레볼트사에 얼굴을 내밀었으므로 서로 얼굴은 알고 있었다. 영화가 끝난 후 마사시가 말을 걸어 커피숍에서 이야기를 나누고 나서 빈번히 연락을 취하게 되었다. 사사키 노리오의 생각이 자신들과 가깝다는 것은 금방 알 수 있었다. 사사키가 '늑대'에 가입하기로 한 것은 마사시로부터 건네받은 《하라하라 시계》를 읽었기 때문이다. 사사키 노리오는 창백한 얼굴을 하고 있었지만 확고한 신념을 지닌 활동가라는 인상을 주었다. 오타루 고료 고등학교를 나와 대학 입시에 실패하고 그대로 도쿄에서 활동을 계속하고 있었다.

5월에 오쿠타마 구라사와의 지류에서 두 번째 세디트 폭탄 실험을 했을 때는 이미 사사키도 참가하고 있었다. 이때는 빈 콜라 깡통에 세디트를 넣고 기폭장치로 가스히터를 사용한 실험이었는데 또다시 실패로 끝났다. 깡통은 터졌지만 가스히터 주위의 점화용 화약이 탔을 뿐이고 세디트 자체는 불발로 끝났다. 가타오카의 생각으로는 역시 가스히터 기폭장치로는 기폭력이 약한 것 같아서 뇌관 제작이 급선무가 되었다.

뇌관에는 뇌산수은이 필요하다. 뇌산수은의 정제는 아야코가 맡았으므로 마사시 등이 사는 오토모소의 방에는 유독가스가 차서 둘 다 두통을 겪기도 하고 구역질을 하기도 했다. 초산수은의 용액과 에틸알코올을 반응시킬 때 발생하는 하얀 증기 때문이다. 결코 남에게 들키면 안 되는 작업이어서 창문을 열 수도 없었다. 한밤중에 창을 열고 가스를 내보낼 때도 냄새를 들키지 않도록 커피콩이나 카레 가루를 볶거나 하며 위장을 했다.

6월이 되어 다시 한번 세디트 실험을 하기로 해서 후지의 아오키가하라(青木ヶ原)에 프레스기를 가져가 현지에서 뇌관을 만들었다. 이번에는 화약의 양을 늘리고 기폭 장치에 뇌관을 써서 숲속에서 실험했는데 또다시 실패로 끝나고 말았다. 담배 피스 깡통을 탄체로 썼는데 좀 더 튼튼한 탄체에 세디트를 넣으면 되지 않을까 하는 결론이 나왔다. 뇌관 자체의 폭발 실험에는 성공했다.

다이도지 마사시, 다이도지 아야코, 가타오카 도시아키, 사사키 노리오, 이 네 명은 8월에 본격적인 무장투쟁의 막을 여는 최초의 폭탄을 터뜨리기 위해 모든 정력을 집중시키고 있었다.

1974년 8월 30일 오후 1시 전, 도쿄 마루노우치의 미쓰비시중공업 본사 빌딩 현관 앞에서 강력한 폭탄이 터져 대참사가 발생한다. 동아시아반일무장전선 '늑대'가 실행한 일련의 기업 폭파의 시작이다. 그런데 이 충격적인 사건이 발생했을 때 나는 무엇을 하고 있었는지 기억이 모호했다. 연보를 더듬어 보고서야 아아, 그랬구나 하고 납득했다. 바로 그 시기에 나는 다른 어떤 것에도 관심을 줄 여유가 없는 난국에 몰려 있었다. 그 여름, 나는 몹시 고립되어 있었다.

내가 거의 충동적으로 두붓집을 폐업하고 저술업으로 옮겨간 것은 1970년 9월이다. 나에게 그런 결심을 하게 한 것은 전공투 운동의 열기였다고 해도 과언이 아니다. 지금까지의 두문불출한 생활로부터 뒤늦게나마 사회적 행동으로 발을 내딛고 싶다는 결단을 내린 나를 기다리고 있었던 것은 눈앞의 거대 개발 문제였다. 국가가 추진하는 스오나다(周防灘) 종합개발계획은 야마구치, 후쿠오카, 오이타, 이 세 현에 걸쳐 연안을 매립하는 거대 프로젝트다. 만약 이것이 실현되면 우리 동네는 공해가 격심한 지역으로 일변할 것이다. 나는 옆 동네에서 구체화하고 있는 거대 화력발전소 건설 계획을 이 종합개발계획을 견인하는 에너지 거점으로 보고 우선 이 발전소 건설을 반대하는 운동에 집중하고 있었다. 하지만 개발 기대가 강한 지방 소도시에서의 운동은 고립될 수밖에 없었다. 어제까지의 《두붓집의 사계》 모범 청년은 눈 깜짝할 사이에 '시민의 적'으로 여겨져 동네에서 나가라는 소리를 듣게 되었다.

1973년 8월, 나는 몇 명 안 되는 동지와 함께 화력발전소 건설 저지 소송을 제기했다. 변호사도 의뢰할 수 없는 본인 소송이었다. 그 재판이 시작된 지 얼마 되지 않은 이듬해 6월, 전력회사는 "소송 중에 있기 때문에 적어도 판결이 나올 때까지는 기다려야 하는 게 아닌가"라는 우리의 목소리를 누르고 해안 매립에 착공한다. 소송도 무시하고 불합리하게 착공을 강행하자 저지 행동을 취하지 않을 수 없었다. 하지만 불과 하루 공사를 저지했을 뿐이고, 이틀째부터는 해안에 기동대가 출동하고 순시선이 해상을 제압하는 식의 경비에 저지당하여 손을 쓸 엄두도 내지 못했고, 해안은 매립되고 있었다. 게다가 불과 하루만의 저지 행동이 위력업무방해죄로 고소당하여 세 명의 동지가 체포되고 형사 사건의 피고가 되었다.

1974년 8월 30일은 세 명의 동지가 보석으로 나온 지 겨우 11일째에 해당한다. 반대 운동의 재정비와 형사재판 대책을 생각하며 괴로워하고 있던 시기다. 미쓰비시중공업 빌딩 폭파 뉴스에 충격을 받았으나 그 사건을 깊이 생각할 마음의 여유 같은 건 가질 수 없었음이 틀림없다. 아마 그때의 나는 많은 사람과 마찬가지로 강한 반발감 이외의 감상은 갖지 않았을 것이다. 아니, 생각해 보면 당시 나는 작은 동네에서 과격파로 불리기 시작했기에 그 관점에서 보면 과격파의 범행으로 보인 그 폭탄 사건은 명백히 성가신 일이었을 것이다.

지금 '늑대'를 재검토하는 작업 중에 그때 얼마나 그들 가까이에 있었는지를 새삼 깨닫고 놀라며 감동을 받았다. 내가 거대 개발에 반대하고 발전소 건설을 거부한 근저에는 단순한 공해 문제를 넘어선 큰 관점이 있었다. 당시 태국 등에서 빈발하고 있던 일본 제품 불매 운동을 본 후, 일본의 해외 경제 침략을 그만두게 하기 위해서도 이 이상의 거대 개발은 진행되서는 안되며, 동시에 일본은 이 이상의 경제대국이 되어서는 안 된다고 생각했다. 이것이 우리 운동의 이념이었다. 동아시아반일무장전선이라고 칭하는 그들만큼 명확하게 이론화되지 않았고 정치 목적화되지 않았다고 해도 그들과 우리의 행동 동기는 상당 부분에서 겹쳐 있었다고 할 수 있다.

물론 우리는 폭탄을 설치하지 않았다. 하지만 눈앞의 앞바다에서 방약무인하게 계속 매립 공사를 하는 배를 보며 해안에 서있는 내내 나는 몇십 번이나 분노를 담아 가상의 총구를 겨누었던가. 소수이고 무력한 우리를 에워싼 압도적인 규모의 기동대 앞에서 나는 마이크로 울부짖으며 분한 눈물과 비로 뺨을 적시고 있었다.

"지금 실실 웃고 있는 너희들! 너희들이 인간의 마음을 갖고 있나. 이런 광경을 보고도 마음의 고통이 조금도 일지 않는 건가. 필사적으로 외치고 있는 우리를 비웃는 너희들을 이제 나는 같은 인간으로 생각하지 않겠다. 너희들은 그렇게 비웃어라. 머지않아 역사가 너희들을 심판할 것이다. … 나는 … 나는 오늘 부젠카이(豊前海)의 이 분한 광경을 평생 잊지 않을 것이다."

그때 나의 격정으로부터 무기를 들기까지는 불과 한 발짝의 거리였는지도 모른다고 생각한다. 다만 그것은 지금에 와서야 깨달은 것이고, 1974년 8월 30일에 있었던 미쓰비시중공업 빌딩 폭파 사건은 자신과 인연이 없는 과격파의 흉악하기 그지없는 범행 이상의 무엇도 아니었다.

제4장 도쿄 내 비상사태 선언

1

아자부 경찰서의 조사에서 다이도지 마사시가 미쓰비시 중공업 빌딩 폭파에 대한 진술을 시작한 것은 체포된 지 22일째인 6월 9일이다.

진술 조서나 나중의 공판기록 등에 따라 1974년 8월 30일 '늑대'들의 행동을 재현해 보기로 하자.

이날 도쿄의 하늘은 아침부터 흐리고 바람이 없었다. 정오에는 기온이 30도까지 올라가 아주 무더웠다.

마사시가 분쿄구 유시마에 있는 근무처 일본잡지판매주식회사를 나선 것은 오전 11시 45분이다. 국철 오차노미즈역 근처의 커피숍에 들어가 커피를 주문하고 그사이에 넥타이를 맸다. 약속한 대로 히지리바시에 가서 보니 가타오카는 마사시의 스바루 1000을 세우고 기다리고 있었다. 가타오카는 4월에 입사한 시모마루코(下丸子)의 캐논 공장을 8월 말에 그만두기로 하고 전날부터 연차 휴가를 쓰고 있었다. 마사시가 말 없이 조수석에 올라타자 가타오카는 200미터쯤 차를 달려 옆길로 들어가 주차장 앞에 차를 세웠다. 마사시만 차에서 내리고는 뒤의 트렁크에서 두 개의 폭탄을 내려 양손에 하나씩 들고 걸어가기 시작했다. 메탈페일통을 탄체로 사용한 폭탄은 갈색 포장지로 싸고 비닐 끈으로 묶었다. 물론 외관으로는 폭탄인지 알 수 없었다. 두 개를 합치면 폭약의 양만 해도 40킬로그램이나 되어 양손으로 든다 해도 상당히 무겁다. 주차장에 주차를 한 가타오카가 종종걸음으로 따라와 하나를 받아 들었다. 이때 두 사람은 마이크로 스위치를 누르고 있던 안전장치의 핀을 제거했다.

한길로 나간 데서 두 사람은 몇 분간 멈춰 서있었다. 미쓰비시중공업 빌딩 앞까지는 차로 15분쯤 걸리기 때문에 택시를 불러 세우는 것은 12시 10분까지 기다려야 했다. 몇 번이나 예행연습을 해서 결론을 낸 분 단위의 행동 계획이었기에 자신이 있었다. 손목시계의 긴 바늘이 12시 10분을 가리켰을 때 마침 지나가는 개인택시를 불러 세우고 두 사람은 각자 폭탄 꾸러미를 안고 올라탔다. "마루노우치까지요"라고 가타오카가 운전사에게 말했다. 택시가 미쓰비시중공업 본사 건물 앞으로 다가갔을 때 "저기에 세워 주세요"라고 지시한 것도 가타오카였다. 마사시는 손목시계를 확인했는데 12시 23분을 가리키고 있었다. 예정보다 2분 빠르다.

현관 앞에 있는 두 개의 화분 중 앞에서 보기에 오른쪽에 있는 화분 앞에 갈색 선글라스를 쓴 아야코의 호리호리한 모습이 차 안에서 보였다. 아야코도 점심시간을 이용하여 회사를 빠져나와 망을 보러 온 것이다. 뭔가 위험한 사태가 발생할 경우에는 이마의 땀을 훔치는 흉내를 내기로 정해져 있었다. 아야코의 손은 올라가지 않았다. 보도 옆에 택시가 멈췄고 마사시가 먼저 내려 가타오카로부터 두 개의 꾸러미를 받아 들었다. 이때 약간은 예상하지 않았던 일이 일어난다. 마사시가 내린 택시에 타려고 다가오는 승객이 있었던 것이다. 그 남자가 미쓰비시중공업의 사원처럼 보였기에 가타오카는 경계심을 가졌다. 만약 그 승객이 운전사와 대화를 하다가 지금 올라탄 장소가 미쓰비시중공업 본사 앞이라는 것을 우연히 말하게 된다면, 거기서 내린 자신들을 나중에 사건과 관련지어 생각하게 될 우려가 있다. 가타오카는 순간적인 판단으로 차에 남아 "이대로 도쿄역으로 가주세요"라고 말했다. 마사시에게는 "다른 용무가 생각나서 그러는데 나는 이대로 타고 갈게요"라고 알렸다. 마사시도 가타오카의 의도를 알아채고 "그런가요, 그럼 또"라고 대답했다. 가타오카는 도쿄역에서 다른 택시로 갈아타고 오차노미즈로 돌아가 곧바로 주차장에 세워둔 차를 몰고 오지 방향으로 질주하기 시작했다. 머지않아 시행하게 될 비상 검문을 상정하고 한시라도 빨리 그 범위 밖으로 벗어나지 않으면 안 되었다.

가타오카가 탄 차가 떠난 후 마사시는 두 개의 꾸러미를 양손에 들고 왼쪽 화분 가까이 다가갔다. 역시 긴장했는지 짧은 거리를 가는데도 발걸음이 어색해진 기분이 들었다. 그때 아야코의 뒤쪽에 있는 수위와 눈이 마주쳤지만 아무렇지 않게 화분 옆에 두 개의 꾸러미를 놓고 그대로 미쓰비시중공업 본사의 현관으로 들어가 건물 안을 가로질러 반대쪽 시노바즈도리로 나갔다. 누군가 쫓아오는 듯해서 온몸에 땀이 솟아났다. 거기서 걸어 도쿄역으로 향했다. 국철로 오차노미즈역까지 돌아갔을 때 드디어 긴장이 풀렸다.

회사로 돌아간 것은 오후 1시 전으로, 모든 것은 예정대로 진행되었다.

마사시가 떠난 후에도 망을 보던 아야코는 남아있었는데 수위가 화단 뒤의 꾸러미 두 개로 다가와 들여다보는 것을 보고 긴장했다. 그러나 수위는 아무 일도 없었던 것처럼 원래의 위치로 돌아갔다. 갈색 포장지 바깥에 영어로 '위험'이라고 표시되어 있었으나 그것을 알아채지는 못한 것 같았다. 얼핏 보면 두 개의 꾸러미는 영화 필름통처럼 보였다. 아야코는 수위가 원래 위치로 돌아간 것을 확인하고 나서 현장을 떠나 도쿄역에서 국철로 오카치마치역으로 갔고, 거기서 택시를 타고 회사로 돌아갔다.

또 한 명의 '늑대' 사사키 노리오의 역할은 예고 전화를 거는 것이었다. 사사키 노리오는 경찰에 행동을 감시당하고 있을 가능성이 있었으므로 현장에는 다가가지 않고 근무처에 머물며 예고 전화를 하기로 되어 있었다. 그가 다이토구 구라마에의 중앙창고를 나와 외부에서 전화를 걸기 시작한 것은 12시 37분이었다. 전화는 미쓰비시중공업 본사로 연결되었지만 어쩐 일인지 알리는 도중에 한 번 끊겼으므로 다시 걸어야 했다. 간단한 내용이어서 통고문을 읽는 데는 1분도 걸리지 않았다. 사투리를 없애기 위해 여러 번이나 연습을 했다.

> 지금부터 중요한 이야기를 할 테니 잘 들어주었으면 한다. 우리는 동아시아반일무장전선 '늑대'인데 미쓰비시중

공업 빌딩과 미쓰비시전기 빌딩 사이의 보도에 두 개의 시한폭탄을 설치했다. 곧 폭발할 것이니 빌딩 창 쪽에 있는 인원, 통행인, 차량을 긴급하게 피난시켜라. 이것은 결코 장난전화가 아니다. 다시 한번 말한다. 보도의 시한폭탄은 곧 폭발한다. 긴급하게 피난시켜라.

통고를 완료한 것은 12시 41분을 지나고 있을 때였다. 시한폭탄에 설정한 폭발 시각까지는 4분밖에 남아 있지 않았다.

이 예고 전화를 받은 교환수의 이야기가 31일 아사히신문 조간에 실렸다.

오후 12시 40분, 비즈니스 거리의 어느 회사든 전화교환대가 가장 느긋할 때다.

미쓰비시중공업 본사 건물 3층에 있는 전화교환실도 한 통의 수신도 발신도 없는 느긋한 점심시간 분위기였다. 교환대의 2호기에 앉아 있던 고스미 요시에(小角良枝, 55세) 앞의 빨간 램프에 불이 들어왔다.

"미쓰비시중공업 본사입니다"라는 말이 끝나기가 무섭게 남자가 말했다. "미쓰비시중공업 빌딩 앞의 도로에 시한폭탄 두 개를 설치했다. 부근에 있는 사람은 얼른 대피하도록 하라. 거듭 말하겠다. (같은 문구의 되풀이) 이것은 농담이 아니다."

두 번째로 되풀이되었을 때 옆자리의 동료 마에다 가요

(前田佳代, 23세)에게 수신기를 넘겼다. 교환수 생활 26년째 인 베테랑 고스미는 둘이서 들으면 틀림이 없을 거라고 생각해서 건넸던 것이다. 남자의 목소리는 마치 책을 읽는 듯이 단조롭고 무표정했다.

농담이라고 해도 하기와라(萩原) 서무과장에게 연락을 해야만 해서 다른 전화로 보고했다. 곧 8층에 있는 서무과장실로 가려고 엘리베이터에 탔다. 3층에서 5층까지 갔을 때 쾅 하는 폭발음이 들렸다. 문이 열렸으므로 복도로 뛰어나가 외쳤다. "여러분, 폭탄은 두 발이에요. 빨리 도망가세요."

그러나 아무것도 모르고 점심시간을 즐기고 있던 사원들은 어리둥절해 했다. 8층까지 계단을 뛰어 올라갔다. 고스미가 본 것은 유리창이 사방으로 흩날린 서무과의 무시무시한 광경이었다.

미쓰비시중공업 본사 현관 앞의 화단 뒤에 놓인 두 개의 폭탄이 굉음과 함께 폭발한 것은 12시 45분을 약간 지난 시각이었다. 그 굉음은 도심 일대에 울려 퍼져 멀리 신주쿠에서도 들렸다. 도쿄역이 아주 가까웠으므로 도쿄역에 탱크로리 차가 돌진하여 큰불이 났다는 소문이 순식간에 퍼졌다. 폭발과 동시에 엄청난 폭풍(爆風)이 발생하여 콘크리트 화분이 흔적도 없이 산산조각이 나서 흩어졌다. 미쓰비시중공업 본사의 현관 일대는 한순간에 파괴되고, 가까이에 있던 사람들은 내동댕이쳐져 즉사했다. 곧바로 주변 빌딩의 모든 유리창이 산산조각이 나서 폭포처럼 길바닥으로 떨어졌다. 점심시간이 곧 끝나는 시각이어서 회사로 돌아오고 있던 사람, 보도를 어정거리고 있던 사람의 머리 위로 흉기가 된 무수한 유리 파편이 쏟아져 아무도 피할 수 없었다.

11층 건물인 미쓰비시중공업 빌딩의 유리창은 하나도 빠짐없이 깨져 떨어졌고, 도로를 사이에 둔 맞은편의 미쓰비시전기 빌딩의 창에서도 유리 파편이 쏟아져 길 위의 통행인을 직격했다. 그리고 빌딩 사이에서 발생한 충격파는 좌우의 빌딩에서 빌딩으로 반향하며 전해져 북쪽의 마루노우치 빌딩, 미쓰비시상사 별관, 남쪽의 후루카와(古河) 종합빌딩, 지요다(千代田) 빌딩의 유리창도 지상으로 떨어졌다.

폭발로부터 1분 후에 경시청에 들어온 제1보는 "미쓰비시중공업 빌딩 부근에서 택시의 프로판 가스통이 폭발하여 사망자 세 명, 부상자 일곱 명이 나온 상황"이라는 것이었다.

오후 1시 38분, 부상자가 다수여서 도쿄 소방청에서 도(都)재해대책본부에 구호반 출동을 요청하여 의사, 보건원 등 28명이 현장으로 급히 달려갔다. 이어서 현장에는 도쿄 소방청의 배연차(排煙車), 사다리차, 펌프차, 구급차 등 10대와 구급대원 250명이 집결하여 필사적인 구조 작업을 시작했다. 경시청도 기동대원 등 1,600명의 경관을 출동시켜 부상자 구출이나 군중 정리를 하게 했고 부상자는 지케이(慈惠)의대, 도쿄의과치과대, 니혼대 병원 등 15개 병원으로 차례로 이송했다.

사체 일곱 구가 확인되었는데 거의 즉사한 상태였다. 폭발에 의한 강렬한 바람으로 온몸이 찢어져 안면도 알아볼 수 없는 사체도 있었다. 옷도 찢어지거나 타버려서 원형이 남아 있지 않았고 사체에는 유리 파편이 무수히 박혀 있었다. 사망자는 모두 폭발의 중심점에서 반경 5미터 이내에 있던 사람으로, 가장 멀리 있던 사망자는 약 20미터 떨어져 있었는데 탄체 파편이 후두부를 직격했다. 31일 아침 병원에 입원한 남성 한 명이 사망하여 사망자는 총 여덟 명이 되었다.

중경상자는 400명에 가까웠는데 대부분 온몸에 쏟아진 유리 파편을 맞고 입은 부상이었다. 나중의 검증으로 빌딩 사이에 쏟아진 유리는 3,535장으로 계산되었다. 이것이 모두 산산조각으로 부서져 날카로운 파편이 되었기 때문에 노상에 떨어져 쌓였다면 5센티미터 이상의 층을 이룰 만큼의 양이었다. 마루노우치의 빌딩 외벽을 덮고 있는 유리는 모두 보통의 판유리보다 두꺼운 플로트 유리로, 6밀리미터에서 12밀리미터의 두께였다. 가장 얇은 6밀리미터의 경우에도 초속 100미터의 폭풍을 10초간 계속 맞아도 깨질 확률이 1,000분의 1이라고 할 정도로 강고하게 만들어진 것이다. 그런데 가장 두꺼운 12밀리미터 유리까지 깨졌으므로 풍압이 얼마나 강력했는지를 알 수 있다.

가타오카는 오지 방면으로 차를 달리며 라디오에 주의를 기울이고 있었다. 1시간 전쯤 아이카와 긴야(愛川欽也)가

디스크자키를 하고 있는 음악 프로그램에서 임시 뉴스가 나왔다. “마루노우치에서 폭발 사고가 일어나 세 명이 죽고 상당히 많은 부상자가 발생했다는 뉴스가 들어왔습니다. 원인은 보일러 폭발로 인한 듯합니다. 자세한 뉴스가 들어오는 대로 다시 알려드리겠습니다.”

가타오카는 순간 귀를 의심했다. 왜지? 왜 사망자가 세 명이나 나왔을까? 예고 전화를 해서 피난시킨 이상 사망자나 부상자가 많이 나올 리는 없었다. 그들의 면밀한 계획으로는 인명 피해가 전혀 상정되지 않았다. 이는 라디오로 들은 것처럼 자신들이 설치한 폭탄으로 인한 폭파가 아니라 정말 보일러 폭발인 건 아닐까 하고 생각하기 시작했다. 하지만 5분도 지나지 않아 흘러나오기 시작한 속보는 가타오카의 몽상을 깨버렸다. 새로운 뉴스가 들어올 때마다 상상을 뛰어넘은 참상이 전개되고 있었다. 자신들이 설치한 폭탄에 의한 것임은 이제 틀림이 없었다. 이미 사망자는 여섯 명이라고 전해지고 있었다. 그럴 리가 없다. 그럴 리가 없다고 가타오카는 마음속으로 되풀이했다. 그렇게 계속 말하면 사태가 달라지기라도 하는 것처럼 같은 중얼거림을 되풀이했다. 이대로 차를 무언가에 부딪쳐 죽고 싶은 절망적인 충동에 사로잡혀 있었다. 그래도 그는 멍한 상태로 기계적으로 운전을 계속하고 있었다. 오후 2시가 되기 전에 미나미센주에 있는 마사시의 주차장에 차를 돌려놓았다. 그의 임무는 예정했던 대로 끝났으나 불안은 한층 심해졌다.

나는 미노와바시까지 걸어가 노면전차를 타고 자택이 있는 마치야로 돌아갔다. 아침부터 아무것도 먹지 않았다는 게 생각났고 이대로라면 정신적 소모가 겹쳐 쓰러질 것 같아서 점심을 먹기로 했다. 그러나 도저히 식욕이 나지 않았다. 국수라면 억지로라도 집어넣을 수 있을 것 같아 국수집으로 들어가 냉국수를 시켰으나 입에 넣어도 전혀 맛이 느껴지지 않고 넘기기도 힘들어 결국 절반쯤 남기고 말았다. 나는 처음으로 음식 맛이 느껴지지 않을 정도로 심한 동요를 경험했고, 지금도 그 기억이 선명하게 남아 있다.(《항소이유서(控所趣意書)》)

한편 마사시가 폭발 결과를 안 것은 가타오카보다 훨씬 늦었다. 회사로 돌아가 오후 일을 하고 있었기 때문이다. 외부에서 돌아온 한 동료가 "미쓰비시중공업에서 폭탄이 폭발해서 많은 사상자가 나와 아주 야단법석이야"라고 말한 것을 들은 것은 오후 4시경이었다. 핏기가 가시고 망연자실했다. 마사시 역시 사상자가 나온 것이 악몽처럼 여겨졌고 믿을 수 없었다. 그 후 퇴근 시간까지 어떻게 보냈는지 기억나지 않았다.

저녁 7시 '늑대'는 미리 약속한 대로 미나미센주의 오토모소 근처의 커피숍 '모아'에 모였다. 이미 각 식문사의 석간은 대참사 기사로 다 채워져 있었다. 모두 이 뜻밖의 사태에 새파래진 얼굴을 마주했다.

"너, 예고 전화 확실히 한 거야?"

가타오카가 시비를 거는 듯한 어조로 사사키에게 확인했다. 다들 우선 그것을 의심하고 있었다. 사사키의 설명으로 예고 전화가 폭발 4분 전에 완료되었다는 것을 알자 모두 다시 울적한 침묵에 빠져들었다. 5분 전의 통고로는 역시 너무 짧았던 게 아닐까 하는, 이제는 돌이킬 수 없는 후회가 한 사람 한 사람의 가슴에 소용돌이치고 있었다. 계획 단계에서 그런 염려가 나왔을 때 아니, 그걸로 충분할 거라고 결정한 것은 상대가 미쓰비시중공업이라는 특수한 사정에 마음을 빼앗겼기 때문이었다. 지금까지 몇 번이나 반전 운동의 구체적인 표적이 되었던 대표적인 무기 생산 기업 미쓰비시중공업이기에 경고에 대한 즉각적인 대응 태세가 과민할 정도로 잘 준비되어 있을 것으로 여겼다. 그러니 5분만 있으면 충분히 대피할 수 있을 거라고 확신한 것이다. 그들이 그렇게 판단한 데는 또 한 가지의 숨은 이유도 있었다. '늑대'는 미쓰비시중공업 본사로 표적을 정하기 전에 실은 미쓰비시상사 사장 후지노 주지로(藤野忠次郎)를 노리고 덴엔초후에 있는 자택을 정찰했으나 경비가 너무 삼엄해서 단념하고 빌딩 폭파로 표적을 변경했던 것이다. '늑대'는 후지노의 단단한 경비가 미쓰비시 전체에도 해당되어 과민한 준비 태세를 갖추고 있을 것이라 봤다. 이러한 이유로 예고는 5분이면 된다는 판단했다. 예고라는 것은 여유 시간이 너무 많으면 폭탄이 철거될 수 있는 어려움이 있다. 하지만 실제로 그 정도의 참사가 된 이상, 이제는 5분 전의 예고가 너무 짧았다고 생각할 수밖에 없었다.

"세디트에 그 정도의 위력이 있을 줄은…."

가타오카가 중얼거렸다. 이 또한 누구의 가슴에나 서려 있는 놀라움이었다. 그들은 세디트 실험에 성공하지 못해 세디트 폭탄의 위력이 어느 정도일지 끝내 알지 못한 채 실전에 임했다. 오히려 세디트가 불발로 끝날지도 모른다는 불안이 더 커서 쉽게 폭발하는 화약도 섞었다. 하지만 대참사라는 결과를 보면 두 개의 세디트 폭탄은 완전히 폭발했다. 그것도 상상을 뛰어넘은 폭발력이었다. 실험으로 확인하지 못한 채 실전에 임하고 말았다는 후회는 특히 가타오카를 괴롭혔다. 작전으로서 반성할 점은 그 외에도 있었다. 인명 사고를 피하는 것에 초점을 맞췄다면 야간에 폭파하는 것이 가장 안전했을 것이다. 그래서 야간 폭파도 검토했지만 사람의 왕래가 전혀 없는 밤에 마루노우치에 출입하는 것은 위험했다. 그래서 결국 야간에는 할 수 없었다. 야간에 작전을 수행하는 것을 좀 더 고려했어야 한다는 생각은 입 밖에 내지 않았지만 네 명 모두 느끼고 있는 반성의 지점이었을 것이다.

네 명이 말없이 침울해 있는 이상한 분위기가 이어지자 다른 손님이 수상하게 여기는 것 같았다. "장소를 바꾸자"며 마사시가 일어났다. 네 명은 택시를 타고 아사쿠사로 이동했고 다시 커피숍으로 들어갔다. 성명문을 어떻게 해야 할지 긴급하게 결론을 내려야 했다. 성명문은 폭파 후 곧바로 각 신문사에 보낼 작정으로 이미 타이핑되어 있었다. "미쓰비시 폭파=다이아몬드 작전을 결행한 것은 동아시아반일무장전선 '늑대'다. 미쓰비시는 해외 침략을 그만두고 재외 자산을 포기하라. 1974년 8월 30일"이라는 간단한 내용이었다. 하지만 결과적으로 대참사가 벌어진 이상, 누구도 그 성명문을 공표할 용기가 없었다. 일단 성명문의 공표는 중지하기로 했다.

또 한 가지 마음에 걸리는 것은 후루카와시의 집으로 돌아가 있는 아라이 나호코였다. 그는 봄에 귀향하고 나서 그들과 연락을 끊었지만 이 폭발이 마사시 등에 의한 일이라는 것은 누구보다도 쉽게 추측했을 것이다. 그리고 마음씨 고운 나호코는 틀림없이 심하게 동요할 것이었다. 누군가 가서 그에게 사정을 설명할 필요가 있었다. 마사시는 당분간 회사를 쉴 수 없었기 때문에 가타오카가 되도록 빨리 만나러 가기로 하고 네 명은 헤어졌다. 뿔뿔이 흩어지는 것이 오늘 밤만큼 불안한 적은 없었다.

2

마사시와 가타오카를 태웠던 택시 운전사가 특별수사본부에 나타난 것은 빨랐지만, 그로 인해 수사망이 자신들에게까지 미칠 거라는 불안은 없었다. '늑대'는 단 하나의 단서도 남기지 않았다는 자신이 있었다. 오히려 그들의 불안은 전혀 다른 데 있었다. 앞으로 어떻게 해야 할지 매일 모여서 의논했다. 이대로 무장투쟁을 계속할 것인가, 아니면 단념할 것인가 하는 괴로운 선택이 네 명 앞에 놓여 있었다. 사망자와 중경상자를 생각하면 그저 기분이 위축되고 의욕을 잃어 갔다. 그렇다고 해서 몇 년에 걸쳐 애써 준비해 온 무장투쟁을 이제 막 시작한 단계에서 단념한다면 너무나도 후회가 남을 것 같았다. 게다가 그 실패로 투쟁을 포기해 버린다면 대체 그 대량의 희생자들은 뭐란 말인가 하는 생각도 들었다. 사망자의 의미를 헛되게 하지 않기 위해서라도 다시 한번 일어나 싸울 수밖에 없다는 의견으로 네 명의 의견이 점차 수렴되었다. 그것을 위해서도 새로운 성명문을 내자는 이야기가 나왔고, 처음에는 가타오카가 초안을 썼다. 그런데 그 문안은 변명 일관이었다. 이런 성명문은 내는 의미가 없다는 비판이 나와 사사키가 대신 쓰게 되었다.

그사이 가타오카는 아라이 나호코를 만나기 위해 센다이로 향했다. 9월 8일 밤, 센다이에 있는 마리코의 자취방에 묵었다. 마사시는 후루카와시에 있는 나호코를 직접 만나기보다는 센다이로 오게 하여 마리코의 방에서 셋이서 이야기하는 게 좋겠다고 의견을 냈다. 봄 이래 계속 소식을 끊고 있어 지금 어떤 생각을 하고 있는지 모르는 나호코에 비해 마리코는 올해에 들어서도 이미 세 번이나 상경해서 마사시 등과 만났다. 도호쿠대 부속 의료기술 단기대학에 다니고 있는 마리코는 휴일을 이용하여 상경했는데, 4월에 만났을 때 마사시는 사각봉투에 넣은 《하라하라 시계》를 "참고로 봐"라며 건넸다. 자신들이 '늑대'라는 것까지는 밝히지 않았지만 그가 《하라하라 시계》의 주장에 공명해 줄 것은 의심하지 않았다. 그의 생각은 연구회 때와 조금도 달라지지 않았던 것이다.

마리코가 5월의 연휴에 상경했을 때 뭔가 자신이 도울 만한 일이 없느냐고 해서 마사시는 "글쎄…. 제초제 쿠사토루를 사주는 건 어떨까?"라고 말했다. 당분간 쿠사토루가 부족한 것은 아니었지만 도쿄보다는 센다이 쪽이 제초제를 사 모으기 쉽다고 생각한 것이다. 그 후 그가 7월에 4만 5,000엔의 운동 자금을 보내와 마사시 등은 깜짝 놀랐다. 확실히 운동 자금을 호소하고는 있었지만 학생인 그에게 기대하는 운동 자금은 1,000엔이나 2,000엔 정도였다. 돌려보내는 것도 그의 마음을 상하게 할 것 같아 받기는 했으나 마음에 걸렸다. 마리코는 그들이 실행을 목전에 두고 있는 8월 19일에도 상경했다. 이때는 나호코가 빌린 채로 있던 공동주택을 정리했고 그 이튿날 마사시에게 쿠사토루 6킬로그램을 건넸다.

그런 관계는 계속되었지만 마사시 등은 자신들이 '늑대'라는 것도, 지금 실제로 진행하고 있는 작전에 대해서도 마리코에게 전혀 밝히지 않았다. 가타오카도 마리코의 집에 묵었던 날 밤, 잡담으로 얼버무리고 미쓰비시중공업 폭파에 대해서는 한마디도 하지 않았다. 이튿날 나호코가 왔을 때 처음으로 두 사람 앞에서 가타오카는 '늑대'의 행위를 밝히고 어떤 실수에서 사상자가 발생하고 말았는지를 자세히 해명했다. 인명 사고를 낼 생각은 추호도 없었다는 것을 두 사람이 믿어주기를 바랐다. 질문도 하지 않고 잠자코 듣고

만 있던 나호코는 마지막에 "나하고는 상관없는 일이니까—"라고만 중얼거렸다. 나호코가 어떻게 이해했는지 가타오카는 끝내 알 수 없었다. 배웅을 나온 마리코가 "사람을 다치게 할 뜻이 없었다는 말을 듣고 안심했어"라고 말해준 것으로 그나마 구제받은 기분이 들었다.

미쓰비시의 범죄부터 쓰기 시작한 사사키의 성명문은 리포트 용지 두 장에 이르렀다. 미쓰비시와 마루노우치 거리에서 일하는 자는 침략 기업의 가담자이고, 그런 이상 기업 폭파의 투쟁에 휩쓸려도 어쩔 수 없다는 논리가 전개되어 있었다. 그들에게 이것은 너무 억지가 아닌지 마음에 걸리는 점이 없지 않았지만, 지금 첫 전투에 엄격한 자기비판을 담는 것은 전사의 사기를 현저하게 잃게 할 것 같았다. 투쟁을 계속하기 위해서는 역시 이렇게 적반하장으로 나설 수밖에 없다는 결론을 내려, 사사키의 성명문은 모두에게 승인되었다. 다만 너무 길어서 가타오카가 다시 간결하게 만들었다.

'늑대' 통신 제1호

1974년 8월 30일, 미쓰비시 폭파=다이아몬드 작전을 결행한 것은 동아시아반일무장전선 '늑대'다. 미쓰비시는 구식민주의 시대부터 현재에 이르기까지 일관되게 일제의 중추로서 기능하며 장사라는 가면 뒤에서 송장을 뜯어 먹는 일제의 기둥이다. 이번 다이아몬드 작전은 미쓰비시를 보스로 하는 일제의 침략 기업 식민자에 대한 공격이다. '늑대'의 폭탄으로 폭사하거나 부상당한 사람은 '같은 노동자'도, '무관한 일반 시민'도 아니다. 그들은 일제 중추에 기생하여 식민주의에 참여하고 식민지 인민의 피로 살찌는 식민자다. '늑대'는 일제 중추 지역을 끊임없는 전장으로 만들 것이다. 전사(戰死)를 두려워하지 않는 일제의 기생충 이외에는 신속하게 그 지역에서 철수하라. '늑대'는 일제 본국 및 세계의 일제 반대 투쟁으로 일어서는 인민에 의거하고 일제의 정치 경제의 중추부를 서서히 침식하고 파괴할 것이다. 또한 '신대동아공영권'을 향해 다시 책동하는 제국주의자=식민주의자를 처형할 것이다. 마지막으로 미쓰비시를 보스로 하는 일제의 침략 기업 식민자에게 경고한다. 해외에서의 활동을 모두 멈추라. 해외 자산을 정리하고 '발전도상국'의 자산을 모두 포기하라. 이 경고에 따르는 것이 더 이상 전사자를 늘리지 않는 유일한 길이다.

9월 23일

동아시아반일무장전선 '늑대' 정보부

타이핑된 성명문은 9월 23일 마루코시 레이닌이라는 이름으로 교도통신사에, 산와 아사히(三和旭)라는 이름으로 오사카의 신좌익사에 보냈다. 이 내용이 드러났을 때 사람들은 한층 큰 충격을 받았다. 냉혹하고 비정한 '늑대'상은 이때 확실히 세상에 각인되었다고 해도 좋다. 이 성명문에서 '늑대'들 네 명의 마음속 고뇌를 추측하는 자가 있을 리는 없었다.

"당신은 어디서 어떻게 미쓰비시중공업 빌딩 폭파 사건 뉴스를 들었습니까? 그때 어떤 생각을 했습니까?"

나의 질문에 도쿄 구치소의 가마타 도시히코는 다음과 같은 답변을 보내왔다.

산인의 요나고에서 알았습니다. 그 시기는 가게를 하기 전으로, 도쿠야마에서 잠시 요나고에 와 있었습니다. 그 후 금세 다시 도쿠야마로 돌아갔지만요.

8월 30일에 요나고는 더워서 무척 힘들었지요. 무엇 때문에 외출했는지 지금은 잘 모르겠습니다. 하지만 저녁에 어쩐 일인지 뉴스가 궁금해서 서둘러 돌아온 것만은 정확히 기억하고 있습니다. 이따금 그런 예감 같은 게 들 때가 있습니다. 방으로 들어가 바로 텔레비전을 켠 순간 폭파 현장이 눈에 들어왔습니다. 그때 음성이 없었기 때문에 텔레비전 앞에 선 채 가스 폭발이겠지 생각했습니다. 아무리 그렇다 해도 잿빛이 도는 화면에서는 '처참'이라는 인상을 받았습니다. 그러자 아나운서가 "폭탄…"이라고 말했기 때문에 그대로 넋을 잃고 몰입하고 말았습니다. 금세 실패한 투쟁이라는 것을 확신했습니다. 그리고 왜 우리의 '크리스마스트리 폭탄 투쟁'을 검토하고 반성하여 교훈으로 만들지 못했는지 텔레비전을 보며 당황했습니다.

곧바로 동생 가쓰미(克己)에게 전화를 걸자 그도 텔레비전을 보고 있었던 모양으로, 엄청난 일이 일어났다는 의미의 말을 했더니 형이 뭘 그렇게 당황하느냐고 태연하게 말해서 깜짝 놀랐습니다. 그는 실패했기 때문에 사상자가 나왔다고 해서 미쓰비시중공업 빌딩 폭파의 의의까지 부정하는 것은 문제라고 명쾌하게 결론짓고 화면을 보고 있었던 것 같습니다. 이것은 그가 '크리스마스트리 폭탄 투쟁'에 전혀 관여하지 않았기 때문에 나온 판단이어서 그때부터 한동안 우리의 투쟁에 대해 이야기를 나누었습니다.

흑헬그룹이라 불리게 되는 가마타 도시히코 등은 마사시 등의 폭탄 투쟁에 앞서 1971년 9월부터 12월까지 일련의 파출소 폭파 사건을 일으켰다. 가마타 형제는 미쓰비시중공업 빌딩 폭파 때 이미 숨어 지내고 있었다. 도시히코는 요나고에, 동생 가쓰미는 야마구치현 유다(湯田) 온천의 호텔 프런트에서 일하고 있었다. 도시히코가 왜 크리스마스트리 폭탄을 교훈으로 삼지 못했는지 당황할 만큼 충격을 받은 것은 다음과 같은 사정 때문이었다. 그들은 인파로 붐비는 크리스마스이브에 요쓰야 경찰서 오이와케 파출소 옆의 보도에 크리스마스트리로 위장한 폭탄을 놓았다. 그 폭발로 경찰과 지나가는 사람 12명에게 중경상을 입혔다. 그러나 그때도 인명 피해는 전혀 예상하지 못했다.

당시 잇따른 파출소 폭파에 엄중한 경계 태세를 펼치고 있던 도쿄 내 경찰은 경찰서 주변을 10분 간격으로 순찰하고 있었고, 만약 수상한 물건이 있으면 어디에서도 15분 이내에 폭탄 처리차가 급히 달려와 처리할 수 있다고 강조하며 도쿄 시민의 불안을 진정시키려 하고 있었다. 가마타 등은 이를 계산에 넣고 일부러 경찰이 크리스마스트리 폭탄을 발견하게 해 폭탄 처리차에 의해 안전하게 폭파할 수 있도록 꾀했다. 가마타 등이 목표로 한 것은 경찰에 대한 도전으로서 프로파간다 투쟁이었지 경찰관이라고 해도 살상할 의도는 없었다. 혹시 몰라서 폭파 40분 전에 아사히신문사 신주쿠 지국에 예고 전화도 해두었다. 다만 경찰은 10분 간격의 순찰을 돌지 않았고, 지나가는 사람이 알려줄 때까지 폭탄을 알아채지 못하고 있다가 경찰이 살펴보려고 한 순간 터져버려 비극을 키운 것이다. 신문사 역시 그들의 예고 전화를 묵살해 버렸다.

무차별 테러라고 떠들썩하게 써대어 당시 원통했던 기억이 되살아나 미쓰비시중공업의 대참사 뉴스는 가마타 도시히코를 초조하게 만들었다. 그는 동생에게 전화를 걸려고 외출한 밤의 어두한 길에서 사방의 개구리 울음소리에 에워싸인 채 뭔가 몸이 붕 뜬 것 같았던 불안한 감각을 지금도 기억하고 있다고 나중에 편지에 썼다. 정말 당황했던 것이다. 그러나 내가 여기서 주목하고 싶은 것은 도시히코의 동생 가쓰미(현재 니가타 형무소에서 복역 중이다)의 반응이다. 그는 미쓰비시중공업 빌딩 폭파 뉴스를 보며 그 처참한 광경에도 불구하고 폭탄의 의도를 적극적으로 평가했던 것이다. 꼭 가마타 가쓰미만 그런 것은 아니었을 것이다. 결국 이곳 일본에도 본격적인 폭탄 테러가 출현한 건가 하고 은밀히 흥분한 사람도 적지 않았을 것이다. 실제로 '대지의 엄니'도 '전갈'도, '늑대'가 미쓰비시중공업 빌딩을 폭파했을 때부터 적극적으로 동아시아반일무장전선에 참가하게 된다.

마사시 등이 동요에서 간신히 다시 일어나 앞으로도 폭탄 투쟁을 계속할 각오를 다지고 있던 9월 말 '대지의 엄니'는 독자적으로 미쓰이(三井)물산 폭파를 실행한다고 연락해 왔다. 침울해져 있던 '늑대'들에게 그것은 무엇보다 큰 격려였다.

조직 내에서 나카가와(中川)라는 이름을 가졌던 사이토 노도카를 동아시아반일무장전선으로 이끈 사람은 사사키 노리오다. 예전에 레볼트사에도 출입해서 사이토의 생각이 자신들과 굉장히 가깝다는 것을 알고 있던 마사시가 꼭 무장전선에 참가하도록 권유하라고 사사키에게 부탁한 것이다. 홋카이도의 무로란히가시(室蘭東) 고등학교를 수석으로 졸업한 사이토는 1966년에 도립대 인문학부 철학과에 입학한 후 사회학과로 전과했으나 재학 중에는 눈에 띄게 활동한 이력이 없다. 대학을 중퇴한 후에는 고향인 무로란에서 신일본제철(新日本製鐵)에 강제 연행된 조선인이 다수 학살당한 사실에 강한 관심을 보이며 조사하러 다니기도 했다.

사사키와 몇 번 이야기를 나눈 사이토는 함께 살고 있는 미야타(宮田, 에키다 유키코)와 함께 동아시아반일무장전선에 참가하겠다고 표명한다. 부대 이름도 '늑대'에서 연상한 것으로 '대지의 엄니'라고 정했다. 처음에는 사사키와 사이토가 서로 연락을 취했지만 두 사람 다 경찰이 파악하고 있었기에 도중부터 마사시와 에키다가 만나게 되었다. 야마구치현 출신의 에키다는 기타사토대 위생학부 위생기술과를 졸업하고 임상검사 기사 자격을 가지고 지금은 모교에 근무하고 있다. 사이토도 에키다도 도수가 높은 안경을 끼고 있었다.

미쓰이물산에 폭탄을 설치한다는 '대지의 엄니'에 '늑대'가 충고한 것은, 첫째 예고 전화에 대한 것이었다. 자신들이 겪은 통한의 실패를 살려 15분 이상 전에 예고하라고 거듭 확인했다. 들어보니 폭탄의 탄체에는 양철 탕파를 쓴다고 해서 퍼티를 발라서 보강하라는 주의도 주었으나 그 이상의 참견은 하지 않았다. 동아시아반일무장전선에 참여하는 각 부대는 각각 독립되어 있어 서로 구속하지 않는다는 것이 마사시 등의 기본적인 방침이었다.

미쓰이물산 본사에서 폭탄이 터진 것은 10월 14일 오후 1시가 지난 시각으로, 미쓰비시중공업 빌딩 폭파로부터 한 달 반이 지나 있었다.

미쓰이물산 본사에서 폭발
사원 등 십수 명 부상
시한폭탄으로 단정

14일 오후 도쿄 니시신바시의 미쓰이물산 본사 본관 3층에서 폭발물이 폭발, 중상자를 포함한 부상자 16명이 나왔다. 이 폭발 전에 네 번에 걸쳐 폭발 예고 전화가 있었고 경시청은 8월 30일의 미쓰비시중공업 빌딩 폭파 사건과 유사하기 때문에 동일범의 범행일 가능성이 높다고 보고 있는데, 여행용 소형 탁상시계를 사용한 시한폭탄으로 단정하고 형사부와 공안부가 수사를 시작했다. 월요일 점심시간 직후의 범행으로, 아타고 경찰서의 직원이 예고 전화를 받고 알려서 현장을 검색하던 중에 결국 폭발하여 그 직원 외에 경찰 네 명도 폭발에 휘말리는 참사가 벌어졌다. (아사히신문)

미쓰이물산은 미쓰비시상사에 필적하는 대표적인 종합상사로, 기업 집단 미쓰이 그룹의 중추적 존재로 알려져 있다. 폭탄이 설치된 3층은 아시아대양주실, 극동실, 유럽소련실, 중근동소련실, 미주실 등이 죽 늘어서 있어 이 회사의 중추부에 해당한다. 해외 130여 개의 사업소와 본사를 연결하는 텔렉스도 여기에 있다. 회사의 중추부에 폭탄이 설치되었지만 오래된 건물이고 두꺼운 벽이 많아 폭발 피해는 최소한에 그쳤다. 이는 미쓰비시중공업에서의 실패를 반복하지 않기 위해 '대지의 엄니'가 화약의 양을 줄였기 때문이기도 했다.

폭파 후 '대지의 엄니'는 다음의 성명문을 아사히신문사 등 각 신문사에 보냈다.

일제 부르주아 보도 신문에 알린다. 동아시아반일무장전선에 자원하여 그 일익을 담당하는 우리 부대는 오늘 식민주의 침략 기업 미쓰이물산 본사를 폭파하는 공격을 했다.

1974년 10월 14일

동아시아반일무장전선 '대지의 엄니'

경찰은 성명문을 분석하여 '대지의 엄니'는 '늑대'를 말하는 것으로, 하나의 그룹이 몇 개의 그룹인 것처럼 보이기 위해 이름을 바꿨다고 단정했다.

미쓰비시에 이어서 미쓰이를 노렸기 때문에 도심의 대기업은 '다음은 어디일까…' 하는 의심으로 패닉 상태에 빠지기 직전의 상황이었다. 그것을 뒤따르듯이 기업에 "폭탄을 설치했다"는 장난 전화가 빗발쳤다. 예컨대 그런 장난 전화를 받은 히토쓰바시의 스미토모(住友) 상사에서는 3,000명이 피난했고, 16층 건물인 빌딩을 10분도 되지 않아 모두 비우는 과민한 반응을 보였다. 신문은 사설로 "무슨 수를 쓰더라도 폭탄범을 잡아라"고 강조했다.

하지만 냉혹하고 비정하다고 일방적으로 단정한 폭탄범들은 미쓰비시에 이어 미쓰이물산에서도 부상자가 나온 것에 다시 동요했다. '대지의 엄니'가 20분 전에 예고 전화를 한 것을 확인하고는, 그런데도 왜 부상자가 나왔는지 '늑대'들은 괴로운 마음으로 이야기했다. 특히 가타오카의 심리적 동요는 심했다. 이는 단순히 기술적 실패가 아닌 폭탄투쟁 자체가 잘못된 것은 아닐까 하는 의심이 싹트기 시작했다. 하지만 아직 분명하게 입 밖에 낼 수 있는 것은 아니었다.

'늑대'가 재기를 위한 표적으로 선택한 것은 데이진(帝人)이다. 이 회사 역시 세계 각지로 진출하여 다각 경영을 하고 있는 기업으로, 특히 그들이 용서할 수 없다고 생각한 것은 브라질의 아마존 개발에 다른 일본 기업들과 함께 참여하여 결과적으로 아마존 원주민을 궁지에 몰아넣는다는 점이다. 아마존 원주민의 투쟁에 호응하기 위해서라도 데이진을 공격하지 않으면 안 된다고 '늑대'는 생각했다. 마사시가 이를 '대지의 엄니'에 전하자 에키다는 "데이진은 우리도 전부터 노리고 있었던 참입니다. 늑대에 찬성합니다"라고 했다. 11월 25일 새벽 3시가 지나 히노시 아사히가오카에 있는 데이진 중앙연구소의 배전반실에서 소화기 폭탄이 폭발했지만 피해는 경미해서 신문도 하루 늦게 귀퉁이에 토막기사로 보도했다.

3

데이진 중앙연구소 폭파로부터 얼마 지나지 않아 마사시는 신주쿠역 동쪽 출입구 근처의 커피숍에서 에키다 유키코와 만나 '대지의 엄니'의 다음 표적이 다이세이건설이라는 이야기를 들었다.

옛 오쿠라(大倉) 재벌에서부터 시작되는 다이세이건설은 가시마건설과 나란히 건설업계에서 1, 2위를 다투는 해외진출 기업이다. 그 회사의 역사는 이미 마사시 쪽에서도 조사하고 있었기 때문에 '대지의 엄니'의 선택에 이의는 없었다. 에키다는 구체적으로 오쿠라 호텔 부지 내에 있는 오쿠라 슈코칸(集古館)을 폭파하는 것을 계획하고 있었다. 여기에는 전쟁 전부터 오쿠라 재벌의 모든 자료가 수집되어 있었다.

"그래서 볼펜을 하나 받고 싶습니다"라고 에키다가 말했다. 커피숍에서 이야기할 때는 가까이에 사람이 없을 때도 은어를 쓰기로 했다. 볼펜이라고 하면 뇌관을 의미한다. 미쓰이물산의 폭파는 가스히터를 기폭 장치로 썼지만, 그렇게 해서는 기폭력이 약할 것 같았다. '대지의 엄니'는 아직 뇌관을 만드는 기술을 갖고 있지 않았다.

12월에 접어들고 얼마 지나지 않았을 무렵, 마사시는 에키다에게 휴지에 싸서 봉투에 넣은 뇌관 하나를 건넸다. 그때 에키다는 오쿠라 호텔의 오쿠라 슈코칸은 그만두고 다이세이건설 본사를 12월 10일(1937년 일제가 중국 난징을 침공한 날—옮긴이) 오전 중에 폭파할 예정이라고 알렸다. 건물 내부에 폭탄을 설치할 예정이라고 해서 마사시는 이번에도 예고 전화를 거듭 확인했다.

긴자 한가운데에서 시한폭탄이 터진 것은 12월 10일 오전 11시 4분이다. 예고 전화를 받고 쓰키지 경찰서 인원 50명이 빗속을 급히 달려 주오구 긴자 2초메의 다이세이건설 본사 빌딩에서 폭탄을 수색하던 중 1층 주차장 옆에서 큰 소리를 내며 폭발이 일어났다. 가까이에 있던 사원과 경찰 아홉 명이 중경상을 입었다.

“세 번 벌어진 일이 네 번이나.” 경시청은 잇따르는 폭탄 사건에 큰 충격을 받았다. 첫 번째, 두 번째는 도심의 빌딩가였지만 세 번째는 교외의 히노시 데이진 중앙연구소. 경계가 엄중해서 ‘늑대’ 그룹도 도심에서는 다시 일으킬 수 없을 거라고 생각했는데 이번에는 도쿄 긴자, 그것도 연말 특별 경계를 펼친 첫날에 폭탄 사건이 발생했다. 어느 폭탄 사건도 범인의 단서는 없고 수사는 이렇게 교착 상태다. 이를 비웃기라도 하는 것처럼 백주에 되풀이되는 겁 없는 범인 그룹의 도전에 경시청은 충격을 감추지 못하고 있다. (아사히신문)

각 신문사에 보낸 성명문을 분석한 경시청은 동아시아반일무장전선에는 ‘늑대’와 ‘대지의 엄니’라 칭하는 두 부대가 있는 듯하다고 인정하지 않을 수 없게 되었다. 하지만 그때 이미 제3의 부대 ‘전갈’도 나선 뒤였다.

‘전갈’의 구로카와 요시마사(조직 내 가명 가와구치)를 마사시에게 소개한 사람도 사사키다. 도쿄 출신의 구로카와는 사이토 노도카보다 1년 늦게 같은 도립대 철학과에 입학했다. 대학 시절에는 활동하지 않았던 사이토와는 대조적으로 구로카와는 중핵파에 속해서 활동하다 체포된 이력도 있었다. 나중에 전술적 의문에서 중핵파를 떠났지만 야스다 강당이 함락되는 것을 보고 본격적인 무력투쟁의 필요성을 통감한다. 학원투쟁이 쇠퇴해가는 가운데 그 역시 전공투 사상을 배신하지 않기 위해 중퇴하고 산야나 다카다노바바 등의 인력 시장으로 들어간다. 사사키가 구로카와와 만난 것은 인력 시장에서였다. 사사키의 권유에 따라 구로카와 요시마사는 '전갈'의 이름으로 동아시아반일무장전선에 참여하게 된다. '전갈'이라고 한 것은 '사갈시(蛇蠍視)한다'(어떤 대상을 몹시 싫어한다는 뜻—옮긴이)는 표현에도 있는 것처럼 세상으로부터 혐오와 소외를 당하는 이물과 같은 측에 서서 그 사람들을 위해 싸운다는 의사 표시였다. 동시에 자신의 몸보다 훨씬 큰 적을 독침 한 방으로 쓰러뜨리는 전갈에, 게릴라 전법의 마음가짐을 의탁했다는 뜻이기도 하다.

'전갈'이 첫 번째 표적으로 선택한 것은 가시마건설이다. 공격 계획을 '하나오카(花岡) 작전'이라고 명명한 데 공격 의도가 확실히 담겨 있다. 제2차 세계대전 중 일본으로 강제 연행된 중국인은 약 4만 명이라고 하는데 그중 900명이 아키타현의 하나오카 광산에서 강제 노동에 종사할 것을 강요당했다. 가시마구미(鹿島組, 가시마건설의 전신) 하나오카 출장소의 중국인에 대한 혹사와 학대는 특히 무시무시해서 사망자가 속출했다. 그것을 견딜 수 없었던 중국인은 끝내 1945년 6월 30일 무장봉기한다. 하지만 곡괭이나 삽 외에 무기를 갖지 못한 중국인들은 순식간에 헌병대, 경찰대, 경방단(警防団)에 의해 궁지에 몰렸고 50명 가까이 학살당했다. 그리고 체포당한 사람들은 무더위 속에서 2박 3일간 고문을 받았고 113명이 갖은 괴롭힘을 받다가 죽임을 당했다. 살아남은 한 중국인은 다음과 같이 증언했다.

자갈 위에 2박 3일간 앉아있어야 했는데 먹을 것이라든가 물을 전혀 주지 않았어요. 밤이 되어도 누워 잠을 잘 수도 없었지요. 나흘째가 되어 수제비 같은 것이 반 그릇 정도만 나왔어요. 지금 생각해도 살아남았다는 게 정말 신기해요. 다들 피로와 공복으로 휘청휘청했지요. 쓰러지는 사람도 많았어요. 어쩔 수 없이 쓰러지면 그게 또 나쁘다고 곤봉으로 때리니까 죽는 사람도 많아졌지요. 죽어도 그대로 내버려 두었어요. 두 사람이 묶여 있으면 그중 한 명이 죽어도 그대로 두었어요. 내 등이 묶인 사람은 이름도 몰라요. 몸이 약한 사람이었지요. 극장 앞으로 끌려온 날 저녁에 죽었어요. 죽은 사람의 몸은 점점 딱딱해지잖아요. 그러면 무거워져요. 한 사람도 힘든데 죽은 사람을 업고 있는 거니까 힘들지요. 이제 다음 날이 되면 죽은 사람한테서 점점 고약한 냄새가 나기 시작해요. 무겁고 냄새가 나서 어떻게 해볼 수가 없어요. 이번에는 밤이 되잖아요. 개라든가 고양이 여러 마리가 몰려들어요. 죽은 사람의 발이나 손을 먹으려고 해요. 먹을 것을 다투며 소리를 내기도 하고, 밤이 되면 뼈를 씹는 소리가 들려와요. 살아 있는 사람한테도 달려들어요. 내 무릎에도 발톱을 세우고 온 고양이가 있었는데 쫓으려고 해도 소리가 안 나와요. 지쳐서 몸을 전혀 움직일 수가 없는 거예요. 나는 먹히지 않았지만, 나중에 들으니 그렇게 먹힌 사람도 있었나 봐요. 지옥보다 지독한 곳이었어요. (동아시아반일무장전선 KF부대(준) 지음, 《반일혁명 선언》)

이 사건에 대해서는 전후 도쿄재판에서 가시마구미 하나오카 출장소장 등이 B, C급 전범으로 기소되어 종신형 등을 선고받았지만 나중에 모두 석방되었다. 하물며 가장 죄를 물어야 할 가시마구미의 중추부에 대한 '청산'이 전혀 안 되었다는 것이 '전갈'이 가시마건설을 공격하는 이유였다.

12월 23일 새벽 3시 10분경, 도쿄도 고토구 도요 2초메의 가시마건설 건축본부 내장센터 KPH(가시마식 가건물) 공장부지 내의 재료 두는 곳에서 시한폭탄이 폭발하고 큰 소리와 함께 불기둥이 치솟았다. 하지만 가건물 재료의 패널 등에 피해를 입히는 것만으로 끝났다. '전갈'이 굳이 본사가 아니라 작업소를 노린 것은 현장 노동자에게 호소하고 싶은 목적이 있어서다. '전갈' 멤버로는 구로카와 요시마사 외에는 나중에 지명수배되어 도피하게 되는 메이지학원대 학생 우가진 히사이치(宇賀神寿一), 마찬가지로 메이지학원대 학생인 기리시마 사토시(桐島聡)가 있었다. '전갈'도 성명문을 발표했다.

코뮤니케 1호

오늘 가시마 폭발=하나오카 작전을 결행한 것은 동아시아반일무장전선에 참여하는 항일 파르티잔 의용군 '전갈'이다. 가시마건설은 식민지 인민의 생혈을 빨고 송장 고기를 뜯어먹으며 획득한 모든 재산을 포기하라.

1974년 12월 23일

경시청은 '대지의 엄니'에 이은 '전갈'의 출현에 깜짝 놀라며 새로운 부대가 또 연쇄적으로 등장하는 것이 아닐까 두려워했다.

이해 연말부터 동아시아반일무장전선 '늑대'는 전원이 청산가리 캡슐을 가지고 다니기 시작했다. 그것을 안 에키다 유키코의 요청으로 마사시가 두 개의 캡슐을 건네 '대지의 엄니'도 청산가리 캡슐을 갖게 되었다. 청산가리를 가지는 것은, '늑대'들 사이에서 미쓰비시중공업 빌딩 폭파 직후부터 이미 여러 번 의논한 일이었다. 미쓰비시중공업 이후 사망자의 존재는 마사시 등을 무겁게 덮쳐 누르고 있었다. 아무리 발버둥을 쳐도 이 엄연한 사실에서 벗어날 수가 없었다. 죽은 자에 대한 속죄 같은 것을 할 수 없는 이상, 적어도 자신들도 목숨을 걸고 싸우는 것 외에는 방법이 없지 않을까 하는 결론을 내면서부터 그들은 청산가리를 지니기로 했다. 경찰에게 체포당했을 때는 결코 입을 열지 않기 위해서도 반드시 휴대해야 했다. 청산가리는 아야코가 근무처인 무토(武藤) 약품에서 입수한 것으로 한 사람에게 0.6그램씩 할당되었다. 충분한 치사량이라고 할 수 있는 양이다. 백색의 플라스틱 원형봉을 선반에서 잘라내 그 안에 청산가리가 든 캡슐을 넣고, 쇠사슬 끈을 달아 팬던트로 만들어 목에 걸었다. 청산가리를 지니고 다니기 시작함으로써 그들의 투쟁 각오는 더욱 단단해졌다.

1975년 1월, 세 부대는 처음으로 얼굴을 마주한다. 지금까지 마사시는 사이토, 구로카와와는 개별적으로 만났다. 그러나 사이토와 구로카와는 아직 서로 얼굴을 마주한 적이 없었다. 전화 연락 역시 세 사람이 직접 하는 일은 없었다. 센트럴 공예라는 이름으로 신청한 신주쿠의 임대 전화를 통할 정도로 조심해 왔다. 신주쿠역 동쪽 출입구의 커피숍 '카미'에서 '늑대'의 마사시, '대지의 엄니'의 사이토, '전갈'의 구로카와가 만났다. 세 사람 중에서는 175센티미터의 마사시가 유달리 키가 컸고 구로카와가 가장 몸집이 작았다. 세 사람 다 마른 체형이고 모두 의지가 강한 표정을 짓고 있었다. 하지만 그런 정체가 드러나지 않도록 말끔히 넥타이를 매고 있었다. 이제 마사시도 넥타이에 양복 차림이 잘 어울리게 되었다. 하지만 무장투쟁에 들어가기로 결정하고 **눈에 띄지 않는** 시민으로 변신하려고 한 당초에는 상당히 고생했다. 넥타이 매는 법은 가타오카에게 배웠으나 복장 센스가 좀처럼 몸에 배지 않아 남성 패션잡지까지 들여다본 적이 있다. 아마 사이토와 구로카와도 같은 고생을 했을 것이다. 이날 구로카와는 검은색 양복 위아래로 입었는데 잘 어울렸다. 구로카와는 이야기를 시작해도 거의 표정을 바꾸지 않았지만 사이토는 입을 열 때 표정이 누그러졌다. 세 사람 중에서 자신만이 담배로 주위의 공기를 더럽히고 있는 것에 마사시는 다소 창피한 마음이 들었다.

셋은 지금까지 각 부대에서 따로 투쟁을 해왔지만, 앞으로는 좀 더 긴밀하게 연락하기로 했다. 지금까지는 한 부대가 행동을 결정하면 다른 부대에 통고만 할 뿐이고, 통고받은 부대도 지켜보며 전혀 간섭하지 않는 방식이었다. 하지만 앞으로는 한 부대의 행동 계획을 다른 부대에서도 검토하고 의견이 있으면 말할 것, 그리고 그 의견은 존중하지만 꼭 그것에 얽매일 필요는 없다는 것을 확인하고, 일주일에 한 번 3자 연락회의를 하기로 결정했다. 이어서 앞으로의 공격 방침에 대한 이야기가 나왔다. 당시 '전갈'이 표적으로 삼은 것은 하자마구미(間組)였다. 하자마구미는 전쟁 전부터 토목업계의 명문으로, 동남아시아 진출로 특히 눈부신 성과를 얻고 있었다. 구로카와가 그런 하자마구미를 표적으로 삼은 계기에는 전해인 1974년 12월 9일 말레이시아의 테멘고르 수력댐 건설 현장에서 발생한, 현지 공산당 게릴라에 의한 일본인 습격 사건이 있었다. 테멘고르 수력댐은 일본 정부의 엔 차관으로 라자크 정권이 추진한 프로젝트였는데 하자마구미가 그 건설에 종사했다. 현장은 태국 국경에 인접한 게릴라의 근거지로, 테멘고르 댐과 그 부근의 동서 고속도로 건설은 정부에 의한 게릴라 근거지 부수기라는 정치적인 색채도 띠고 있었다. 궁지에 내몰린 게릴라 측은 "인민의 이익에 반하는 공사"라며 이에 강력하게 반발하여 12월 9일 백주에 건설 현장에 총격을 가했다. 이 때문에 하자마구미 현장의 계장 부인이 사망하는 사건이 발생했다. 구로카와의 의도는 테멘고르 댐을 반대하는 현지 게릴라와 호응하여 하자마구미를 공격하고 현지에서 작업원의 철수를 요구하자는 것이었다. 마사시와 사이토는 가시마건설의 경우와 마찬가지로 공사 현장을 노리는 것임을 알자 마사시와 사이토는 "아무래도 역시 본사를 노려야 하지 않을까" 하는 의견을 제시했다. 국제적으로 연대한다면 공사 현장 수준의 폭파로는 충격이 너무 약하지 않겠냐고 지적한 것이다.

'늑대'와 '대지의 엄니' 두 부대 모두 '전갈'의 계획을 검토한 결과 함께 하자마구미를 공격하기로 하고 세 부대를 합쳐 '기소다니 테멘고르 작전'이라고 명명했다. 1944년부터 1945년에 걸쳐 강제연행된 중국인 1,761명이 기소다니(木曾谷)에서 하자마구미, 가시마구미 등이 떠맡고 있던 일본발송전력주식회사 온타케(御嶽) 수력발전소 건설 공사에 종사했다. 하나오카 광산의 경우와 마찬가지로 여기서도 학대가 지나치게 가혹하여 수많은 중국인이 죽임을 당하거나 쇠약해져 죽어갔다. 일본이 패전한 해인 1945년 10월에 하자마구미 아래에서 혹사당해 온 중국인 포로 약 100명이 낫, 갈고리 등을 들고 무장봉기했다. 그러나 하자마구미 사람들은 재빨리 도주하고 무장한 일본인 촌민 경방단이 그들과 충돌하는 불행한 사태가 발생했다. '기소다니 테멘고르 작전'이라는 작전명에는 기소다니에서 하자마구미에 의해 원통하게 목숨을 잃은 중국인을 대신하여 사건을 '청산'한다는 의도가 담겨 있었다.

처음에는 '늑대'와 '대지의 엄니'가 해외공사국장과 사장 개인을 노리고, '전갈'이 어딘가의 공사 현장을 노리기로 계획했다. 하지만 가타오카가 개인 테러에 강력하게 반대했다. 자택에 폭탄을 설치하면 가족들이 휘말릴 위험성이 높다는 것이다. '늑대' 내부에서 토론한 결과 개인 테러는 그만두고 하자마구미 본사를 공격하는 것으로 계획을 변경하기로 했다. 마사시가 그 취지를 사이토에게 전했다. 되도록 '대지의 엄니'도 개인 테러를 그만두었으면 좋겠다고 생각했는데 '늑대'의 변경 소식을 듣기만 한 사이토도 "사실 우리도 개인 테러는 그만두려고 생각해"라고 말했다. "사장 자택에 사전 답사를 갔는데 마당에 그네가 있었어. 아무래도 손자가 함께 사는 것 같으니까…." — 그런 감상이 부끄러운 듯 사이토는 마사시로부터 시선을 돌리고 있었다.

3자 연락회의에서 확인한 최종 계획은, 도쿄도 미나토구 기타아오야마에 있는 18층 건물인 하자마구미 본사 빌딩을 표적으로 하여 6층의 해외사업부에 '전갈'이, 9층의 전산기 컴퓨터실에 '늑대'가 폭탄을 설치하고, 한편 '대지의 엄니'는 사이타마현 요노시에 있는 하자마구미 오미야(大宮) 공장에 폭탄을 설치하는 것이었다. 동시 폭파 일시는 2월 28일 저녁 8시로 정했다. 그 시각이라면 사람이 거의 없을 거라고 생각했으나 야간 순찰 경비원 등이 있을 수도 있기 때문에 20분 전에 예고 전화를 걸기로 했다.

2월 28일 저녁 8시, 하자마구미 본사와 오미야 공장에서 동시 폭발이 일어났는데, 특히 기타아오야마의 하자마구미 본사 빌딩의 폭발은 미쓰비시중공업 빌딩 폭파에 다음가는 위력을 보여주었다.

저녁 8시가 좀 지나 도쿄 아오야마의 빌딩가 일대에 땅울림과 함께 쿵 하는 폭발음이 울려 퍼졌다. 30초 후에도 똑같은 폭발음이 들렸다. 동시에 18층 건물인 하자마구미 본사 빌딩의 9층 부근과 6층 부근에서 창문을 뚫는 듯이 격렬한 불꽃이 분출했다.

8층에서 잔업 중이었던 누마타 유키히로(沼田幸弘, 27세)는 왼쪽 다리가 부러지는 등의 큰 부상을 입었다. 구조되었을 때 구급대원에게 "갑자기 큰 폭발음이 들렸어요. 순간적으로 정신을 잃고 바닥에 쓰러졌습니다. 정신을 차리고 봤더니 가까운 데까지 불길에 에워싸여 있었습니다"라고 이야기했다.

6층 외벽은 폭 10미터, 높이 2미터에 걸쳐 날아갔고, 서류나 책상이 사방에 흩날린 빌딩 안의 모습이 아래 도로에서도 보였다. 콘크리트나 유리 파편은 부근 민가의 마당 여기저기에 흩어져 떨어졌다. 빌딩 아래 도로에는 온통 30-40센티미터나 되는 콘크리트 조각이 나뒹굴고 있어 발 디딜 데도 없는 상태였다. 사다리차를 포함한 소방차 30대가 달려와 폭파된 구멍으로 계속 살수했다. 하지만 생각처럼 물이 빌딩 안으로 들어가지 않았다. 특히 물이 닿기 힘든 9층 부근의 불길은 폭파로부터 30분이 지난 8시 반이 지나도 전혀 잦아들지 않았고, 불길이 어둑한 빌딩 유리창에 새빨갛게 떠올랐다. 6층에서 나온 연기는 7, 8층까지 건물 외벽을 뒤덮었다. 소방차 사이를 누비듯이 들것에 실린 사람이 운반되고 있었다. 머리나 팔 등에 심한 출혈이 있었다. 굳어진 입에서 신음소리가 새어 나왔다.

그 사이에도 불길은 점점 퍼져나갔다. "이제 손을 쓸 수가 없다"는 목소리가 흘러나왔다. 도로 반대쪽에 모인 구경꾼들은 "기업을 노리는 폭탄범들 짓이다"라고 이야기했다.

9층 부근까지 뻗은 쇠사다리가 일고여덟 개의 소방차 라이트에 비쳤다. 폭파로 뚫린 구멍에서 무수한 서류가 쏟아져 나와 공중에서 춤을 추었다. 이따금 불티도 굳어져 떨어졌다. 방화복을 입은 소방대원이 불을 끄고 있으나 연기는 밤하늘로 퍼져나가고 밤 10시가 지나도 하얀 연기는 아직도 계속해서 분출하고 있다. (아사히신문)

기업의 두뇌라고 해야 할 컴퓨터실이 폭파되어 지금까지 축적된 모든 데이터가 불타버린 하자마구미의 손실은 헤아릴 수 없었다. 그 충격은 하자마구미에만 그치지 않는다. 대기업의 심장부에까지 폭탄이 설치되었기 때문에 모든 기업의 수뇌부를 부들부들 떨게 하기에 충분한 사건이었다.

궁지에 몰린 경시청은 쓰치다 경시총감이 '비상사태 선언'을 발표하여 도쿄 내 주요 기업 1,100사를 재점검하고 전쟁 전후 아시아를 중심으로 한 해외 경제 진출과 관련된 기업 88사를 '중점 방비 대상'으로 지정한다. 이들 기업에 대해서는 기동대원 500명을 포함한 1,500명의 경찰을 배치하고 상시적으로 한 기업에 10명에서 50명이 24시간 태세로 눈을 번뜩이며 감시했다.

4

'늑대', '대지의 엄니', '전갈', 세 부대가 합류한 동아시아 반일무장전선의 폭탄 투쟁은 경시청으로 하여금 '비상사태 선언'을 하게 할 정도로 도쿄를 뒤흔들었다. 그러나 '늑대' 내부에서는 가타오카 도시아키의 동요가 이제 감출 수 없는 지경에 이르렀다. 그는 미쓰비시중공업 빌딩 폭파의 실패로부터 아무래도 다시 일어서지 못했고(아니, 다른 멤버도 결코 다시 일어서지 못했지만), 이어지는 투쟁에서도 부상자가 속출하는 것에 견딜 수 없게 되었다. 나중에 그는 "델타 작전의 처참한 결과에 심한 타격을 받았던 저는 그 패배감에서 일어설 수 없었습니다. 델타 작전 이후의 저는 이를테면 '살아 있는 시체'였고 델타 작전을 속죄하기 위해 싸우고 있었던 것입니다"라고 쓰게 된다. 미쓰비시중공업 빌딩 폭파는 미쓰비시의 기업 로고 때문에 다이아몬드 작전으로 불렸지만, 또 하나의 암호로 델타 작전으로도 불리고 있었다.

한동안 폭탄 투쟁에서 벗어나려고 혼자 고민하던 1월 중순경, 가타오카는 자신에게 미행이 붙기 시작한 것을 알고 긴장한다. 이 무렵부터 비밀 부대의 수사망은 '늑대'를 향해 급속하게 좁혀오고 있었으나 그들은 부주의하게도 그것을 알아채지 못하고 있었다. 미행이 붙기 시작한 듯하다는 가타오카의 보고에 대해서도 마사시 등의 대응은 너무 낙관적이었다. 연쇄 폭파 건에서 가타오카가 드러났을 리가 없다는 강한 믿음에서 그것은 신좌익 섹트들 사이의 충돌과 관

련된 수사일 거라 추정했다. 그즈음 격화되던 중핵파 대 가쿠마루파(革マル派)의 폭력적 충돌에 대한 수사로, 그 충돌이 발생한 지역에 살고 있는 전 호세이대 학생 가타오카에게 미행이 붙은 것이라고 생각하며 납득하려고 했던 것이다.

실제로는 가타오카는 사사키와의 접촉으로 드러났고, '늑대'에서 가장 먼저 감시를 받은 사람은 사사키였다. 마사시 등도 사사키의 활동 이력으로 인해 염려는 하고 있어서 나름대로 조심은 하고 있었다. 사사키는 표면적으로는 부르주아로 전향한 것처럼 보이려고 활동가인 친형의 집에서 나와 자취를 하고 본명을 쓰며 직장에도 다니기 시작했다. 그리고 작년 11월 초에는 근무처인 주오(中央) 창고의 상사를 통해 창가학회에도 들어갔다. 밤마다 경전을 읽고 창가학회 회원의 좌담회에도 두 번에 한 번은 출석하여 열성적인 신자인 체함으로써 경찰의 눈을 피하려고 했다. 하지만 공안의 비밀 부대는 그 정도로 감시망을 풀지 않았다. 사사키가 폭탄 기술을 습득하기 위해 자주 가타오카의 공동주택에 다니는 사이에 가타오카도 미행 대상이 되기 시작했다. 마사시는 동지들의 행동을 기록하는 노트에 "다카하시에게 요즘 새끼손가락이 늘 붙어다닌다"라고 써넣었는데 그것이 얼마나 치명적인 일인지는 깨닫지 못한 채였다.

3월 초 '늑대'는 사이타마현의 삼림공원에 모여 가타오카 문제를 의논했다. 이른 봄이라고 해도 주위는 아직 칙칙한 황록색이고 추위가 뼛속까지 스며드는 날이었다. 미행 건도 있어 가타오카는 한동안 도쿄의 부모 집으로 돌아가 폭탄 투쟁에서 떨어져 있고 싶다고 했고 마사시 등도 승낙했다. 그를 제외해도 해나갈 수 있다는 자신감이 있었다. 부모 집으로 돌아가면 그동안 집세로 내고 있던 돈은 헌금할 수도 있으니까 하며 가타오카는 힘없이 웃었다. 가타오카가 부모 집으로 돌아가면 마치야의 고바야시소에 설치된 무기 공장을 다른 곳으로 옮기지 않으면 안 된다. 사사키가 시급히 새로운 공동주택을 찾고 거기에 가타오카의 기계 등을 옮기기로 했다.

춘분인 3월 21일 비밀 공장을 이전했다. 가타오카가 차를 운전하여 마사시와 함께 마치야의 공동주택에서 소형 선반 등을 꺼내 실었다. 그리고 도중에 기타구 히가시주조의 사사키 집에 들러 이전할 물건을 싣고 새로운 비밀 공장이 될 아다치구의 공동주택 고토부키소(寿荘)로 향했다. 그런데 그때 비밀 부대가 그들 전원의 사진을 찍었다. 히가시주조의 공동주택 맞은편 2층에 형사가 방을 빌려 일찌감치 사사키를 항상 감시하고 있었던 것이다. 그런데 이전하는 날 '늑대'는 전원이 이곳에 모이는 실수를 범하고 말았다. 히가시주조의 공동주택에는 아야코가 도와주러 와 있었고, 그곳에 가타오카와 마사시가 탄 차가 도착하여 다 같이 사사키의 공동주택에서 짐을 옮겼다. 그 장면을 맞은편 2층 방의 망원렌즈가 달린 카메라가 확실히 찍고 있었던 것이다.

3월 25일 밤, 마사시는 요쓰야의 커피숍 '르누아르'에서 사이토, 구로카와와 만났는데 이때는 이미 미행이 마사시에게 딱 붙어있었을 것이다. 물론 마사시를 포함한 '늑대'들은 끊임없이 미행을 경계하여 도중에 백화점의 인파에 섞여들기도 하고, 목적지와 다른 역에서 내리기도 하고, 갑자기 되돌아가기를 반복했지만 베테랑 형사를 따돌릴 수는 없었다.

이때의 3자 연락회의에서는 다음 표적을 정하는 논의를 했는데 '늑대'는 가타오카가 빠진 것과 무기 공장의 이전 등으로 아직 다음을 생각할 여유가 없었다. '대지의 엄니'는 효고현 아마가사키에 있는 오리엔탈메탈제조를 공격하고 싶다는 계획을 제시했다. 서울 시내에 한일합작 회사를 설립한 건재(建材) 회사인데 대기업이라고 할 수 없는 이 회사를 주목한 것은 일간공업신문에 나온 한 기사 때문이었다. 그 기사에 따르면 4월 하순, 일본에서 한국공업단지 시찰단이 출발할 것이고 그 단장을 오리엔탈메탈제조의 사장이 맡는다고 한다. 그 시찰을 그만두도록 경고하기 위한 폭탄을 설치하자는 것이다.

한편 '전갈'은 다시 하자마구미에 대한 공격을 속행하기로 했다. 하자마구미 본사가 폭파된 후 기자회견에서 "이 일로 해외 진출을 그만둘 생각은 없는가"라는 질문을 받은 부사장은 다음과 같이 대답했다.

"전혀 없습니다. 지금 국내는 불황이어서 해외에서 활로를 찾을 수밖에 없습니다. 지금의 해외 진출 공사도 이탈리아, 프랑스 등과 격렬한 경쟁 끝에 입찰을 따낸 것입니다. 현재 동남아시아를 중심으로 여러 건의 계약 이야기가 나오고 있습니다만, 전력을 다하고 싶습니다."

'전갈'은 이를 폭파 경고에 대한 도전으로 받아들이고 작업소 두 곳의 폭파를 계획하고 있었다. 마사시는 양자를 위해 '볼펜(뇌관)'을 제공하기로 약속하고 헤어졌다.

사사키가 구한 아다치구 우메지마의 고토부키소에서는 지하 공장 만들기가 시작되었다. 마사시가 밤마다 다니며 계속해서 흙을 팠다. 다다미 여섯 장이 깔린 방의 다다미를 걷어내고 마루 밑으로 들어가 사사키와 마사시가 교대로 흙을 파고 망을 본다. 2층 건물 공동주택이어서 옆집으로 작업 소리가 새어나가지 않도록 사사키는 벽을 향해 라디오 소리를 크게 틀기도 하고 테이프에 자신이 녹음한 독경 소리를 틀기도 했다.

4월 1일, 이다바시역 근처의 커피숍 '홀가분한 마음(軽い心)'에서 마사시는 사이토와 만났다. 사이토는 시찰단을 중개하고 있는 긴자의 한국산업경제연구소(도쿄도 주오구 긴자 7초메 도키와 빌딩 5층)도 동시에 폭파하고 싶다고 해서 뇌관 하나를 추가하고 싶다며 부탁했다. 이 연구소는 한국에 경제적으로 진출하고 싶어 하는 일본 기업에 자료를 제공하고 있었다.

"4월 19일에 할 생각이야"라고 사이토가 말했을 때 마사시는 잠자코 고개를 끄덕였다. 그날이 이승만 정권을 타도한 4·19 혁명 기념일이라는 것은 설명하지 않아도 알고 있었다.

4월 19일 새벽 1시 전부터 마사시는 FM 라디오를 개조한 수신기로 경찰 무선을 들으며 한국산업경제연구소의 폭파를 확인했다. 이튿날 신문을 통해 자세한 내용을 알게 됐다. 현장의 바닥에 구멍이 뚫리고 4, 5층의 유리창이 날아갔으며 일부 창틀이 떨어졌다. 사람이 없었기에 부상자는 나오지 않았다. 마찬가지로 새벽 1시, 아마가사키시 간다키타도리 1초메의 다이이치마쓰모토(第一松本) 빌딩 7층의 오리엔탈메탈제조에서도 폭발이 일어났다. 여기서도 부상자는 나오지 않았다. 이날 밤 한국산업경제연구소의 송(宋) 소장은 기자회견을 해서 시찰단의 방한 중지를 표명했다.

그리고 이때부터 정확히 한 달 후에 동아시아반일무장전선의 세 부대는 '전갈'의 우가진과 기리시마를 제외하고 모두 체포된다. 전원의 체포 영장에는 한국산업경제연구소의 폭파 혐의라고 되어 있었지만 한국산업경제연구소 폭파 때 실제로 움직인 것은 '대지의 엄니'의 사이토와 에키다뿐이고 다른 부대에서는 아무도 직접 관여하지 않았다. '늑대'가 뇌관을 제공했다고 하더라도 염탐 단계에서 수사진이 거기까지 파악하고 있을 리는 없을 것이고, 어쩌면 이 체포영장은 경찰로서도 일종의 도박이었던 게 아니었을까 싶다.

나중에 신문이나 주간지에서는 체포의 계기가 되었던 것으로 보이는 몇 가지 증거를 밝혔다. 예컨대 한국산업경제연구소 폭파 전날 밤에 사전 답사를 위해 현장에 나타난 사사키가 목격되었다고 한다. 하지만 '대지의 엄니'의 단독행위에 '늑대'의 사사키가 위험을 무릅쓰기까지 해서 사전 답사를 하러 갔을 리가 없다. 또한 사이토의 공동주택 휴지

통에서 시한장치에 쓴 것으로 보이는 소형 탁상시계 20개의 영수증이 발견되었다는 이야기는 아무래도 꾸며낸 이야기 같았다. 세심한 주의를 기울이며 행동하고 있는 사이토가 20개나 되는 탁상시계를 한꺼번에 살 리가 있겠는가. 그 밖의 '증거'도 너무나도 작위적인 냄새가 나서 결정적인 증거를 확보한 상태의 일제 검거였다고는 생각할 수 없었다. 아마도 긴 미행으로 세 사람의 밀접한 관계를 확인한 후 '대지의 엄니'의 한국산업경제연구소 폭파를 수사관이 현장에서 목격하고, 그것을 돌파구로 하여 전원 체포라는 도박이 맞아떨어져 가택수색을 할 수 있었고 그 엄청난 양의 증거들과 지하 무기 제조 공장을 발견했을 것이다.

이 시기에 마사시는 벌써 거기까지 수사망이 좁혀져 있을 거라고는 꿈에도 생각하지 못하고 《하라하라 시계 Vol. 2》 원고를 쓰고 있었다. 이번에는 뇌관 만드는 법이 중심이 되었기 때문에 아야코도 함께 뇌관 해설을 맡았다. 이것을 지하 출판으로 낼지 어떨지는 아직 정하지 않았지만, 사이토와 구로카와에게 건넴으로써 앞으로는 두 부대에도 자력으로 뇌관을 만들게 할 생각이었다.

세 부대의 마지막 폭탄을 터뜨린 것은 '전갈'이다. 4월 28일 새벽 0시가 지나 지바현 이치카와시에 있는 하자마구미 게이세이에도가와(京成江戸川) 작업소 내의 조립식 사무소의 마루 밑에서 폭발이 일어나 숙직실에서 자고 있던 당직 사원이 중상을 입었다. 구로카와, 우가진, 기리시마는 몇 번이나 사전 답사를 가서 확인했기 때문에 밤에는 숙직실에도 사람이 없을 거라고 판단했다. 하지만 오판을 해서 중상자를 내고 말았다. 동시에 설치한 에도가와 철교 공사 현장의 폭탄은 불발로 끝났다. '전갈'이 불발된 폭탄에 대해 상의를 하자 마사시는 회수해서 해체하는 게 어떻겠느냐고 권했지만 불발의 원인을 알 수 없는 이상 폭탄에 손대는 것은 위험했다. 되도록 빨리 처치하지 않으면 또 많은 사상자를 낼 우려가 있다. 결국 또 하나의 폭탄을 설치하여 같이 폭발하게 하는 방법을 취하기로 했다. 하지만 뇌관을 만들 시간이 없어 기폭 장치로는 가스 점화 히터를 사용했다. 5월 4일 새벽, 에도가와 철교 공사 현장에서 폭발이 일어나 하천 부지에 놓여 있던 볼트 최종 조임용 엔진콤프레샤가 부서져 산산조각이 났다.

이것이 동아시아반일무장전선 세 부대가 계속해서 터뜨린 폭탄의 마지막 굉음이었다. 일제 검거까지 앞으로 15일밖에 남아 있지 않았다. 마사시가 폭탄을 만드는 일은 이제 두 번 다시 없었다.

내가 편집 발행인인 월간 소식지 〈풀뿌리 통신(草の根通信)〉은 전국에 2,000명이 좀 안 되는 독자를 갖고 있다. 원래는 부젠(豊前) 화력발전소 건설 금지 재판을 널리 알릴 목적으로 1973년 4월에 창간한 운동 기관지이지만, 그 재판이 패소하고 실질적으로 부젠 화력발전소 반대 운동이 끝난 후에도 독자의 요청에 따라 발행을 계속하고 있다. 환경 문제에서 확대되어 다양한 문제를 지면에 싣고 있지만,

모두 이론이나 관념적인 주장이 아니라 각각의 생활 수준에서 받아들이는 방법을 다룬다는 데 특징이 있다고 할 수 있다.

〈풀뿌리 통신〉 제142호(1984년 9월호)에 다케모토 노부히로(필명 다키타 오사무), 다이도지 마사시, 가마타 도시히코라는 옥중에 있는 사람이 내게 보낸 서신 세 통을 나란히 게재한 것은 내가 느낀 놀라움을 많은 독자에게 전하고 싶다는 생각에서였다. 세 사람이 각자 다른 방식으로 편지를 통해 《두붓집의 사계》가 옥중 정치범들 사이에서 갑자기 뜨거운 붐을 일으킨 경위를 알려준 것은 내게도 그러했던 것처럼 많은 독자에게도 놀라움을 줄 것이다. 그리고 나는 이를 계기로 옥중의 그들을 생각하기 시작하는 사람이 나오지 않을까 하는 기대를 품기도 했다.

하지만 반응은 냉혹했다. 당신은 그런 흉악한 과격파와 상관해서는 안 된다는 충고가 많이 왔다. 나는 세 사람의 편지 각각에 감동했고, 〈풀뿌리 통신〉 독자에게도 그것이 순순히 받아들여질 것이라는 믿음이 있었다. 하지만 그것은 너무 안이한 판단이었다. 그래도 나는 간헐적으로 몇몇 기사에 지나지 않지만 그들에 대한 이야기를 싣는 걸 그만두지 않았다.

거의 1년 후인 제153호(1985년 8월호)에 나는 "〈풀뿌리 통신〉은 왜 동아시아반일무장전선에 대한 이야기를 싣는가"라는 글을 발표한다. 이것은 이를테면 〈풀뿌리 통신〉 독자에게 한 해명이다. 나는 이런 해명을 하지 않을 수 없는 지경에 내몰렸다. 직접적인 계기는 〈풀뿌리 통신〉의 열성적인 독자인 한 여성으로부터 받은 구독을 거절하겠다고 알리는 편지였다.

〈풀뿌리 통신〉의 독자가 된 지 2년 반이 되었습니다. 지상에서 루이 씨, 도쿠(得) 씨, 레이코 씨… 등 아직 보지 못한 많은 분들과 알게 되어 시골 사람인 저는 여러 가지로 '살아가는' 자세를 알고 매월 즐겁게 읽고 있었습니다.

그런데 지난 반년쯤 개운하지 않은 기분이 들었습니다. 이유는 동아시아반일무장전선의 다이도지 마사시 씨를 옹호하는 기사가 실리기 시작했기 때문입니다. 어려운 것은 모르겠지만, 저는 어떤 이유든 폭력이 아주 싫습니다. 지금도 빌딩 폭파 때의 후유증으로 고통을 겪고 있는 많은 사람을 생각하면 마음이 아픕니다. 그 범인들을, 인간의 생명을 지키는 운동을 하는 〈풀뿌리 통신〉이 다정한 문장으로 옹호하고 있는 것을 도저히 이해할 수가 없습니다. 그것은 실수였다, 예측할 수 없는 사태였다고 반성하고 있는 듯한 기사도 있었던 것 같습니다만, 일반 시민들까지 희생시킨 죄는 무겁다고 생각합니다.

당분간 마음이 말끔히 정리될 때까지 〈풀뿌리 통신〉 구독을 쉬고 싶습니다. 언짢게 생각하지 마시고 이해해 주시기 바랍니다.

이 편지를 쓴 M 씨는 내가 강연하러 간 곳에서 직접 알게 된 독자로, 이를테면 친한 사이라고 해도 좋은 관계다. 그래서 그 사람이 내민 거절의 편지는 내 가슴에 박혔다. 이 사람이 이렇게까지 반발한다는 것은, 마찬가지로 불신이나 불안, 당혹감을 품은 독자가 많이 잠재해 있다고 생각하지 않으면 안 될 것이다. 나는 독자를 향한 해명의 글을,《두붓집의 사계》를 매개로 한 만남에서부터 쓰기 시작하여 그들이 무엇을 목표로 하여 폭탄을 설치하고 왜 그렇게 큰 실수를 저질렀는지를 설명한 후, 지금 나는 그것을 어떻게 생각하려 하는지를 말했다. 그런데 그 후반부는 M 씨에 대한 호소가 되었다.

그들이 체포된 직후 미디어가 일제히 린치를 가하는 것처럼 규탄하는 가운데서 재빨리 구원 활동을 시작한 '구원연락센터'의 미토 이와오(水戸巖) 씨는 일본독서신문에 다음과 같이 썼습니다.

또 한 가지, (신문에) "뭐가 불만이어서 이런 일을 했는가"라는 표현이 있었습니다. 이것이 기자의 작문이 아니라는 전제하의 이야기이지만, 저는 섬뜩함을 느낍니다. 베트남 인민의 생혈과 조선 인민의 생혈로 뒤룩뒤룩 살찐 기업과 그 위에서 사는 일본. 아름다운 마음을 가진 젊은이가 이것에 의심이나 고통, 불만을 품지 않을 수 있을까요? "뭐가 불만이어서…"라고 열을 올려 말하는 것이 만약 일본 민중의 압도적 다수라면 그리 멀지 않은 장래에 일본의 민중도—

이라고 하면 바로 저도, 저의 자식도 포함됩니다만—, 피로 살찐 기업과 함께 멸망하게 되는 것은 틀림없겠지요. 폭탄 따위와는 차원이 다른 규모로 말입니다.

전공투 학생들은 자신들이 대학생이라는 '특권'을 부정하며 싸웠습니다. 그런데 동아시아반일무장전선의 그들은 거기서 더 나아가 스스로가 '일본인'이라는 '특권'도 부정한 점에서 자기 부정이 아주 철저했습니다.

전시의 침략, 강제연행, 그리고 전후에도 경제 침략으로 GNP 대국이 된 일본. 그 일본을 넘어뜨림(개조함)으로써 아시아 사람들과 연대하려고 한 그들이 선택한 방법이 침략 기업에 대한 폭파 공격이었습니다.

바로 우리와 생각이 같았다고 할 수 있습니다. 우리도 1973년 당시 '어둠의 사상(暗闇の思想)'을 내세우며 거대 개발이나 거대 에너지에 대한 반대를 주장하는 가운데 그 이상의 경제 침략을 그만두어야 한다고 호소했습니다. 다만 그 구체적 운동이 폭탄을 설치하는 것이 아니라 발전소 건설 반대였지만 말입니다.

M 씨. 저는 동아시아반일무장전선의 그들이 더할 나위 없이 성실했기에 그렇게까지 가버렸다고 단언할 수 있습니다.

안전한 일본에서 '베트남 전쟁 반대'를 1,000번 외쳐도 아무런 힘이 되지 않습니다. 실제로 베트남의 미군을 돕는 활동을 하는 국내 기업에 폭탄을 설치하는 것이야말로 진정한 연대라는 생각을 저는 부정할 수가 없습니다.

그들이 사람을 살상할 의도를 갖지 않았다는 것도 분명

합니다. 여러 가지 불행한 실수가 겹쳐서 마루노우치의 대참사가 발생했고 그들은 그것에 심각한 타격을 받았습니다. (이후 폭탄을 소형화하여 사상자를 내지 않도록 여러 가지로 궁리합니다.)

여덟 명의 사망자가 나왔다는 무거운 사실은 그들 위를 덮치는 십자가이고, 살아 있는 한 그것에서 해방되지 못하는 통탄할 만한 일입니다. 그들은 옥중에서 그것을 피를 토하는 심정으로 거듭 자기비판을 하고 있습니다. 알면 알수록 저는 그들을 사형에 처해서는 안 된다고 생각합니다. 무엇보다도 저는 그(다이도지 마사시)를 개인적으로 **알아버렸습니다**. 편지를 주고받고 면회를 해서 서로 알게 된 것입니다. 그런 그가 사형에 처해질 것이라고 생각하면 견딜 수 없는 심정입니다. 어떻게 해서든 많은 사람에게 그들을 알게 하고 싶습니다. 폭탄마라는 캠페인으로 칠해져 감옥 저편에 격리되어버린 그들의 '진정한 모습'을 알게 하고 싶은 심정이 제게 작품을 구상하게 하고 있습니다. 하지만 재능이 없어서 전혀 완성되지 않고 진척되지 않아 조바심을 내고 있습니다.

M 씨. 이렇게 생각할 수는 없을까요? 아무것도 하지 않는 자는 그만큼 실수도 하지 않는 법입니다. 그리고 많은 사람은 부정을 보고도 모른 척하며 아무 일도 하지 않습니다. 동아시아반일무장전선의 그들은 이를테면 '시대가 짊어진 고통'을 자기 몸으로 떠맡아 사건을 일으킨 것이고, 그렇기 때문에 다수의 생명을 살상시키는 돌이킬 수 없는 잘못을 저

지르고 말았던 것입니다. 그 잘못만을 공격하고 아무것도 하지 않는 우리가 그들을 지탄할 수 있을까요. 극악범이라며 절연할 수 있을까요.

저는 할 수 없습니다. 저는 그들의 고통을 계속 다루고 싶습니다. 〈풀뿌리 통신〉은 앞으로도 기회가 있으면 그들의 이야기를 전할 것입니다. 그 때문에 독자가 줄어든다면 그건 어쩔 수 없는 일입니다.

하지만 사실 M 씨도 언젠가는 다시 돌아오기를 바라고 있습니다.

동아시아반일무장전선을 생각하려는 사람에게 반드시 '걸림돌'이 되는 것이 여덟 명의 사망자라는 존재다. 1974년 8월 30일, 벼락을 맞은 것처럼 갑자기 죽임을 당한 여덟 명 측에서 이 사건을 보면, 설령 아무리 '늑대'를 위해 해명을 한다고 해도 그 모든 말은 허망해지고 만다.

앞의 글을 쓰고 얼마 지나지 않은 9월 28일, 나는 교토에서 "동아시아반일무장전선의 투쟁과 우리의 현재"라는 제목으로 강연을 했다. 그런데 그 후 질의 시간 첫머리에 한 젊은이가 일어나 "사상적인 것은 차치하고 여덟 명이나 되는 사람이 죽은 사실에 대해서는 죄를 물어야 하지 않겠나. 구원 운동을 하는 사람들은 사형에 반대하고 있는데, 그렇다면 20년 형이라면 납득하는가"라는 취지의 질문을 했다.

회장에서는 이 젊은이를 설득하려고 몇 사람이 차례로 일어나 생각을 말했다. 예컨대 사람을 죽였다는 것에서 말하자면 천황은 지난 대전에서 무수한 병사를 죽게 했으나 그 책임을 지었는가. 권력이 '늑대'를 심판한다면 그 전에 우선 천황부터 심판해야 하지 않겠느냐 하는 반론. 또는 수은을 미나마타만에 흘려보내 엄청난 사망자를 낸 회사가 고의로 살인하지 않았다는 이유로 벌을 면했다는 사실을 들며 왜 살의가 없었던 '늑대'들만 사형에 처하려고 하는가 하는 반론이었다.

하지만 사망자를 중요시하는 젊은이는 반론이 아무리 되풀이되어도 납득할 수 없었는지, 나를 지명하며 답변을 요구했다. 그때 나는 나도 모르게 흥분하고 말았다. 내게는 그의 질문이 너무나도 방관자적으로 보였다. 사망자가 나온 일로 가장 괴로워하고 있는 사람은 죽여버린 그들 자신이고, 아무것도 하지 않았기에 안전한 곳에 있는 우리가 그들을 제3자의 위치에서 심판할 수는 없지 않나, 강연에서 그렇게나 강조했는데 아직도 그것을 묻는지, 솟아오른 분노가 내 말을 평소와 다르게 거칠게 만들고 말았다.

나는 그 후 한동안 그때 젊은이가 했던 질문을 분노의 말로 막아버린 것에 자기혐오를 갖게 되었다. 하지만 냉정하게 생각해 보면 그 격앙은 그의 질문에 답할 수 없는 답답함 때문이었을 것이다. 실제로 어떻게 대답하면 그 젊은이를 납득시킬 수 있었을까. 사망자를 중심에 놓고 생각하는 한 거기서 한 발짝도 움직일 수 없고, 사방이 막힌 막다른 골목에 머물러 있을 수밖에 없다. 결국 그런 불모의 정체(停滯)에서는 아무것도 시작되지 않는다. 그렇다면 사망자에게 계속 집착하는, 얼핏 성실해 보이는 입장이라는 것은 사실 모든 사고 회로를 닫아버리는 일이 아닐까 하는 생각을 하지 않을 수 없다.

어쩌면 사죄라는 것도 관련되어 있을지 모른다. 다이도지 마사시는 조사 과정이나 법정에서 사망자에 대한 사죄를 표명하지 않았다. 그래서 그에게는 반성이나 마음의 고통이 없다는 말을 듣기도 한다. 하지만 국가 권력 앞에서 사죄한다는 것과 그의 본심이 사죄한다는 것은 전혀 다른 일이다.

다이도지 마사시는 미쓰비시중공업 빌딩 폭파로 사망자가 나온 것에 대한 자기비판을 이따금 글로 썼는데 여기서는 치캇푸 미에코(チカップ美惠子)에게 보낸 편지(1982년 12월 21일)의 일부를 인용한다. 치캇푸 미에코는 마사시의 중학 시절 동급생으로 아이누 여성이다. 다이도지 마사시가 체포되었을 때 "그 어린 양처럼 얌전했던 다이도지가…" 하며 큰 충격을 받은 한 사람이다. 그는 아이누로서의 긍지를 갖고 살기로 결심하고 아이누 문양 자수를 계속하고 있는데 마사시의 폭탄 투쟁이 가진 진정한 의의를 정확히 받아들인 한 사람이기도 하다. 마사시는 그에게 보낸 편지에 이렇게 썼다.

— 이처럼 무장투쟁의 원칙에서 일탈한, 당시 우리의 미숙함은 '늑대' 부대의 사상적 미숙함으로도 규정되었다고 생각합니다. 그것은 일본 인민이 역사적으로 축적해 온 무

겁고 깊은 반혁명성에 대한 견딜 수 없는 마음, 예를 들어 자신들만 괜찮으면 베트남 인민이 미군에게 죽임을 당하든 말든, 한국이나 필리핀에서 일본의 원조를 받은 군사독재 정권이 인민을 탄압하든 말든 '내 알 바 아니다'라는 수많은 일본 인민에 대한 절망감과 불신감을 없애지 못했습니다. 이로 인해 우리 자신을 포함한 일본 인민의 생명에 대한 경시가 있었던 것이라고 생각합니다. 그리고 우리 자신이 일본 인민의 일원이고, 일본 인민을 부정하든 긍정하든 일본 인민과 함께 걸어가지 않으면 안 된다는 가장 기본적인 사실을 잊고 말았다는 것이겠지요. 이런 사상적 미숙함이 그 허술한 작전 계획의 배경에 있었다는 것은 부정할 수가 없습니다.

이렇게도 말할 수 있겠지요. 즉 지금 당장 공격해야 할 적이 누구인지를 명확히 할 수 없었기에 언젠가 하나가 되어야 할 사람들, 그리고 권력의 탄압에서 방어해야 할 사람들을 보지 못하고 살상해 버린 것이라고 말이지요. 우리는 인민이라는 살아있는 구체적인 존재를, 인민 또는 대중이라는 개념으로만 이해하고 있었던 것입니다. 다시 말해 한 사람 한 사람 다른 얼굴, 이름, 온기를 가지고 다른 생활을 하는 사람을 인민, 또는 대중이라는 개념으로 일괄해서 규정하고, 그래도 되는 것으로 생각했던 것입니다. 우리의 관념성은 미쓰비시중공업 빌딩 폭파의 결과인 여덟 명의 사망자와 300여 명의 부상자를 내고 말았다는 결과를 직면하고, 그 사상자 한 분 한 분과 구체적으로 마주함으로써 비로소

의식할 수 있게 됐습니다. 우리의 잘못은 혹독하게 규탄되지 않으면 안 됩니다. 저는 거듭 자기비판을 심화하고 있습니다.

저는 먼저 우리가 살상한 분들에게 사죄하지 않으면 안 된다고 썼습니다. 그리고 이런 가벼운 말로 끝내서는 안 된다는 것도 잘 알고 있습니다. 저의 속마음은 말로 표현할 수 없지만, 굳이 표현하자면 그렇게 되고 맙니다. 또 저의 자기비판은 미쓰비시중공업 빌딩 폭파의 잘못과 실패를 극복하는 투쟁을 해나감으로써 진실로 해방되어야 할 인민을 위해, 인민과 함께 싸워나감으로써 말로만 끝내지 않겠다는 결의에 닿아 있습니다.

말로는 표현할 수 없다는 사망자에 대한 사죄를 마사시가 자신의 육체로 보여준 것은 이 치캇푸 미에코에게 보낸 편지를 쓰기 얼마 전의 일이었다. 다이도지 마사시 등에 대한 항소심 판결이 내려진 1982년 10월 29일, 우정성(郵政省)의 소포취급소인 도쿄남부집중국(集中局)에서 소포로 위장한 폭탄이 터져 두 명의 직원이 중상을 입은 사건이 발생했다. 언론은 일제히 항소심 판결에 대한 과격파의 무차별 보복 테러로 보도했다. 이 사건을 안 마사시는 누가 어떤 의도로 저지른 사건인지 모르지만 예전에 자신들의 미쓰비시중공업 빌딩 폭파에서 저지른 통한의 실패가 교훈이 되지 못한 것에 자책하다 끝내 하혈하여 병사(病舍)로 옮겨지는 사태에 이르렀다.

제5장

무지개 작전

1

쓰치다 경시총감이 일련의 기업 폭파 사건의 전모가 거의 밝혀졌다고 발표한 것은 일제 검거한 날로부터 불과 22일째인 6월 9일이다. 그 직후 검찰을 뒤흔드는 사실이 밝혀졌다.

조사 주임 검사인 오야자키 사다오(親崎定雄)는 일찍이 압수한 방대한 증거품을 살펴보는 중에 '늑대'들이 연쇄 기업 폭파 이외에 중요한 뭔가를 숨기고 있는 것 같다고 생각했다. 증거품 중에 연쇄 기업 폭파와는 관련되지 않은 기묘한 물건이 여러 개 있어서 그것들을 골라내 검토하다가 어떤 가공할 만한 사실이 떠오른 것이다. 너무나도 중대한 문제여서 오야자키는 골라낸 증거품을 자기 앞에 올려놓고 5월 25일 공안부장 다쓰미 노부오(辰巳信夫)에게 '어떤 추정'을 보고했다. 다쓰미 검사도 일의 중대함에 놀라 이 건은 당분간 덮어두라고 지시했다. 그래서 오야자키 앞의 증거품은 다른 검사에게도 알려지지 않은 채 금고에 밀봉되었다.

하지만 결국 오야자키 검사는 그 건을 조사하지 않을 수 없게 된다. 미쓰비시중공업 빌딩 폭파에 사용한 폭탄의 제조일에 관한 '늑대'들 한 사람 한 사람의 진술이 엇갈렸기 때문이다. 사건의 진상을 밝히기 위해서는 폭탄의 제조일을 확정해야 했다. 오야자키는 이 진술이 엇갈리는 이유는 그들이 덮고 있는 그 사실 때문일 것이라고 짐작했다. 그는 우선 다이도지 아야코의 조사를 맡고 있는 검사인 쓰루 마사히코(水流正彦)에게 자신의 추리를 밝힌 후 이 건을 아야코로부터 극비로 알아내도록 지시한다.

6월 19일 히몬야 경찰서의 조사실에서 아야코는 밤까지 연쇄 기업 폭파 관련 조서를 세 개나 썼으나 이날의 조사는 그것으로 끝나지 않았다. 9시경이 되자 검사 쓰루 마사히코가 갑자기 긴장된 태도를 보였다.

"당신한테 계속 물어보고 싶은 것이 있었어요. 지금이라면 말해주지 않을까 해서 물어보는 건데…."

검사가 약간 말을 머뭇거렸을 때 아야코는 등골이 오싹해졌다. 드디어 올 것이 온 거라고 각오했다.

"당신은 여러 가지 의미에서 가장 중대한 것을 숨기고 있는 것 같아요. 미쓰비시의 폭탄에는 의문점이 너무 많거든요. 예를 들어 당신들이 말한 제조일이 각각 달라요. 왜 그런 것까지 서로 거짓말을 하는 걸까요. 그런 건 의미가 없는 것 같은데. 게다가 또 한 가지 이상한 것은 당신들이 폭탄을 만들고 나서 미쓰비시 폭파를 결정했다는 사실이에요. 당신들은 단순한 폭탄 마니아가 아닐 테니까 그렇게 철저하지 못한 일은 하지 않겠지요. 그리고 두 개의 폭탄에는 양쪽에 뇌관이 붙어 있고 시한장치가 설치되었어요. 처음부터 미쓰비시를 계획하고 있었다면 그렇게 할 필요는 없었을 텐데요. — 사실은 뭔가 다른 계획이 있었던 거 아닌가요?"

역시 그것이었다. 아야코는 체포되어 변호사와의 첫 접견에서 "무지개는 술술 흐른다"라는 암호를 마사시에게 전했는데 이는 무지개 작전은 덮자는 의미였다. 이 암호는 다른 동지들에게도 전해졌을 것이고, 지금까지 검찰은 무지개 작전의 존재를 모르고 있었다. 하지만 그는 그만큼의 증거를 압수한 이상 언젠가는 밝혀질지도 모른다는 불안도 지울 수 없었다. 드디어 그때가 온 것이다.

"나는 당신들이 체포된 날부터 당신을 조사하러 들어올 때까지 증거품을 하나도 빼놓지 않고 봐왔어요. — 발파 장치나 시각표를 쓴 노트도 살펴봤고요. 그 결과 하나의 사실을 추정하게 됐습니다."

쓰루 마사히코가 그렇게까지 말하자 아야코는 체념하지 않을 수 없었다. 마사시가 써서 남긴 열차 시각표 메모가 결정적인 증거로 보였다. 이렇게 된 이상 적극적으로 무지개 작전을 밝혀 천황과 부르주아 지배 계급을 공포에 빠뜨려야 한다고 아야코는 결심했다. 그가 무지개 작전의 대략을 다 진술한 것은 거의 자정이 다 되었을 때였다. 자세한 내용까지는 다루지 않고 개략적인 진술이었으나 다 듣고 난 쓰루 마사히코의 얼굴은 밤의 등불 아래 창백해져 있었다.

쓰루 마사히코의 보고를 받은 오야자키 사다오도 큰 충격을 받았다. 그도 추정은 하고 있었으나 한편으로 어디까지나 '늑대'들의 머릿속에만 있던 계획이라는 믿음도 지우지 못하고 있었다. 하지만 아야코의 진술로 무지개 작전이 실행되었다는 것을 인정할 수밖에 없었다. 그는 다른 검사에게도 지시하여 일제히 '늑대'들로부터 무지개 작전에 대한 진술을 받게 했다. 미타 경찰서에서 가타오카 도시아키의 진술이 6월 21일에 이루어졌고 이에 따라 상세한 조서가 꾸며졌다. 검찰은 무지개 작전의 전모를 거의 파악했고, 6월 25일 아자부 경찰서에서 이루어진 마사시의 진술은 확인 절차 같은 것이 되었다. 그날 밤 아자부 경찰서의 조사실에 나타난 검사 다카하시 다케오도 무척 흥분해서 평소와 달리 표정이 굳어져 있었다.

"고바야시, 여기는 나 혼자도 충분하니까 자네는 저쪽에서 대기해 주게. 끝나면 부를 테니까."

이렇게 말하며 늘 옆에 있는 검찰 사무관을 내보내고 방문을 닫았다. 다카하시는 목소리까지 낮추었다. "당신한테 꼭 물어보고 싶은 게 생겼어요. 다른 데서는 말하지 않을 테니까 나한테만 말해주었으면 해요."

평소라면 자네라든가 다이도지라고 부르는데 어쩐 일인지 호칭을 당신으로 부르자 마사시는 묘한 느낌이 들었다. 무지개 작전이 들켰다는 것은 곧바로 알아차렸다. 연쇄 기업 폭파 사건에 대해 진술하고 있는 이상 이제 와서 무지개 작전만 덮을 이유는 없었다. 지금까지 덮고 있었던 건 무지개 작전을 감추자는 아야코의 전언과 질문을 받지 않았기 때문이었다. 마사시는 그날 밤 묻는 대로 대답했다.

"미쓰비시중공업 빌딩 앞에 설치한 두 개의 폭탄은 처음부터 미쓰비시 기업에 설치할 것을 목적으로 제조한 것이 아니라, 사실은 천황이 탄 열차를 폭파하여 천황을 암살할 목적으로 제조한 것입니다."

이렇게 말하기 시작한 진술의 마지막을 마사시는 다음과 같이 맺었다.

"또한 천황 암살 계획을 우리는 무지개 작전이라고 불렀습니다."

다이도지 아야코, 가타오카 도시아키, 다이도지 마사시의 진술로(사사키 노리오는 진술을 거부했다), 무지개 작전의 전모가 일거에 밝혀졌다. 하지만 검찰은 이 작전 관련 조서만은 따로 철해서 감추고 경찰에도 새어나가지 않도록 했다. 9월 30일 천황의 방미를 앞둔 지금 천황 암살 미수 사건이 세상에 새어나가면 사회적 영향이 너무나도 클 것이라고 판단했기 때문이다. 마사시 등도 이 건을 접견한 변호사에게조차 털어놓지 않았기 때문에 무지개 작전의 존재가 조사실 밖으로 전해지는 일은 없었다.

나중에 마사시는 〈항소이유서〉에서 왜 '늑대'가 천황을 노렸는지를 다음과 같이 말했다.

> 메이지 헌법 아래 일본 제국의 유일한 최고 통치권자이고 '황군'의 유일한 최고 통수권자이며 나아가 신적 권위까지 갖고 있던 천황 히로히토는 일본 제국의 판도를 확대하려고 '황군'의 중국, 동남아시아, 남태평양 제도 등에 대한 침략을 지휘하고 명령을 내렸다.
>
> 1945년 일본 제국의 패배에 이르기까지 천황 히로히토의 지휘와 명령으로 '황군'은 중국, 동남아시아, 남태평양 제도 등에서 현지 인민을 죽이고 가옥, 논밭 등을 불태우며 식량, 자원을 빼앗고 부녀자를 범하고 죽이는 침략 전쟁을 수행하

여 수천만 아시아 인민을 학살했다. 조선 인민, 타이완 인민은 '황민'화를 강제당해 일본어 사용, 일본 이름으로의 개명을 강요당했다. 그리고 남자는 '황군'의 총알받이로 미쓰이, 미쓰비시, 가시마, 오쿠라(현재의 다이세이), 하자마구미 등 일제 기업의 일회용 노동력으로, 또한 부녀자는 '황군'의 성욕 처리를 위한 종군위안부로 일본 본국, 동남아시아, 남태평양 제도 등으로 강제연행되었고, 그중 많은 사람이 학살당했다.

천황 히로히토야말로 온갖 나쁜 짓을 다 저지른 침략 전쟁을 '성전(聖戰)'이라 칭하며 지휘하고 명령하여 조선, 타이완, '만주' 등을 식민지로 지배한 일본 제국의 최고 책임자였다.

일본 제국의 패배와 함께 천황 히로히토는 맨 먼저 처형되지 않으면 안 되는 전범, 반혁명 범죄인이었다. 천황의 전쟁 범죄를 직접 경험하고 천황제 파시즘 아래 억압과 굴종을 강요받아 온 수억의 아시아 인민, 국내 하층민은 무엇보다 천황 히로히토의 처형을 요구했다. 그러나 USA 제국을 필두로 하는 세계 제국주의는 천황의 신적 권위를 이용하여 일제 본국에서의 혁명을 저지하고 조선 등의 주변국으로 파급되는 것을 저지하기 위해 천황의 전쟁 범죄를 불문에 부쳤다.

천황의 전쟁 책임을 불문에 부치고 그 존재를 계속 허락하는 이상 동아시반일무장전선에 자원하는 자신들의 사상도 행동도 모두 거짓말이 된다고 마사시 등은 생각했다. 자신들의 사상에 성실하려고 한다면 그렇게 될 수밖에 없었다.

'늑대'들 사이에서 천황을 표적으로 하자는 이야기가 나오기 시작한 것은 마사시의 진술로는 1973년 봄부터, 가타오카의 진술로는 여름부터다. 7월 말에 가타오카가 모형 권총을 개조한 권총 1호를 완성하면서 폭탄이 아닌 저격에 의한 암살도 가능해져서 계획을 구체화하기 시작했다. 하지만 천황을 표적으로 하는 것은 무척 어려운 일이었다. 천황의 행동 패턴을 포착할 수 없는 데다 황거(皇居)는 경비가 삼엄하여 침입할 수가 없다. 결국 그해 여름 단계에서는 좀 더 부대의 힘을 키우고 나서 검토하는 것으로 보류했다. 하지만 그 직후에 후지사와 요시미가 이탈해서 '늑대'의 힘은 더욱 약해진다. 게다가 1974년 초에는 아라이 나호코도 떠나 '늑대' 멤버는 다이도지 마사시, 다이도지 아야코, 가타오카 도시아키, 이 세 명만 남게 된다. 이 시기 마사시는 집필 중이던 《하라하라 시계》에서 "'늑대'가 일본인 혁명가로서 무엇보다 먼저 끝까지 싸우지 않으면 안 되는 것은 일제의 역사, 일제의 구조 총체에 대해 '청산하는' 것임을 확신한다"고 썼다. 이것은 말을 바꾼 '천황 공격 선언'이나 다름없었다. 이처럼 그들은 결코 포기하지 않았다. '늑대'로서는 그것부터 하지 않으면 아무것도 시작할 수 없었다.

1974년 1월 말, 가타오카는 마사시의 공동주택으로 찾아와 "천황 문제를 하루라도 빨리 착수하자"고 제안했다. 이

시기는 그때까지 하나의 행동 목표였던 《하라하라 시계》를 인쇄소에 건네고 나서 결과물을 기다리는 공백기였다. 다음 행동 목표가 정해지지 않자 가타오카는 초조해하고 있었다. 마사시도 아야코도 다른 생각이 있던 것은 아니어서 곧장 구체적인 검토에 들어갔다.

마사시와 아야코가 미나미센주 6초메 49번지의 공동주택에서 같은 미나미센주 6초메 26번지 12호의 오토모소로 이사한 것은 2월 말이다. 아야코는 그때까지 근무했던 오우치(大内) 병원을 그만두고 5월부터 무토 화학약품에 근무하게 된다. 폭탄 재료로 쓸 약품의 입수를 생각해서 옮긴 것이다. 가타오카도 5월 중순에 아라카와구 마치야의 고급 공동주택인 고바야시소로 이사하고, 6월 중순에는 무기 제조 공장을 완성했다. 그는 직업훈련소를 졸업하고 시모마루코의 캐논 공장에 근무하기 시작했다. 그리고 앞 장에서 말한 대로 사사키 노리오가 마사시의 권유로 '늑대' 부대에 들어온 것은 이 시기다.

5월 연휴에 '늑대' 멤버는 지치부로 2박의 캠프를 간다. 지치부 철도의 우라야마구치역에서 내린 멤버들은 우라야마가와(浦山川)를 따라 강변을 걸어 우라야마 계곡으로 향하는 도중의 강가에 텐트를 쳤다. 인가에서 떨어진 산속 캠프에서 천황 암살 계획의 최종적인 의지를 확인하는 것이 주된 목적이었다. 그리고 또 한 가지 새로운 멤버 사사키와 친해지려는 목적도 있었다. 캠프지에 도착했을 때 사사키는 아직 어색해서인지 떨어진 곳에서 점심 도시락을 먹으려고 했다. 그래서 마사시가 "야, 여기서 같이 먹자"라고 말을 걸어야 했다.

밤이 되자 5월 초의 산속은 역시 추워졌다. 모두 스웨터나 점퍼를 껴입고 아야코는 발을 침낭으로 휘감은 채 천황 암살 계획을 검토했다. 휴대용 풍로로 끓인 홍차를 자주 마셨기 때문에 다들 여러 번 소변을 보러 밖으로 나갔다. 산속 하늘에는 별들이 당장이라도 쏟아질 것처럼 온통 빛나고 있었다.

"마루텐의 행동을 과거 10년에 걸쳐 신문 등에서 조사했는데 설의 궁중 참하(參賀, 궁중에 가서 축하의 뜻을 표하는 행사—옮긴이)와 8월 15일 부도칸에서 열리는 패전기념일 행사. 그리고 국회 개회식에는 반드시 사람들 앞에 모습을 드러내. 그런데 국회 개회식은 언제가 될지 알 수가 없어. — 그리고 궁중 참하의 경우, 마루텐은 방탄유리 안쪽에 있으니까 공격은 불가능하고."

텐트 안에서 어깨를 맞대고 마사시가 지금까지 조사한 결과를 세 사람에게 설명한다. 마루텐은 ㊝(마루丸는 동그라미, 텐天은 천황을 의미—옮긴이)을 의미한다. 그들 사이에서는 천황을 이 표시로 불렀다. 지금까지 조사한 결과는 이미 가타오카나 아야코와 검토를 끝냈지만, 새로 멤버로 들어온 사사키 노리오에게 알리기 위해 되풀이한 것이다. 가타오카도 아야코도 마사시의 그 의도를 알고 있어서 참견하지 않고 잠자코 듣고 있었다.

"8월 15일 행사에서는 마루텐이 정오에 연단에 서기 때문에 그 연단에 폭탄을 설치하면 한 방에 끝나지만, 사전에 들어가 시한폭탄을 설치하는 것은 아마 불가능할 거야. 운 좋게 그런 기회가 있다고 해도 틀림없이 사전에 발견될 거고. 천장에 설치하는 것도 생각해 봤지만, 그 경우 마루텐 이외의 피해자가 많이 나오기 때문에 이 방법도 취할 수는 없어. 부도칸에 출입하는 것도 경계가 삼엄할 거라 애초에 권총을 들고 다가가는 것도 불가능할 거야."

마사시는 조사한 결과와 검토한 계획들을 제시하며 하나의 결론으로 이끌려고 했다.

"— 여러 가지로 궁리해 봤는데 내 결론으로는 마루텐이 타는 특별열차를 폭파하는 것이 가장 확실하다고 생각해. 지난 10년 가까운 시기를 살펴본 바로 마루텐은 8월 15일 부도칸 행사에 출석하기 위해 나스(那須)에서 황거로 돌아오는데, 매년 정해진 것처럼 14일 오전 중에 돌아와."

다들 아하 하는 소리를 냈다. 만약 그날을 노린다면 앞으로 석 달쯤밖에 남아 있지 않다.

"어디서 할지 짐작한 곳은 있고?"

가타오카가 물었다.

"아니, 그건 앞으로 검토해 봐야지. 아직도 황족 전용 특별열차의 코스를 확정하지 못했어. 오늘 밤에는 마루텐이 타는 특별열차를 8월 14일에 폭파하는 것에 모두의 의견이 일치하는지를 확인하고 싶고."

그 제안에 아무도 이견은 없었다. 말이 끊기자 산속 밤의 정적은 네 사람을 집어삼킬 듯이 깊어졌다.

"철교 위에서 하는 것이 좋지 않을까?"

잠시 후 가타오카가 말했다.

"철교라면 한눈에 내다볼 수 있고 근처에 인가도 없으니까 휘말릴 염려도 없을 것 같아. — 게다가 선로에 설치한다면 땅을 파고 폭탄을 묻어야 하지만, 철교라면 그렇게 안 해도 되고."

가타오카의 설명을 들으며 다들 고개를 끄덕였다. 폭파 장소가 철교 위로 특정됨으로써 다들 구체적으로 폭파 광경을 그려본 것 같았다. 쇼와(昭和)라는 시대에 확실한 종지부를 찍게 되는 이 계획이 성사되었을 때 오늘 밤의 일을 어떤 식으로 돌이켜볼까 하는 상념이 마사시의 뇌리를 스쳤다.

마사시 일행은 도쿄로 돌아오자 곧바로 황족 전용 특별열차 코스 검토에 들어갔다. 나스에서 돌아오는 열차는 아카바네역까지는 도호쿠선을 타지만, 아카바네역을 지나면 어떤 루트를 탈지 예측할 수가 없었다. 도착하는 역도 도쿄역일지 하라주쿠역일지 분명하지 않았다. 하지만 과거의 사례에서 보면 하라주쿠역일 거라고 판단할 수 있었다.

결국 몇 가지 곡절을 겪은 후 마사시 등이 최종적으로 선정한 폭파 지점은 아라카와 철교였다. 사이타마현과 도쿄도의 경계를 이루는 아라카와에 놓인 커다란 철교로, 역 이름에서 보면 가와구치역과 아카바네역 중간에 해당한다. 이 철교에 황족 전용 특별열차가 당도했을 때 기폭 장치 스위치를 누르기로 하고 마사시가 무선 조종 기폭 장치를 시급히 개발하기로 했다. 마사시는 과거의 사례에서 소요 시간을 계산하여 황족 전용 특별열차가 아라카와 철교를 통과하는 시각을 오전 10시 58분에서 11시 2분 사이라고 계산했다. (나중에 이때의 열차 시각표를 베껴 쓴 메모가 오야자키 사다오 검사의 주목을 끌게 된다.)

아라카와 철교에서의 폭파 계획이 정해지고 나서 그들의 작전명도 무지개 작전으로 정해졌다. 어쩐지 수수께끼 같은 결정 방식이었다. 철교 폭파라는 것에서 가장 먼저 연상된 것은 미국 영화 〈콰이강의 다리〉(1957)였다. 이미 17년이나 지난 옛날 영화이지만 평판이 좋았던 만큼 모두 봐서 콰이강에 놓인 철교가 폭파되어 일본군 열차가 강으로 떨어지는 인상적인 마지막 장면은 기억에 남아 있었다. 그것이 한바탕 모두의 화제가 되었으나 작전명은 좀처럼 떠오르지 않았다. 그때 마사시는 별생각 없이 〈오버 더 레인보우〉라는 팝을 흥얼거리고 있었다. 그 두 가지가 갑자기 연결되어 "무지개가 뜬 다리"라는 말을 중얼거린 것은 가타오카였을까. "아, 그거다. 무지개 작전이라고 하는 건 어때? — 희망의 무지개가 뜬 작전이라고 생각하면 딱 어울리지 않아?"

마사시가 드물게 신이 난 목소리로 힘차게 말했다. 나중에 다시 한번 의미를 되짚어 보면 왜 그렇게 연결됐는지 알 수 없지만, 그 자리의 분위기에서는 '전장에 걸린 다리'에서 '무지개 작전'까지 눈 깜짝할 사이에 연결되었다.

마사시는 5월 28일과 6월 21일에 아라카와로 가서 나스의 휴양지에서 돌아오는 황족 전용 특별열차를 실제로 관찰했다. 우연히 신문 기사를 통해 그날 천황이 황거로 돌아오는 것을 알고 가서 대기했던 것이다. 다섯 량의 황족 전용 특별열차는 두 번 다 오전 11시 전에 아라카와 철교를 보통 속도로 통과했다. 황족 전용 특별열차가 지나갈 때 아라카와 철교 밑에는 순찰차와 건설성의 차에 탄 경찰 대여섯 명이 감시를 위해 서있었고, 상공에는 두 대의 헬리콥터가 떠 있었다. 마사시는 수상하게 여겨지지 않도록 가만히 강 아래로 많이 내려간 제방에서 관찰했기 때문에 황족 전용 특별열차가 철교 위의 어떤 노선을 달리는지까지는 확인할 수 없었다. 하지만 천황은 다섯 량 편성의 열차, 그것도 앞에서 세 번째 차량의 가운데쯤에 황후와 함께 타고 있는 것 같았다.

2

7월 초의 어느 날 심야, 네 사람은 아라카와 철교에 폭탄을 설치하기 위한 사전 답사에 나섰다. 마사시는 폭탄을 옮길 때까지 쓸 수 있으면 좋겠다는 생각으로 불과 7만 엔에 스바루 1000 중고차를 입수했다. 차에 타고 있는 네 명의 복장은 기묘했다. 빨간 맘보바지에 빨간 셔츠, 자락이 아주 넓은 판탈롱, 하얀색의 헐렁한 긴 소매 셔츠, 또는 등에 가득 감청색의 선명한 당초무늬를 넣은 티셔츠로, 밤새 달려 바다로 놀러 가는 모습으로 위장한 것이었다. 하지만 다들 놀아본 경험이 없고 놀러 다니는 사람의 스타일을 제대로 모르고 있어서 서로 떨떠름한 얼굴을 하고 있었다. "이럴 줄 알았으면 좀 놀아둘 걸" 하며 서로 웃었다. 그들은 불심검문을 당하면 어디까지나 시치미를 뗄 생각이었지만, 그래도 의심받았을 때는 저항하며 도망치기로 결심하고 권총과 나이프로 무장하고 있었다.

사사키와 아야코가 강가에서 망을 보고 마사시와 가타오카가 철교로 올라가기로 했다. 그들이 있는 곳은 아라카와의 아카바네 쪽 하천 부지였는데 마침 철교와 교차하는 제방의 가시 철책 일부가 부서져 있는 것을 발견하고 마사시와 가타오카는 몸을 옆으로 해서 그곳으로 들어갔다. 거기에서 두 사람은 선로를 따라 설치된 통로를 걸어가 철교 중간쯤까지 가보았다. 실제로 올라가 보니 철교 위는 상상했던 것보다 훨씬 넓고 밝았다. 한마디로 아라카와 철교라고 하지만, 하류 쪽에서 볼 때 게이힌도호쿠선, 도호쿠선 객차선과 화물선, 이렇게 세 개의 철교가 놓여 있고, 그것들은 도중에 군데군데 왕래할 수 있도록 다리로 연결되어 있었다. 두 사람이 서 있는 곳은 도호쿠선 객차선의 철교로 그들이 폭탄을 설치하려는 곳은 이 철교의 상행선 선로다. 철교 위에서 내려다보는 강변은 깜깜해서 사사키와 아야코가 어디에 있는지도 알 수 없었다. 만약 뭔가 예상치 못한 사태가 벌어지면 손전등으로 철교 위의 그들을 향해 비추기로 했다. 이 근처는 강의 양쪽에 작은 공장이 많은 지역으로 동네 자체도 어둡게 가라앉아 있었다.

두 사람은 교각 위로 내려가 살펴봤다. 바로 아래의 강물은 어두워서 보이지 않았지만 멀리 하류 쪽으로 시선을 주자 무슨 불빛이 비치는지 희미하게 물의 흐름이 보이는 것 같았다. 너무 아래를 보면 현기증이 날 것만 같고 무서워진다. 이따금 화물열차나 기관차가 굉음을 울리며 철교를 통과했다. 그때마다 교각 위에 몸을 숨기고 지나게 했다. 그들은 손전등으로 선로 밑을 살펴보며 폭탄 설치 장소를 정했다. 선로 아래의 콘크리트 교가(橋架)에 살짝 철근이 나와 있어서 거기에 폭탄을 매달기로 했다. 여기라면 선로 위에서 봐도 잘 보이지 않는 위치였다. 아라카와의 물결 위에 서있는 교각들 가운데 아카바네 쪽에서 헤아려 첫 번째 교각 위를 설치 지점으로 골랐다.

두 번째 사전 답사에서는 교각 사이의 길이를 재기도 하고 하천 부지에서 교각 위까지의 높이를 재기도 했다. 그리고 폭탄에서 코드를 어떻게 뺄지 검토했다. 마사시가 개발하기로 했던 무선 조종 기폭 장치는 독자적인 주파수를 수신하는 데 실패했기 때문에 유선 기폭 장치로 바꿔야 했다. 폭탄을 설치하는 것은 아카바네 쪽에서 볼 때 강물 속에 있는 첫 번째 교각 위가 될 것이다. 거기에서 코드를 철교 위를 지나 강물에 가장 가까운 교각을 따라 하천 부지를 향해 아래로 늘어뜨린다. 지상으로 내린 코드는 하천 부지의 풀밭에 숨기며 하류인 신아라카와대교(新荒川大橋)까지 강을 따라 약 700미터를 끌어가야 한다.

이 무렵까지 필요한 전선이나 그것을 접속할 커넥터, 발파기의 각 부품, 250볼트의 적층 건전지 등 폭파 작전에 필요한 것은 모두 마련했다. 한편 세디트 폭탄의 실험 등도 되풀이했다. 밤마다 이어지는 작업으로 네 명 모두 피로가 극심했으나 8월 14일로 목표를 정한 이상 이제 쉴 시간은 없었다. 사전 답사를 하러 간 날 밤은 당연히 철야를 해야 했지만, 이튿날 그들은 근무를 쉬지 않았다. 낮에는 고지식할 정도로 시민 생활을 성실히 하고, 밤의 제한된 시간을 무지개 작전 준비에 할애했다. 아무리 젊다고 해도 한여름에 수면을 줄여가며 밤마다 일을 해나가는 것은 무모했다.

7월 말에는 무지개 작전의 최종 계획을 확정했다. 그 계획에 따르면 기폭 조작을 하는 장소는 아라카와 철교에서 약 700미터 하류에 있는 자동차도로인 신아라카와대교의 첫 번째 교각 아래였다. 마사시가 망을 보고 가타오카가 기폭 장치의 스위치를 누른다. 아마 폭발로 선로는 휙 날아가고 열차는 탈선하여 강물로 떨어질 것이다. 현장에서 두 사람은 자전거를 타고 도주하기로 했다. 아카바네역에 방치된 자전거 두 대를 훔쳐 자전거 보관소에 맡겨둔다. 한편 양동작전으로 현장 근처의 이와부치 파출소 뒤의 풀숲에 소화기 폭탄을 설치한다. 이는 시한장치로 황족 전용 특별열차를 폭파한 후인 11시 5분에 폭발하도록 설정해 둔다. 사사키는 경찰에 얼굴이 드러났을 염려가 있기에 이날 현장에는 나타나지 않고 이와부치 파출소 앞의 주유소에 예고 전화를 하는 역할을 맡는다. 아야코도 당일에는 현장에 나타나지 않는다. 그는 그날 아침 일찍 구로이소역으로 가서 황족 전용 특별열차의 출발 시각을 확인하고 전화로 마사시에게 알려주는 역할이다. 마사시와 가타오카는 이 전화를 받고 움직이기 시작한다. 네 사람에게 무지개 작전은 완벽한 계획으로 보였다.

철교 폭파에 쓸 폭탄을 만든 것은 8월 10일과 11일 밤이다. 가타오카가 오토모소로 와서 마사시, 아야코와 함께 셋이서 작업을 시작했다.

철교 폭파에는 상당히 많은 폭약이 필요하기 때문에 폭탄도 두 개로 하고 탄체로는 메탈페일통을 쓰기로 했다. 메탈페일통은 지름 29센티미터, 높이 36센티미터의 원통형 깡통 용기로, 녹색 깡통은 콘크리트로 보이게 회색으로 칠해두었다. 이 통이라면 20킬로그램의 화약을 담을 수 있어서 두 개면 40킬로그램의 폭탄이 된다. 결국 그들은 세 번에 걸친 세디트 폭탄 실험에는 성공하지 못했지만 그래도 세디트 폭탄으로 계획을 실행하는 방침은 바꾸지 않았다. 가타오카가 문헌으로 확인했을 때 세디트 폭탄은 위력이 세고 탄체만 탄탄하면 폭발할 것이라고 주장했기 때문이다. 만약 세디트가 불발할 때를 대비하여 폭발하기 쉬운 흑색화약, 백색화약도 함께 채우기로 했다.

아야코가 다다미 넉 장이 깔린 방에서 약을 조합했다. 우선 널빤지처럼 생긴 파라핀을 식칼로 잘라 계량하고, 적당

량의 파라핀과 바셀린을 알루마이트제 용기에 옮겨 가스불로 가열한다. 녹으면 불을 끄고 얼마간 열이 식기를 기다리고 나서 쿠사토루(염소산나트륨)를 더해 주걱으로 뒤섞으면 까칠까칠한 덩어리처럼 된다. 이것이 세디트다. 마사시와 가타오카가 옆의 다다미 여섯 장이 깔린 방으로 가져가 세디트를 탄체에 채워 넣는다. 알루마이트 용기에 의한 세디트 제조는 한 번에 기껏해야 2킬로그램 정도이기 때문에 같은 일을 몇 번이고 되풀이해야 한다. 동시에 세디트 폭탄에 함께 넣기 위한 폭약과 파출소 뒤의 풀숲에 설치할 소화기 폭탄도 제조해야 한다.

결국 두 개의 메탈페일통 폭탄과 한 개의 소화기 폭탄을 완성하기 위해 세 사람은 8월 10일과 11일 이틀 밤을 한숨도 자지 않고 작업을 계속했다. 두 개의 메탈페일통 폭탄은 철사로 묶고 고리를 달았다. 이 고리로 철교 위에 매다는 것이다.

8월 12일 저녁 10시경, 네 사람은 마사시의 스바루 1000에 커넥터가 달린 전선 코드 900미터를 싣고 출발했다. 네 사람이 검은색 옷으로 갈아입고 작업을 시작한 것은 이미 자정을 넘긴 시각이었다. 우선 코드를 하천 부지에 길게 까는 작업을 시작했다. 사사키와 가타오카가 함께 철교 교각까지 깔고, 마사시와 아야코가 신아라카와대교까지의 긴 거리를 깔기로 했다. 양자는 점차 멀어져갔다. 2미터에 가까운 갈대가 군생하고 있는 가운데를 지나가기도 하고, 진창에 발이 빠지는 흙투성이 작업이 되기도 했다. 긴 코드를 동그랗게 말아 팔에 걸고 뻗칠 만큼 쭉 펴서 깔았는데, 코드가 무거운 데다 순식간에 뒤얽혀 그때마다 푸는 데 시간을 뺏겼다. 갈대 속이나 풀숲에는 그대로 코드를 깔아두면 되지만 흙이 드러나 있는 곳에서는 파서 묻기도 하고 묻은 곳 위에 풀이나 썩은 나무 같은 것으로 덮어야 했다. 가타오카는 교각까지 깐 다음에 철교 위로 코드를 끌어가는 작업을 시작할 예정이었으나 마사시와 아야코의 작업이 순조롭게 진척되지 않는 것을 보고 그쪽으로 도와주러 갔다. 네 사람의 피로는 극에 달했다. 마사시와 아야코, 가타오카의 철야는 사흘째 계속되고 있었다. 작업을 하다가 문득 졸기도 했다.

드디어 신아라카와대교 아래까지 코드가 연결되고 마사시와 아야코는 다시 한번 위장이 불완전한 곳은 없는지 점검했다. 가타오카와 사사키는 철교로 올라갔다. 폭탄을 매다는 곳에서 하천 부지의 첫 번째 교각까지 통로 밑에 코드를 깔면서 일단 테이프로 고정한 뒤 접착제로 처리하려고 했으나 좀처럼 제대로 되지 않았다. 통로 밑에 먼지가 쌓여 있어 테이프가 코드의 무게를 지탱하지 못하고 곧바로 벗겨지고 마는 것이다. 가타오카는 교각을 걸치고 서서 꾸벅꾸벅 졸았다. 깜짝 놀라 정신을 차리고는 아연실색했다. 뭔가 정상적인 판단력을 잃은 것처럼 머릿속이 흐릿해졌다. 이미 날은 새고 있었다. "오늘은 더 이상 무리야"라고 사사키가 말하고 두 사람은 철교에서 내려왔다. 네 명이 갈대 뒤에서 검은 옷을 화려한 옷으로 갈아입고 있을 때 벌써 제방

위에는 개를 데리고 산책을 나온 노인이 걷고 있었다.

13일 밤 11시경, 네 사람은 마지막 일을 끝내기 위해 출발했다. 오늘 밤에는 세 개의 폭탄과 줄사다리, 접착제 등을 트렁크에 실었다. 강변에 짐을 내리고 시트로 덮었을 때 남자들이 발소리를 죽이며 다가오는 것을 알아챘다. 어두운 강가에 서너 명의 남자가 흩어져 마사시 일행 쪽을 가만히 살피고 있었다.

여름이 되면 이 강변에는 아베크족이 많이 온다. 그것을 엿보려는 치한이 출몰하는 곳으로도 유명하다. 처음에는 치한인가 싶었으나 그런 것치고 그들은 너무 대담하다. 마사시 일행이 눈치챈 것을 알면서도 집요하게 쳐다본다. 아야코와 가타오카는 아베크족을 가장하여 팔짱을 끼고 그들을 유도하여 짐에서 시선을 떨어뜨려 놓으려고 했지만 어쩐 일인지 따라가려고 하지 않는다. 형사일까 하는 의심이 들어 마사시는 등줄기가 얼어붙는 것 같았다. 그런 눈으로 보니 흩어져 있는 어둠 속 남자들의 체격은 한결같이 다부졌다. 그러나 형사라면 직접 다가오지 않을까. 그들은 좀 떨어진 데서 이쪽을 살피고만 있을 뿐이고 더 이상 다가오지도 않고 말을 걸지도 않았다. 폭탄을 그대로 두고 현장을 떠날 수는 없기에 시트 옆에 주저앉기도 하면서 초조하게 계속 기다리고 있을 수밖에 없었다. 기묘하게 서로 노려보는 것은 언제까지고 계속되었다. 어젯밤 코드를 깔다 남긴 것이 이제 와서는 치명적인 장애로 작용했다. 만약 코드만 예정대로 전부 깔았다면 오늘 밤에는 폭탄만 매달면 되었다. 그것은 짧은 시간에 마칠 수 있는 일이다. 연일 이어진 철야 작업으로 마사시 일행의 판단력도 기력도 무척 둔해져 있었다. 새벽 2시가 지났을 때 마사시의 답답함은 극에 달해 차라리 남자들을 죽여버릴까 하는 충동에 시달려 나이프를 세게 쥐었다. 그러나 만약 남자들이 형사가 아니라 단순한 치한이라면 하고 생각하자 역시 기가 꺾이며 발을 내디딜 수가 없었다.

벌써 강가의 동이 트기 시작했다.

"안 되겠다. 지금부터는 무리야."

가타오카가 탄식하듯이 중얼거렸다.

"철수하자."

마사시가 이렇게 말하자 다들 고개를 끄덕였다. 강가에 깔아둔 코드는 밤이 되면 회수하기로 하고 시트 아래의 짐을 다시 차에 실었다.

이제 황족 전용 특별열차가 통과하기까지는 7시간밖에 남아 있지 않았다. 반년 이상에 걸쳐 전력을 다해 준비해 온 무지개 작전의 결과가 너무나도 무참해서 오히려 웃음을 터뜨리고 싶을 만큼 우스꽝스러웠다. 하지만 네 명 모두 웃음을 터뜨릴 만한 기력조차 남아 있지 않았다. 모두 무뚝뚝한 얼굴로 말없이 피로와 졸음에 창백해져 차에 올랐다. 어쨌든 지금은 조금이라도 자고 싶었다.

8월 14일 아침 9시 10분에 구로이소역을 출발한 다섯 량 편성의 황족 전용 특별열차는 천황, 황후, 그리고 25인의 승무원을 태우고 예정대로 오전 10시 55분에 가와구치역을 지났고 아라카와 철교를 통과한 것은 10시 57분이었다.

그 시각에 마사시는 혼자 아라카와의 제방에 서서 철교를 지나는 황족 전용 특별열차를 보고 있었다. 쨍쨍 내리쬐는 대낮의 햇볕을 받으며 짧은 열차는 눈 깜짝할 사이에 철교를 통과했다. 폭탄을 설치할 예정이었던 교각 위에 기관차가 당도하기 직전, 마사시는 환상의 기폭 장치를 눌렀다. 그 순간 열차가 떠오르더니 천천히 강 속으로 떨어지는 환영을 떠올리려고 했으나 현실의 광경이 시야에 있는 만큼 이미지가 만들어지지는 않았다.

이때 마사시는 결정적인 실수를 저질렀다는 사실을 아직 모르고 있었다. 마사시 일행은 도호쿠선 상행 선로 밑에 두 개의 폭탄을 설치하려고 하다가 실패했다. 하지만 지금 황족 전용 특별열차가 굉음을 울리며 통과한 것은 도호쿠선의 화물선 선로였다. 설마하니 화물선 선로를 달릴 줄은 꿈에도 생각하지 못하고 객차선 상행선을 표적으로 한 것이었다. 황족 전용 특별열차 코스는 특수했다. 구로이소에서 오미야역까지는 도호쿠선의 객차선을 달리지만 오미야역에서 아카바네역 사이는 도호쿠선의 화물선 선로를 달린다. 그리고 아카바네역에서 이케부쿠로역까지는 아카바네선을 달리고 이케부쿠로역에서는 다시 야마노테선의 화물선 선로를 지나 하라주쿠역에 도착한다. 이렇게나 복잡했다.

아라카와강에 놓인 도호쿠선 객차선과 화물선 철교는 10미터 이상 간격이 떨어져 있다. 가령 폭탄이 예정대로 설치되었다고 해도 기폭 장치 스위치를 누른 순간의 광경은 어땠을까. 객차선 철교는 폭파되었겠지만 그 영향이 10미터나 떨어진 화물선 쪽에 얼마나 미쳤을까. 나중의 미쓰비시중공업 빌딩 폭발의 충격 위력에서 보면 폭풍(爆風)의 영향은 상당했겠지만 황족 전용 특별열차를 강 속으로까지 날려버릴 정도로 치명적이었을지 어떨지는 의문이었다.

사흘간의 추석 연휴를 얻은 마사시는 15일도 맥이 빠진 듯이 혼자 방에서 나뒹굴며 텔레비전을 켜두고 있었다. 그런데 그 화면에 임시 뉴스가 나왔다. 한국 서울의 국립중앙극장에서 열린 광복절 기념식 행사에서, 연설 중이던 박정희 대통령이 오전 10시 23분에 권총으로 저격당하는 사건이 발생한 것이다. 마사시는 벌떡 일어났다. 총탄이 빗나가 대통령은 무사하다고 전해졌지만 마사시에게는 심장이 고동칠 정도로 충격적인 뉴스였다. 천황을 노렸지만 단념하지 않을 수 없었던 자신들과 대조적으로 일본보다 한층 엄중한 경계 태세인 한국에서 체포를 각오하고 저격을 감행한 사람이 있었던 것이다.

뉴스에서 자세한 소식이 전해지자 마사시는 한층 충격을 받았다. 박정희 대통령은 다치지 않았지만 대통령 부인과 합창대 안에 있던 한 여고생이 사망했다. 마사시에게 충격적이었던 것은 저격자가 오사카에 사는 재일한국인 청년 문세광(22세)이라고 전해졌기 때문이다. 자신들과 동세대인 재일한국인이 목숨을 걸고 군사 체제에 도전한 것이라고 생각했을 때 마사시는 자신들이 또다시 뒤처졌다는 무력감에 기력을 잃었다.

얼마 후 이 저격 사건에 사용된 단총이 오사카부 경찰서의 도난품이었다는 것 등이 밝혀졌다. 대체 어떻게 단총을 가진 문세광이 손쉽게 행사장 맨 앞줄까지 들어갈 수 있었는가 등 여러 가지 의심스러운 점이 있어 북한과 관련된 모략설 등이 어지럽게 나돌았다. 하지만 마사시를 비롯한 '늑대'들에게 그런 모략설은 전혀 영향력을 미치지 못했다. 긴 시간 동안 준비해 온 무지개 작전이 어이없는 실패로 끝나고 무력감에 빠져 있었던 '늑대'들은 문세광의 과감한 저격을 그들에 대한 통렬한 타격으로 받아들이지 않을 수 없었다. 마사시 등은 초조감에 시달리며 체포되어 고립된 상태에 있는 문세광에게 직접 호응하는 투쟁에 나서자고 의논했다.

의논을 하는 과정에서 그들의 표적은 미쓰비시 그룹으로 좁혀진다. 최초의 표적은 미쓰비시상사의 사장 후지노 주지로(藤野忠次郎)였다. 그가 박정희 대통령으로부터 산업 훈장을 받은 것을 알고 있었기 때문이다. 그런데 조사해 보니 덴엔초후에 있는 그의 자택은 경비원이 지키고 있어 다가갈 수 없었다. 이러한 이유로 미쓰비시상사의 본사 빌딩을 검토했다. 하지만 메탈페일통 폭탄은 너무 커서 의심을 받지 않고 빌딩 안으로 가지고 들어가는 것이 불가능했고, 빌딩 밖에 설치하자니 가까이에 있는 미쓰비시 계열 이외의 빌딩에도 피해를 줄 수 있었다. 그들이 노리는 것은 전쟁 전에도 후에도 해외 경제 침략의 첨병 같은 존재인 미쓰비시였으므로 다른 기업에까지 피해를 입힐 생각은 없었다.

결국 **미쓰비시 마을**의 중앙에 위치하는 미쓰비시중공업 빌딩의 현관 앞에 폭탄을 두기로 결정한 것은, 거기서 폭발한다면 주변이 모두 미쓰비시 기업이기 때문에 피해를 받아도 당연하다고 생각했기 때문이다. 전시에 일본군의 병기창이었던 미쓰비시중공업은 수많은 조선인을 강제연행하여 나가사키의 조선소에서 일을 시켰다. 하지만 원자폭탄 피해를 입은 그들에게 아무런 보상도 하지 않았다. 문세광의 투쟁에 호응하기 위해서는 미쓰비시중공업에 대한 공격이 가장 어울리는 작전이라고 생각되었다.

간토대지진 기념일인 9월 1일이 다가오는 것에도 마사시 등은 초조함을 느끼고 있었다. 미증유의 대재앙으로 혼란스러운 도쿄에서 무수한 조선인이 일본인에 의해 학살당한 역사적 사실을 상기할 때 9월 1일 이전에 다이아몬드 작전을 결행하고 싶었기 때문이다. 무지개 작전에서 사용하지 못한 두 개의 메탈페일통 폭탄에 시한장치를 달기만 하면 계획은 실행할 수 있었다. '늑대'는 미쓰비시중공업 빌딩 폭파를 8월 30일로 정했다. 31일은 토요일이어서 미쓰비시 기업이 휴일일 수도 있기 때문에 예고 전화가 연결되지 않을 것을 염려해서 그 전날로 정한 것이다.

8월 29일 밤 마사시와 아야코, 가타오카는 오토모소에서 폭파 시각을 설정했다. '아게바네 방식(あげばね方式, 아날로그

시계의 알람을 이용한 방식—옮긴이)'의 시한장치는 폭파 시각의 12시간 이상 전으로는 설정할 수 없다. 30일 밤 0시 45분으로 폭발 시간을 설정하기 위해서는 새벽 1시까지 기다려 시각을 설정해야 했다. 시한장치에 누전이 발견되어 보수하느라 시간을 잡아먹기도 했다. 설정을 끝내고, 경고문을 붙이고, 마지막 포장을 시작하여 두 개의 시한폭탄을 완성한 것은 이미 새벽에 가까운 시각이었다. 가타오카가 폭탄을 마사시의 스바루 1000에 싣고 자신의 공동주택으로 옮겼다. 소화기 폭탄은 오토모소에 남겨두었고 나중에 데이진 중앙연구소 폭파에 쓰이게 된다.

가타오카는 선잠에서 깬 오전 11시경 스바루 1000에 올라타 마사시와 약속한 장소인 오차노미즈의 히지리바시로 향했다. 그때 그는 큰 비극을 향해 나아가고 있다고는 꿈에도 생각하지 못했다. 오히려 그의 걱정은 세디트 폭탄이 불발로 끝나는 것이 아닐까 하는 쪽에 기울어져 있었다.

— 이것이 미쓰비시중공업 빌딩 폭파 사건에 이르게 된 진상이다.

"설령 천황 암살에 성공했다고 해도 그것은 황태자 즉위를 앞당길 뿐인 일이고, 오히려 그 후에 계엄령 같은 무시무시한 상황이 거칠게 불어닥칠 텐데, 이에 대해서는 어떻게 생각했습니까?"

나의 질문에 다이도지 마사시는 옥중에서 다음과 같이 대답했다.

천황 암살이 곧 천황제의 폐지로 이어지지 않는다는 것은 잘 알고 있었습니다. 또한 이만큼 관료 기구가 발달해 있으면 정점에 있는 자를 쓰러뜨려도 곧 다른 자가 대신한다는 것도 잘 알고 있습니다.

그러나 천황 히로히토의 경우 '우연히 천황의 지위에 있는 것'이 아닙니다. 히로히토의 전쟁 범죄는 매우 큽니다. 특별한 입장에 서왔다고 생각합니다. 예전에 황군의 침략을 당한 동아시아 사람들은 천황 히로히토에 대한 분노를 잊지 않고 있습니다. 우리는 그것을 경시하거나 모른 척할 수는 없다고 생각했습니다. 그리고 천황의 전쟁 범죄를 구체적으로 도려내는 것을 터부시하는 것과 같은 경향이 있었기 때문에 역으로 무슨 일이 있어도 해야만 한다고 생각했던 것입니다.

또한 천황 암살이 천황제 폐지와 직결되지 않는다고 해도, 천황제 폐지를 목표로 하고 있으면서 천황을, 그것도 동아시아 인민이 원망하는 대상인 히로히토를 타도하지 않는 것은 속임수라고 생각합니다. '계엄령과 같은 상황'의 도래라는 것도 당연히 생각했습니다. '좌익 사냥'이 철저하게 이루어질 거라고도 생각했습니다. 하지만 그것은 그만큼 모순을 드러나게 할 것이고 격화시키지 않을까요? 그렇다면 그것은 오히려 바라는 바가 아닐까요?

왜 이 나라에서는 반권력 투쟁이 지속하지 못하는지 논의했습니다. 확실히 소수의 투쟁은 있습니다. 그러나 대중적으로 지속하지는 못합니다. 그것은 천황제 이데올로기에 압도적으로 젖어 있기 때문이고 또 따뜻이 입고 배불리 먹는 가운데 싸울 상대를 잃어버렸기 때문이라고 생각했습니다.

바로 그렇기에 천황을 공격하는 것이 필요하다고 말이지요.

3

구시로의 다이도지 나오시는 일지를 남겼다. 홋카이도 다쿠쇼쿠(拓殖) 은행이 주는 소형 수첩 한 면에 8일분이나 써넣을 수 있도록 작게 나눠진 칸에 비어나가지 않도록 작은 글씨로 꼼꼼하게 하루하루의 사건을 적었다. 1975년도 수첩의 일지가 6월 17일부터 시작되는 것은 그날 경시청에서 가택수색을 하러 와서 그때까지의 일지를 압수해 갔기 때문이다. 이후 그는 일지에 일체의 감상을 생략하고 사실만 간략하게 기록한다. 다음은 마사시가 도쿄 구치소로 옮겨간 여름에 적은 나오시의 일지에서 발췌한 내용이다.

7월 19일(토) 흐림. 작약 핌. 석남 만개. 오후 도시코, 가모사와(鴨沢) 씨 댁 방문. 오후 2시 도경(道警) 본부(삿포로)에서 폭파 사건 있었음. 분슌(文春)을 읽음. 밤늦게 비가 옴. 올스타게임 센트럴리그팀 8대 0으로 승리.

7월 20일(일) 흐림. 10시경부터 갬. 스모대회 최종일, 곤고(金剛) 우승. 5시 5분 지진, 진도 1. 올스타게임 4대 3으로 센트럴리그팀 다시 이김. 도쿄에서 가족회 집회가 있었음. 입욕.

7월 21일(월) 흐림. 아침 한때 가랑비. 수국, 상당히 색을 띰. 장미 봉오리도 상당히 부풂. 오후 치코를 데리고 무사(武佐)에서 태평양으로 나가 태평양병원을 거쳐 돌아옴. 소가 처형 내방.

7월 25일(금) 아침부터 비, 나중에 흐림. 개회나무 꽃핌. 오후, 구시로 경찰서의 형사 내방. 고교야구 홋카이도 예선 고난(江南) 고등학교, 엔가루(遠軽) 고등학교를 10대 2로 크게 이김.

7월 29일(화) 흐림. 11시경부터 갬. 빨간 미니장미 피기 시작함. 오후, 치코, 도시코와 함께 다이헤이요흥발(太平洋興発), 고한(湖畔) 초등학교를 지나 무사 생협에서 장을 보고 돌아옴. 밤, 도시코, 마사시, 아야코에게 편지를 씀.

8월 4일(월) 흐림. 오후, 치코를 데리고 무사를 일주하며 산책. 일본적군 쿠알라룸푸르에서 미대사관 등을 습격. 체포된 적군 일곱 명(그중 한 사람이 사사키 노리오)의 석방을 요구.

8월 7일(목) 흐리고 때때로 비. 오후, 치코를 데리고 세이메이(清明) 초등학교, HTB 텔레비전 탑, 가이즈카 2초메를 산책. 집을 비웠을 때 요미우리신문사 기자가 집에 찾아왔다고 함. 일본적군 게릴라를 태운 일본항공기 7시 15분 리비아로 출발.

8월 8일(금) 흐림, 10시경부터 갬. 고교야구 고시엔 대회 시작. 도시코, 오전에 전화요금 납부를 위해 우체국에 감. 가족회에서 편지가 옴. 3시경부터 흐림. 7월 21일 마사시, 아야코 도쿄 구치소로 이송되었다고 함. 도라지 꽃이 핌.

8월 23일(토) 흐림. 태풍 6호 한신 지방에 상륙. 고교야구 결승전 내일로 연기. 세이메이 초등학교 방면 산책. 4시에 입욕.

8월 26일(화) 흐림. 참나리, 국화 피기 시작. 오후, 치코를 데리고 무사를 산책. 장거리 열차 오늘도 불통. 밤, 다키구치 가에서 전화가 옴. 내일 우리 집에 온다고 함. 사사키 노리오의 집이 가택수색을 받았다는 보도.

8월 30일(토) 흐림. 미쓰비시중공업 빌딩 폭파 사건 1주년, 진심으로 희생자의 명복을 빔. 도시코, 오전에 역 앞으로 장 보러 감. 치코를 데리고 무사 방면을 산책. 저녁에 입욕.

키우는 개 치코를 데리고 산책을 가고 마당에 핀 꽃들에 마음을 주고 있을 뿐인 담담한 일지다. 언제 압수당할지 모르는 수첩에 속마음을 털어놓지 않았을 뿐, 나오시의 속마음을 동요시키는 사건은 그사이에도 계속되었다.

7월 19일 오후 1시 58분, 삿포로시 주오구 홋카이도 경찰본부 3층 경비과 입구 옆에서 로커가 큰 소리를 내며 폭발하여 창문, 천장을 파괴하고 다섯 명의 경상자를 낳은 사건이 발생했다. "동아시아반일무장전선은 오늘 아이누 모시리를 식민 지배하고 있는 일본 제국주의자 홋카이도 경찰에 대해 본부 폭파 공격을 결행했다"는 성명문을 분석한 경찰본부는 다이도지 마사시 등의 한패라기보다는 새롭게 동아시아반일무장전선에 호응한 다른 그룹의 범행일 것이라고 추측했다. 하지만 폭파 사건이 발생할 때마다 다이도지 마사시의 이름이 반드시 인용되는 것은 피할 수 없었다. 6월에 접어들고 나서 나오시는 사사키 데쓰야의 의뢰로, 홋카이도신문이나 구시로신문 등 다섯 신문에 실린 폭탄 사건, 아이누 관련 기사를 발췌하여 구원회로 보내고 있다. 하지만 이 작업은 바늘방석에 앉은 듯한 기분을 느끼게 했다.

어느 날 도시코는 나오시의 자살 미수 소문을 듣고 깜짝 놀랐다. 나오시의 친구가 진료를 받으러 간 병원에서 의사가 진지한 얼굴로 그 진위를 물었다고 전한 것이다. 세상 사람들은 자신들 부부에게 자살까지 기대하고 있다고 생각하자 도시코는 섬뜩한 기분이 들었다. 물론 5월 19일 이후 자살이라는 단어가 뇌리를 스치지 않았다고 하면 거짓말일 것이다. 지금의 고통을 견디는 것보다 죽는 것이 얼마나 더 편할까 하는 유혹에 자칫하면 넘어갈 것 같았다. 그런데도 마사시와 아야코를 생각하니 실제로 그렇게까지 할 수는 없었다. 만약 자신이 죽으면 효자인 마사시가 얼마나 타격을 받을지 뻔히 아는 만큼 지금은 이를 악물고서라도 살지 않으면 안 된다. 무엇보다 도시코는 앞으로 두 번 다시 감옥 밖으로 나올 수 없을 두 사람을 지탱하는 것은 자신들 부부밖에는 없다고 생각한다. 그 역시 두 사람의 행위를 진심으로 납득할 수 있는 것은 아니다. 다만 도시코는 자신이 알고 있는 마사시와 아야코라면 그런 일을 결코 재미 삼아 하지는 않았을 거라고 흔들림 없이 확신했다.

8월 1일에 구시로시 최대 축제인 항구제가 시작됐다. 매년 반드시 흘러나왔던 나오시가 작곡한 곡 〈마리모오도리(まりも踊り)〉는 이제 흘러나오지 않았다. 두 사람은 축제를 하는 동네로 나가지 않고 가까운 불사리탑으로 가서 불꽃놀이를 봤을 뿐이다. 그런 두 사람에게 도착한 아라이 요시미의 편지는 그 무엇보다 마음에 사무치는 것이었다.

처음으로 편지를 드립니다.

저는 이번 기업 폭파 사건으로 체포된 아라이 마리코의 엄마입니다. 잠을 자도 마음의 고통이 가시지 않아 오랫동안 펜을 들 수 없었습니다.

듣자 하니 아버님은 오랫동안 입원하셨다고 하던데 그 후의 용태는 어떻습니까. 비탄이 몸에 안 좋은 영향이라도 끼친 게 아닌가 걱정됩니다. 아무쪼록 건강에 유의하시기 바랍니다.

20일에 첫 가족회가 있어서 상경했습니다. 가족 출석자는 가타오카 씨의 아버님(여동생은 항상 센터 일을 돕고 있습니다), 구로카와 씨의 아버님, 남동생, 여동생, 사사키 씨의 형님, 그리고 저희 부부였습니다. 그 외에 니미(新美), 스즈키, 다카하시, 오우치, 사이토, 가사이(葛西)의 각 변호사가 출석했고, 앞으로의 정세에 대한 꽤 엄중한 말이 있었습니다.

구원센터 분도 출석했습니다. 가족회의 중심이 되어주고

있는 사사키 씨의 형님을 비롯하여 센터에 있는 분들은 정말 인간적으로 훌륭한 분들뿐이고, 그들의 성실한 모습에는 절로 고개가 수그러집니다. 한증막 같은 좁은 방에서, 직접 도시락을 싸 오거나 점심을 거르고, 때로는 저녁까지 거르면서 그대로 밤 10시가 지난 시각까지 계속하는 활동은 도저히 사람의 힘으로 할 수 있는 일이 아니라고 생각될 정도입니다. 우리는 그런 분들의 온전한 봉사활동으로 도움을 받고 있습니다. 변호사분들도 적자를 보며 활약하고 있습니다. 8월 22일에는 변호인단과 가족의 두 번째 협의가 있습니다. 멀어서 힘드실 줄 압니다만, 도쿄 근처에 사는 친척분이라도 출석할 수 있는 분이 있으면 좋겠습니다.

이번 피고는 모두 순수하고 다정한 사람뿐이라고 들었습니다. 앞으로의 긴 재판 투쟁을 앞두고 가족회로서도 할 수 있는 일을 하며 서로 격려하고 또 아들이나 딸들을 서로 지원해 나가지 않으면 안 된다고 생각합니다. 지금은 하루하루 지내는 것만도 힘듭니다만, 다행히 가족과는 면회도 허락되었고 편지는 누구라도 자유롭게 할 수 있다고 합니다. 부디 마사시 씨나 아야코 씨에게도 편지를 해주세요.

여전히 언론을 총동원하여 폭탄마 운운하는 폭력적인 캠페인에 아마 마음 아파하실 줄 알기 때문에 눈에 띈 캠페인 기사 복사한 것을 동봉했습니다. 이번 사건이 역사 안에서 어떻게 받아들여질지, 아들이나 딸들이 가장 외치고 싶었던 것이 무엇인지, 우리도 최대한 노력해서 극형이 예상되는 그들을 부족하나마 부모로서의 애정으로 이해해 주고 지원해 주고 싶습니다.

부디 마음 강하게 먹고 힘내시기 바랍니다. 그리고 아무쪼록 건강에 유의하시길 바라며 펜을 놓습니다.

나오시에게 온 이 편지를 도시코는 눈이 번쩍 뜨이는 마음으로 되풀이해서 읽었다. 자신들이 부부만의 비탄에 틀어박혀 있을 때 이렇게 먼 미야기현에서 말을 걸어주는 사람의 관대한 마음에 도시코는 압도당했다. 장녀인 나호코는 자살하고 차녀인 마리코가 옥중에 있는데도 이 무슨 타인에 대한 배려란 말인가. “역사 안에서 어떻게 받아들여질지”라는 글귀에도 도시코의 눈은 빨려들었다. 그런 것은 생각해 본 적도 없어서 아라이 요시미의 편지는 도시코에게 새로운 시야를 열어주는 것 같았다.

동봉되어 있던 복사물은 “늑대들(狼たちのこと)”이라는 무카이 다카시(向井孝)의 글로, 〈신일본문학(新日本文學)〉 8월호와 펜으로 쓴 글이 들어 있었다. 도시코에게는 어려운 글이었지만 세 번이고 네 번이고 되풀이해서 읽어보니 필자가 말하려고 하는 것을 대충 이해할 수 있을 것 같았다. 특히 다음과 같은 부분은 지금까지 도시코가 생각해 본 적도 없는 관점이었다.

늑대들은 범죄자인 것일까. 아니, 국가에 의해 흉악하기 그지없는 범죄자로 만들어져 있지만, 그들은 오히려 ‘게릴라’라 불려야 할 것이다.

‘동아시아반일무장전선’의 ‘반일’이 보여주는 대로 그것은 바로 일본인 자신에 의한 반일 투쟁의 첫 구체화인 것이다. 그들은 국가권력(=기업)에 공격을 가하고 있는 게릴라 전사다.

제정신이 아닌 것 같은 언론의 권력 가담은 그 게릴라에 대해 철저하게 범죄자 이미지를 씌움으로써 시민 감정을 선동하고 시민에 의해 정신적으로 그들을 박살 — 린치를 가하려 하고 있다.

하지만 적어도 1960년대부터 일련의 투쟁, 그중에서도 특히 베트남 전쟁 반대를 위해 싸운 많은 사람에게 늑대들이 했던 미쓰비시중공업 빌딩을 비롯한 일련의 기업 폭파 뉴스는, 시민의 사망이나 부상에 대한 경악 또는 비판과 함께 내심의 공명, 복잡한 심정의 동요였을 것이다. 그리고 그들이 체포되었다는 뉴스는 일종의 낙담, 실망하는 의미에서의 충격이기도 했을 것이다.

늑대들의 범죄 — 그 미워해야 할 소행은 오로지 시민을 살상했다는 것에 있는 듯하다. 귀신의 목을 따는 것처럼 우선 그것으로 그들은 귀축(鬼畜)처럼 비난당하고 그것으로 모든 행위는 덮이고 말았다.

그들은 폭파로 시민을 **휘말리게** 했지만, 그들이 한 것은 반일 투쟁 — 기업에 대한 공격, 일제와의 싸움이었다.

그것은 베트남 전쟁 초기, 예컨대 사이공의 레스토랑이 시한폭탄으로 파괴되어 다수의 시민이 휘말려 죽은 사건과 성격이 다르지 않다. 우리 대부분은 늑대들이 시민 사망자를 낳은 것만을 끄집어내 탄핵하지만 해방전선 게릴라의 그 것은 사이공에 대한 공격이라는 것으로 지지하고 쾌재를 부르는 모순을 범하고 있다.

그런 수단을 본인은 취하지 않는다, 취할 수 없다 해도 늑대들의 '국가 — 기업과 직접적으로 싸운다'는 자세는 많은 사람이 베트남 해방군을 지지하고, 게다가 끝내 승리한 것을 기뻐하는 것과 같은 의미에서 지지받아야 하는 것이 아닐까.

도시코는 마사시나 아야코의 행위를 이해하기 위해 앞으로 많은 것을 알아가야 한다고 생각했다.

8월 4일 오전 11시(일본 시간, 같은 날 오후 12시 반)경, 말레이시아 수도 쿠알라룸푸르의 미대사관, 영사관, 같은 건물에 있는 스웨덴 대사관을 일본적군이라 칭하는 복면의 무장 그룹이 습격하여 미 영사, 스웨덴 임시대사 등 50명 이상을 인질로 잡고 두 대사관을 점거했다. 그들은 일본 정부에 옥중에 있는 일본적군 멤버의 석방을 요구했다. 도히라 가즈오(戸平和夫), 니시카와 준(西川純), 반도 구니오, 사카구치 히로시, 마쓰우라 준이치(松浦順一), 마쓰다 히사시(松田久) 외에 어쩐 일인지 일본적군이 아니라 '늑대'인 사사키 노리오가 석방 요구 리스트에 포함되어 있었다. 이 일곱 명을 일본항공기로 쿠알라룸푸르로 데려와 합류시키라는 요구였다. 미키(三木) 총리는 방미 중이었지만 그날 저녁 9시에 일본 정부는 요구를 받아들여 초법적 조치로서 옥중에 있는 범인의 석방을 발표했다. 옥중에 있는 일곱 명에게 의사를 확인한 결과 다섯 명이 출국에 동의했다.

사사키 노리오가 반도 등과 마이크로버스로 도쿄 구치소를 나와 하네다 공항으로 향한 것은 8월 5일 새벽 4시 반이었다. 왜 사사키가 일본적군의 석방 요구 리스트에 오른 것인지 공안 당국도 정확히 판단할 수 없었다.

쿠알라룸푸르의 미대사관, 스웨덴 대사관을 점령한 다섯 명의 일본적군은 52명 인질과의 교환으로 석방시킨 옥중의 다섯 명과 합류한 후 새로운 인질 네 명을 태우고 일본항공 특별기로 쿠알라룸푸르를 탈출하여 8일 오전 10시 15분(현지 시간 새벽 3시 15분) 리비아의 수도 트리폴리의 공항에 도착한다. 여기서 인질을 풀어주고 전원이 리비아 당국에 투항했다.

사건 발생으로부터 해결될 때까지 만 나흘간의 쿠알라룸프르 사건은 연일 대대적으로 보도되었다. 하지만 도쿄 구치소에서는 신문의 석방 요구 인명이 감춰져 있었다. 8월 8일 변호사와 접견할 때 처음으로 사사키 노리오가 국외로 탈출한 사실을 알게 된 에키다 유키코는 독방의 노트에 흥분된 마음을 휘갈겨 쓴다.

> 변호사를 만났다. 사사키 건을 들었다. 만세! 사사키는 세계를 돌아다닐 것이다. 동아시아반일무장전선, 세계 적군의 이름을 짊어지고 그는 세계 제국주의 밖으로, 전 인민혁명

으로, 세계혁명으로 뛰어오를 것이다. 사이토 노도카의 소망을 안고, 세계 전 인민의 소망을 안고 사사키는 세계를 뛰어다닐 것이다. 힘냈으면 좋겠다. 혼자라도 둘이라도 그렇게 살아남아 계속 싸우는 자가 있어야 한다. 이것이 혁명이다. 그가 언젠가 그 손으로 인민에게 승리의 (이하 지워진 글자가 있다) 믿는다. 그리고 우리는 옥중에서 그의, 그리고 전 세계의 혁명 운동에 호응해 갈 것이다.

마사시 등의 생각도 에키다의 이 고양된 마음과 거의 다르지 않았을 것이다.

9월 20일 아사히신문은 '무지개 작전'에 대한 특종을 싣는다. 마사시가 도쿄 구치소에서 스즈키 변호사에게 써 보낸 내용이 어떤 경위로 신문사로 새어 나간 것이다. 마사시는 7월 30일부터 볼펜이나 노트 사용 허락을 받아 그 이후 자백에 대한 성찰과 일련의 사건을 스즈키 변호사에게 써 보냈었다. 9월 11일과 13일에 쓴 편지에서 처음으로 천황 암살 미수 사건을 다루었고 검찰이 이 건을 덮으려고 한 사실을 변호사에게 전했다.

"천황 특별열차 폭파도 꾀하다, 아라카와 철교를 노렸으나 불발, 그 대신 미쓰비시중공업 빌딩으로"라는 표제가 늘어선 충격적인 기사에는 다이도지 마사시의 사진도 들어가 있었다.

더 이상 무지개 작전의 존재를 은폐할 수 없게 된 검찰이 도쿄 구치소의 다이도지 마사시, 다이도지 아야코, 가타오카 도시아키를 다시 체포한 것은 10월 31일 오후의 일이다. 이미 천황도 방미를 마치고 귀국하여 테러의 위험을 걱정하지 않아도 된다고 판단해 검찰은 무지개 작전의 공표를 결단했다. 재조사 중에 다카하시 검사는 마사시에게 물었다.

"천황 암살은 계획만 했을 뿐이고 자네들의 기술 부족과 계획상의 허술함 등으로 하천 부지에 전선을 깔거나 8월 30일 밤 폭탄을 가지고 가지 않았는데도, 일을 크게 선전하기 위해 사전에 입을 맞춰 같은 진술을 한 건 아닌가?"

만약 마사시가 '실은 그렇다'고 대답하면 검찰로서는 이 사건을 입건하지 않고 넘어갈 생각이었겠지만 마사시는 딱 잘라 부인했다.

11월 14일 마사시 등 세 명은 일련의 기업 폭파에 더해 무지개 작전 혐의로 기소된다. 전후의 신헌법하에서는 대역죄가 없어졌기 때문에 죄명은 살인 예비와 폭발물단속법 위반이었다.

4

나오시와 도시코가 도쿄 구치소의 마사시와 아야코를 면회하기 위해 상경한 것은 10월 21일이다. 도시코는 구시로 공항에서 출발하는 비행기를 기다리는 동안에도 자신들이 미행당하고 있기라도 한 것처럼 겁을 먹고 주위를 살폈다. 비행기 안에서도 5월에 상경했을 때의 설레는 기분을 이제 아주 먼 날의 일처럼 떠올리고 있었다. 하네다 공항에는 아야코의 사촌언니인 후지오카 유키노(藤岡雪乃)가 마중을 나와 주었다. 그는 세타가야에 살며 전자오르간과 피아노를 가르치고 있었고 부모는 구시로에 있다. 마사시와도 친해서 두 사람이 체포되고 나서 계속 차입 등을 해주었고 구시로의 미도리가오카에 있는 나오시의 집에도 병문안을 와주었기 때문에 그 호의를 받아들여 나오시와 도시코는 마중을 부탁하였다.

우에노역 근처의 '가메야'라는 싸구려 여관에 후지오카 나오시, 후지오카 도시코라는 가명으로 들어간 후 시타야에 있는 가족회 사무실에 얼굴을 내비쳤다. 도쿄에 사는 구로카와 요시마사의 부모와 사사키 데쓰야가 맞아주었다. 구로카와 요시마사의 어머니는 앞치마를 하고 방을 정리하고 있었는데 "먼 데서 오느라 힘드셨겠네요. 자, 편히 계세요"라며 위로해 주었다.

이 사무실에서 도시코는 나오시와 함께 마사시가 스즈키 변호사에게 쓴 편지 복사본을 대강 훑어봤다. 빽빽이 쓴 편지 내용은 어렵고 독특한 약자도 쓰여 있어 잘 이해할 수 없었다. 다만 다음 부분에는 시선이 고정되었다.

> 저는 패전 후 '홋카이도 구시로시'에서 태어났습니다. 조부 대에 야마가타에서 '구시로'로 들어온 모양이니 저는 아이누 모시리를 침략한 '개척자'이거나 한몫 잡으려고 들어

온 몰락한 무사의 후예겠지요. 어쨌든 본토인(和人) 침략자, 식민자의 후예입니다. 그리고 저의 아버지는 하얼빈 학원을 나와 남만주철도주식회사(滿鉄)에 들어가기도 했으므로 저는 중국(만주) 침략자의 아들입니다. (아버지, 저는 직접 당시의 자세한 이야기를 듣지 못했습니다. 따라서 아버지 안에는 '침략자'라는 인식이 없었을지도 모르겠습니다. 그러나 '만주'라는 곳은 중국이고 일본 제국주의가 '만주국'을 만들어 냈으므로 '만철'이 했던 역할은 무척 중요했습니다. 그리고 중국 인민에게 일본인은 모두 침략자, 식민자였습니다. 따라서 저는 아버지를 침략자로 판단한 것입니다) 저는 이렇게 침략자 식민자의 후예이자 아들이고, 아이누 민족, 중국 인민, 조선 인민 등 소위 아시아 인민의 희생과 신음과 원망 안에서 나고 자라왔습니다.

마사시가 마음 깊은 곳에서 나오시를 미워하고 있는 게 아닐까 하는 의심이 떠올랐을 때 도시코의 두근거림은 불안으로 더욱 심해졌다.

이튿날인 22일, 나오시와 도시코는 후지오카 유키노를 따라 고스게의 도쿄 구치소로 갔다. 고스게역에서 조금 걸어가자 나온 구치소의 붉은 벽돌 담장을 따라갔다. 위쪽이 담쟁이덩굴로 뒤덮인 담장이 어디까지나 계속되는 것 같아서 도시코는 우선 그 길이에 놀랐다. 담장 옆에 감나무가 있고 빨간 감이 열려있는 것도 신기했다. 구시로에서는 감나무를 볼 일이 없었다. 긴장한 탓인지 구치소 문을 들어가면서도 두렵다는 생각은 들지 않았지만, 도시코에게는 다른 걱정이 있었다. 면회실에서 눈물을 보이지 않고 끝낼 수 있을지 자신이 없었던 것이다. 아직 법원의 허가에 의한 특별면회이기 때문에 나오시와 도시코가 함께 면회실로 들어가는 것은 인정되지 않았다. 그래서 오늘은 나오시가 마사시와 면회하고 도시코는 아야코와 만나기로 했다. 대합실에는 일고여덟 명의 남녀가 조용히 앉아 있었다. 다들 가족 누군가가 이 안에 구치되어 있는 것이리라. 자신과 비슷한 슬픔을 안고 있을 거라고 생각하니 아무런 인연이 없는 타인이라는 기분이 들지 않아서 신기했다.

호명을 받고 좁은 면회실로 들어가니 격벽 윗부분이 투명한 플라스틱 스크린으로 차단된 작은 방에 아야코가 나타났다. 수갑을 차고 나올 것이라 생각했기 때문에 아야코가 자유로운 양손으로 플라스틱 벽 너머에 앉은 것에 안도했다. 옆에 중년의 여성 간수가 따라 들어와 노트를 펼친 것은 두 사람의 대화를 메모하기 위해서일 것이다. 그것을 보는 것만으로도 도시코는 더더욱 무슨 말을 해야 좋을지 몰라 주눅이 들었다.

"어머님, 걱정 끼쳐드려 죄송했어요."

먼저 말을 한 것은 아야코였다.

"아야코, 생각보다 건강해 보이네. — 살이 조금 찐 건가?"

도시코는 애써 밝은 목소리를 내려고 했다. 5월에 만났을 때와 비교하면 아야코의 얼굴이 포동포동해 보였다.

"네, 별로 운동을 못하니까 살이 쪄서…."

두 사람의 대화가 끊어질 것 같아 도시코는 조바심을 내는 듯이 돗토리초의 아야코 친정집 일을 그에게 알려주었다. 어제 아야코의 오빠가 구시로 공항까지 차로 배웅해 준 일, 여기 오기 전에 다키구치가에 가서 갓난아기를 보고 왔는데 무척 귀엽고 건강한 아기였다는 것, 돗토리초의 친정 어머니는 걱정하지 않아도 된다는 것 등등 ….

“돈 좀 넣어줄까?”

도시코가 말하자 아야코는 고개를 저었다.

“아뇨, 그건 됐어요. 돈은 아직 있어요.”

“— 그럼 먹고 싶은 거라도 있어?”

“글쎄요. — 젓갈이 먹고 싶어요.”

“아, 그럼 차입을 넣을게. 그리고 속옷 같은 것도.”

도시코의 말이 잠깐 끊어졌을 때 옆의 여간수가 말을 걸었다.

“자, 시간이 다 되었습니다.”

아야코는 도시코를 향해 손을 살짝 흔들어 보이고 나갔다.

도시코가 마사시와 면회한 것은 24일 오전이었다. 그때 나오시는 아야코를 면회했다. 도시코는 아야코와 만났을 때와 달리 역시 동요하고 있었다.

“— 이런 벽 너머로 봐야 하다니….”

하지 않을 거라고 생각했던 탄식이 먼저 나오고 말아서 그 후는 말문이 막혀 간신히 눈물을 참고 있었다.

“엄마, 어쩐지 갑자기 늙은 것 같네.”

도시코의 감상에 말려들지 않으려고 한 것인지 마사시가 일부러 까칠한 말을 했다.

"머리 염색을 안 했으니까 그렇지. 엄마는 그때부터 머리 염색하는 걸 그만뒀어."

이렇게 말하고 나서 그 대답이 뭔가 마사시를 비난한 것처럼 받아들여질지도 모른다는 생각이 들어 도시코는 서둘러 화제를 돌렸다.

"아야코는 건강한 것 같더라. 너 걱정을 했어. 앞으로 추워질 텐데 추위를 많이 타는 사람이라 신경 좀 써달라고 하면서. — 오늘은 아버지가 만나고 있어."

체포당한 날 아침 이후 마사시와 아야코는 만날 기회가 없었다. 그것을 생각하는 것만으로 도시코는 또 눈물이 글썽였다. 아야코를 면회할 때와 달리 마사시와의 대화는 끊어지기 일쑤였다. 서로 사건을 언급하지 않으려고 가시와기초의 언니 집 일이나 돗토리초, 치코 이야기를 하며 30분을 흘려보내고 말았다. 나오시와 만났을 때 도시코는 익살스러운 어조로 "울지 않았어요"라고 말했다. "아야코가 젓갈 맛있었다고 했소"라고 나오시가 전했다.

27일에 다시 한번 나오시가 마사시와 면회하고 도시코는 아야코와 면회했다. 이날은 야마구치현에서 상경한 에키다 유키코의 아버지도 딸을 면회하기 위해 함께 도쿄 구치소로 갔다. 도시코는 마사시와 한 번밖에 만날 수 없는 것에 미련이 남은 채 이튿날인 28일 오후 구시로로 돌아갔다. 구시로는 차가운 비가 내리고 있어 비행기 밖으로 나온 순간 도시코는 진저리를 쳤다. 추위 탓만이 아니었다. 마사시와 아야코를 옥중에 남겨두고 왔다는 생각이 도시코의 가슴속을 공허하게 만드는 것 같았다.

면회할 때는 그런 분위기를 전혀 내색하지 않았지만, 이때 마사시와 아야코는 다른 동지들과 함께 옥중 투쟁을 격렬하게 전개하고 있었다.

마사시가 들어가 있는 4사 독방은 당국에 의해 자살방지방으로 불리지만 오히려 들어가 있는 자들은 이를 자살촉진방으로 부른다. 절망적일 정도로 폐쇄된 방이고 창에도 철판이 붙어 있다. 철판에는 통풍을 위한 작은 구멍 여러 개가 뚫려 있기는 하지만 그 작은 구멍에 눈을 대도 철판 바깥에 쳐진 철망에 막혀 바깥 풍경이 거의 보이지 않는다. 낮에도 햇빛이 들어오는 일이 적어 아침부터 형광등이 켜져 있다. 그 천장의 형광등 양옆에 렌즈 같은 것이 두 개 보였다. 감시 카메라인지, 24시간 쉬지 않고 감시당하고 있다는 압박감에 견딜 수가 없다. 돌기해 있는 물건은 다 없앴기 때문에 마치 두루뭉술한 움막 같은 인상이고, 공기는 정체되어 어쩐지 먼지가 많은 것도 이 독방의 특징이다. (나중에 구로카와 요시마사는 심한 천식 발작에 시달리게 된다.)

마사시 등이 당면해 있는 옥중 투쟁의 목표는 눈앞에 다가와 있는 도쿄 지방법원의 분리 공판을 거부하는 것이다. 도쿄 지방법원은 '늑대'와 다른 두 부대 '대지의 엄니'와 '전갈'을 분리해서 공판을 진행하려 하고 있으며 '늑대' 첫 번째 공판은 10월 30일이라고 통보해 왔다. 그에 맞서 마사시 등은 어디까지나 세 부대의 통일 공판을 주장하여 상신서를 내거나 단식 투쟁으로 계속 항의를 하고 있다.

예상도 하지 않았던 일제 검거로 분리되고 말았던 그들은 패배감으로 인해 차례로 자백하고 말았지만, 도쿄 구치소로 옮겨져 외부와의 통신 등이 가능해지자 드디어 다시 일어서기 시작했다. 그토록 맥없이 자백해 버린 자신을 통한의 심정으로 반성하고 이번에야말로 그들은 통일해서 싸우려고 했다. 같은 동아시아반일무장전선에 참여하고 같이 싸워온 세 부대의 분리 공판은 인정할 수 없었다. 감옥 밖에서도 분리 공판을 분쇄하자는 집회가 열렸다. 이에 호응하여 자살방에서 소리치면 도쿄 구치소는 징벌로 보복하는 등 사태가 긴박하게 돌아가고 있었다.

10월 30일 이른 아침부터 마사시는 팬티와 양말만 신고 옷을 물에 담갔다. 알몸이 되어 출정을 거부하는 작전이었다. 그러고 나서 여느 때처럼 냉수마찰을 시작했다. 이 자살방에서 가만히 있으면 확실히 체력이 약해진다. 아침저녁으로 냉수마찰과 팔 굽혀 펴기로 하는 자기 단련은 빼놓을 수 없었다. 아침 8시경 일단의 간수와 모자에 흰 선이 많은 직원이 마사시의 방안으로 들어와 "다이도지, 출정이다"라고 알렸다. 마사시는 상반신을 벗은 모습으로 화장실에 앉아 "출정을 거부한다. 우리는 분리 공판에 나갈 수 없다"라고 대답했다.

"그런 건 법정에서 재판장한테 따져. 자, 가자."

한 간수가 억지로 끌고 가려고 어깨에 손을 올렸지만 마사시는 변기를 단단히 붙잡고 떨어지지 않았다. 두세 명이 달려들어 힘껏 변기에서 떼어내려고 밀치락달치락했으나 그의 상반신이 알몸이어서 간수들도 붙들기가 힘들었다. 한동안 옥신각신한 끝에 책임자인 듯한 사람이 "그럼 자네 책임으로 출정하지 않는다고 해도 되는 거지"라고 확인했다. "그렇다." 마사시가 대답했다. 그들이 포기하고 돌아간 후 역시 추워서 잠옷을 입고 방안을 돌아다니거나 체조를 하며 견디는 중에 오전 10시부터 라디오 가요곡이 흘러나왔다. 마사시는 이겼다고 생각했다. 이날의 공판은 오전 10시부터 시작될 예정이었다. 오후에 변호사와 면회하여 아야코, 가타오카, 아라이 마리코도 알몸으로 저항하며 출정을 거부했다는 사실을 알았다. 변호인단도 출정하지 않아 첫 번째 분리 공판은 열리지 않고 지나갔다.

11월 25일은 '대지의 엄니'의 에키다 유키코와 '전갈'의 구로카와 요시마사의 분리 공판이 있었다. 하지만 이들도 출정을 거부하며 저항했다. 마사시 등 '늑대' 그룹도 동조하여 옥중 투쟁을 전개했기 때문에 공판은 허사가 되었다. 그 후에도 구치소 측의 징벌을 받으면서도 전원의 출정 거부 투쟁은 되풀이되어 도쿄 지방법원은 끝내 분리 공판을 단념하고 통일 공판으로 전환했다. 첫 번째 통일 공판은 12월 25일에 열리는 것으로 정해졌다. 무슨 일이 있어도 연내에 공판을 시작하고 싶다는 법원 측의 조바심이었다.

동아시아반일무장전선의 피고 여섯 명의 공판을 담당하

는 변호인단은 쇼지 히로시(庄司宏), 우치다 마사토시(内田雅敏), 다카하시 고(高橋耕), 스즈키 준지(鈴木淳二), 니미 다카시(新美隆), 이렇게 다섯 명이었다. 조사 단계에서 관여한 변호사는 15명이었지만 최종적으로 이 다섯 명밖에 남지 않았다. 19기(1965년 연수 시작) 변호사 쇼지는 예외로 하고 나머지 네 변호사는 모두 젊은이였다. 니미와 다카하시가 26기(1972년 연수 시작)로 작년에 변호사 등록을 했고, 스즈키와 우치다는 올해 막 변호사가 된 참이었다. 니미 다카시가 야스다 강당 함락 때 도쿄대 법학부에 재학 중이었던 것처럼 그들은 전공투 세대 안에서 등장한 변호사였다. 나이도 다이도지 마사시와 거의 같았다. 그런 만큼 이 사건은 남의 사건이 아니었다. 자기 부정을 내세운 전공투 사상의 한 도달점이 동아시아반일무장전선인 그들에게 집약되어 있다는 걸 알았을 때, 젊은 변호사는 그들이 자기 자신의 살아가는 자세를 묻고 있다는 것에 압도당하면서도 바로 그것 때문에 거기서 도망쳐서는 안 된다는 단단한 각오를 다질 수밖에 없었다. 도중에 천황 암살 미수 사건이 밝혀졌을 때 젊은 변호사들은 놀라서 한순간 숨을 삼켰다. 변호사 생활 초기에 맞닥뜨리기에는 가혹할 정도로 어려운 사건이고, 필연적으로 그들 자신의 사상 신조가 근본적으로 문제가 되는 변호 활동이 되어갈 것이었다. 여론은 언론을 중심으로 '폭탄마'의 즉결 재판을 요구하고 있었다. 사면초가인 상황 속에서 이 사상 재판을 어떻게 전개할 수 있을지 변호인단의 회의는 늘 무겁게 가라앉아 있었다.

12월 25일, 도쿄 지방법원 제5부(니시카와 기요시西川潔 재판장)의 동아시아반일무장전선 통일 피고인단의 첫 번째 공판은 701호 법정에서 오전 10시 58분에 개정했다. 재판관 정면의 피고석 오른쪽에서부터 에키다 유키코, 가타오카 도시아키, 구로카와 요시마사, 다이도지 마사시, 다이도지 아야코, 아라이 마리코 순으로 나란히 앉았다. 그 사이에 한 사람씩 간수가 앉아 있다고 하더라도 여섯 명이 서로 얼굴을 마주한 것은 이때가 처음이었다. 여성 피고인 세 명은 모두 유키코의 할머니가 차입해 준, 같은 솜조끼를 입고 있었다. 검찰 측은 오야자키 사다오(親崎定雄) 공안부 부부장 검사 등 네 명의 검사가 입회하고 변호인 측은 쇼지 히로시 등 다섯 명의 변호인이 착석했다.

니시카와 재판장은 개정을 선언한 후 "재판장의 퇴정 명령이 없어도 정리(廷吏)의 판단으로 퇴정시켜도 좋습니다"라는 이례적인 선언을 해서 이 재판에 대한 과민한 자세를 보여주었다. 곧바로 쇼지 변호사가 "방청석에도 사복형사가 들어와 있습니다. 공정한 재판에 방해가 되니 퇴정시켜 주십시오"라고 재판장에서 요구했으나 거부당했다. 거부에 항의한 두 방청객이 퇴정당함으로써 재판이 거칠어질 기미를 보였다. 이어서 재판장은 피고인의 인정신문에 들어가 각자의 주소 씨명 등의 확인을 요구했다. 하지만 전원이 "동아시아반일무장전선 병사"라고만 할 뿐 나머지는 묵비했기 때문에 검사에게 사진으로 확인하게 하는 절차를 마치고 여섯 피고석을 변호인석 앞으로 옮기게 했다.

여기서 니미 변호사와 여섯 피고가 특별히 의견 진술을 요구하여 인정된다. 일곱 명이 차례로 일어나 전개한 의견은 다음의 다섯 가지로 요약할 수 있다.

1. 재판장은 분리 공판이 가장 합리적이라고 하며 통일 공판 요구를 짓밟아 왔다. 그런데 12월 17일이 되어서야 갑자기 통일 공판을 허락했는데 그 이유를 전혀 설명하지 않았다. 이래서는 앞으로도 통일 공판으로 할지, 사정에 따라 분리 공판을 하는 일도 있을지 불안하다. 재판 준비에도 지장이 있다. 통일 공판으로 결정한 이유를 설명해 주었으면 한다.

2. 옥중에서는 통일 공판을 요구하여 상신서를 내고 분리 공판을 하려고 할 때는 몸소 출정을 거부했다. 그 때문에 징벌을 받았다. 징벌은 정신상, 건강상으로 지장이 있다. 책이나 자료 열람이 제한되고 필기도 하루 한 시간으로 제한된다. 이래서는 피고의 방어권을 지킬 수 없다. 당장 해제하도록 도쿄 구치소에 요구해 주었으면 한다.

3. 체포된 지 일곱 달이 되는데도 면회도 통신도 금지되어 피고들 간 서로 의사소통을 할 수가 없다.

4. 남자 세 명과 에키다 유키코는 이유도 없이 자살(방지)방에 넣어져 햇빛이 차단되었고 24시간 상시 감시당하고 있다.

5. 동시에 체포된 사이토 노도카와 사사키 노리오의 모습이 보이지 않는다. 어떻게 되었는지 설명해 주었으면 한다.

오후 법정에서는 변호인, 피고인의 의견 진술에서 나온 질문에 대한 법원의 설명을 두고 분란이 생겨 니미 변호사가 발언을 금지당했다. 니미 변호사가 다시 발언하려고 하자 퇴정 명령을 받았고, 이에 항의한 네 명의 피고도 퇴정 명령을 받았다. 방청석도 절반 가까이 퇴정 명령을 받았는데, 끌고 나가려는 간수나 정리들과의 몸싸움이 여기저기서 계속 벌어졌다.

법정이 진정된 후 재판장은 검찰에게 기소장 낭독을 지시했다. 3시까지 낭독이 이어졌고 15분간의 휴정이 있었다. 재판이 재개된 직후 쇼지 변호사가 니미 변호사와 네 피고의 출정을 요구했지만 받아들여지지 않았다. 항의의 뜻을 표명하며 모든 변호사가 스스로 퇴정했고 남아 있던 가타오카 도시아키와 에키다 유키코도 퇴정했다. 이에 일제히 항의한 방청객도 대부분 퇴정당해 변호인단도 피고인단도 부재한 이례적인 법정에서 기소장 낭독은 5시가 넘어서야 종료했다.

제6장

사형선고

1

체포된 지 1년째인 5월 19일을 마사시는 징벌 때문에 보안방(保安房)에서 맞았다.

수감자 조합은 이날을 춘기(春期) 감옥 안팎의 통일 행동일로 정해 마사시도 아침 7시에 기상한 직후 자살방에서 슬로건을 외쳤다. "간수의 전국적 폭행을 규탄한다!", "자살방 보안방을 분쇄하자!", "징벌을 분쇄하자!"

순식간에 몹시 힘이 센 간수 대여섯 명이 와서 우격다짐으로 데려가 북(北)6사의 보안방에 넣었다. 이곳은 자살방보다 더욱 밀실의 성격이 철저한 징벌방으로, 바깥에서는 세 개의 감시창과 천장의 감시 카메라로 24시간 감시한다. 방안에서는 밖을 전혀 볼 수 없고 소리도 밖으로 새지 않게 되어 있다. 화장실 배수도 수도도 자유롭게 사용할 수 없어서 간수의 순회를 기다려야만 하기에 다다미 넉 장 크기밖에 안 되는 방안에는 화장실 악취가 진동한다.

마사시는 납치될 때 간수들과 실랑이를 벌인 것만으로도 몸이 휘청휘청해서 보안방에 들어가자 그대로 드러눕고 말았다. 바닥도 벽도 콘크리트에 리놀륨이 붙여져 있을 뿐이어서 뼛속까지 스며드는 한기가 몸으로 전해졌다. 연행될 때는 아직 비가 내리지 않았으나 하늘은 잔뜩 흐렸고 5월 하순인데도 방안의 온도는 올라가지 않았다. 단식 투쟁 5일째여서 기진맥진한 마사시의 몸에는 바닥에서 올라오는 한기가 큰 타격을 주었다.

옥중 춘투 통일 행동일은 5월 19일이었지만 그날만의 투쟁으로 끝내지 않기 위해 마사시는 15일부터 처우 개선을 요구하며 단식 투쟁에 들어갔다. 그럭저럭 오늘로 5일간 이어왔지만 마사시가 구치소 당국에 제출한 처우 개선 요구서에 대한 회답은 없는 채였다.

마사시는 기력을 다해 일어나 스트레칭을 하고 팔 굽혀 펴기로 몸을 녹이려고 했다. 그는 형무소에서 죽임을 당한 미국의 흑인 운동가 조지 잭슨(George Jackson)이 매일 독방에서 팔 굽혀 펴기 1,000번을 한 것을 목표로 삼았고, 이제 700번을 넘는 수준으로 단련해 왔다. 하지만 역시 단식 중인 지금은 무척 숨이 차서 금세 지치고 말았다. 다시 바닥에 드러누워 추위에 떨고 있으니 자신이라는 존재가 바깥 세계에서 완전히 잊힌 듯한 불안감에 빠져들었다. 이 밀실에 한 달만 갇혀 있으면 미쳐버릴지도 모른다는 공포가 엄습했다.

오후 3시 반, 스즈키 변호사가 접견을 와서 보안방을 나왔다. 스즈키 변호사의 이야기로는 아야코가 가죽 수갑을 찼을지도 모른다고 했다. 그들의 옥중 투쟁에 대해 구치소 측은 철저한 탄압으로 대응했다. 가죽 수갑은 이미 에키다 유키코가 찬 적이 있어서 마사시도 알고 있었는데, 먼저 양팔을 가죽 벨트로 묶은 뒤 가죽 벨트를 허리 벨트에 고정한다. 다시 양 손목에는 금속제 수갑을 채워 완전히 봉쇄하기 때문에 식사할 때도 개처럼 턱을 식기 안에 처박고 먹어야 한다. 아야코의 굴욕을 생각하면 분노가 끓어 올랐으나 체력이 회복되면 이 건으로 항의를 해야겠다고 결심하며 간신히 견디고 있었다.

마사시는 저녁이 되어 자살방으로 돌아왔다. 그때까지 내렸던 비가 그쳐 구치소 뜰의 풀이 물방울을 빛내고 있는 것을 복도에서 내다봤다. 몹시 지쳐서 돌아온 독방에서 마사시는 도시코의 편지를 받았다. 5월에 상경할 예정이 6월로 변경되어 늦어진다는 소식을 전해왔다.

동아시아반일무장전선 옥중 병사단을 KAZ 병사단이라는 약칭으로 부르자고 제언한 것은 아야코였다. 이에 모두가 동의하여 지금은 완전히 정착했다. KAZ는 사이토 노도카의 '화(和)'를 의미한다. 사이토의 이름 '和'의 정확한 발음은 '노도카'이지만 동료들 사이에서는 '가즈'로 불렸다. 경찰에 체포되는 것을 거부하며 죽은 사이토의 뜻을 자신들의 뜻으로 하자는 결의가 이 약칭에 담겨 있었다.

KAZ 병사단을 자처하는 옥중의 6인은 지금 도쿄 구치소 내에서 무시무시한 정도의 옥중 투쟁에 나서고 있다. 일제히 체포된 패배감에서 모든 것을 자백해 버렸지만 도쿄 구치소로 옮겨 오고 나서는 다시 싸울 자세를 되찾고 있었다. 그들을 그렇게 다시 일어서게 한 것은 바깥의 목소리였다. 체포된 후 마사시 등이 모든 게 끝났다는 절망감에 빠져 있었던 것은 감옥 밖에 자신들과 연결된 동료가 없다는 깊은 고립감에서였다. 하지만 실제로 그들에 대한 구원 활동은 금세 시작되어 지금도 지속되고 확대되고 있다. 동아시아반일무장전선이 폭탄으로 물으려고 했던 것이 무엇이었는지를 진지하게 받아들이려는 목소리도 옥중에 도달했다. 특히 오키나와 가데나(嘉手納) 미군 기지 앞에서 분신자살을 한 전 가마가사키 공투회의(共闘会議) 간부 후나모토 슈지(船本洲治, 29세)가 남긴 메시지는 마사시 등의 가슴을 찌르듯이 마음에 와닿았다.

후나모토는 가마가사키나 산야에서 활동했고 '전갈'의 구로카와 요시마사와도 관계가 깊었다. 그는 황태자의 오키나와 방문에 반대하며 "황태자 암살을 꾀했지만 피아의 정세로 인해 객관적으로 불가능해졌다. 따라서 목숨을 건 싸움이 아니라 죽음으로써 항의한다"는 말을 남기고 1975년 6월 25일 밤 휘발유를 몸에 뒤집어쓰고 스스로 불을 질렀다. 죽음을 앞두고 그는 옥중의 구로카와 등에게 이렇게 호소했다.

> 동아시아반일무장전선의 전사 여러분!
>
> 여러분의 투쟁이야말로 동아시아의 내일을 움직인다는 것을 광범위한 인민 대중에게 소리 높이 선언했다. 아직 이 투쟁은 막 시작되었을 뿐이고, 여러분의 투쟁은 더욱 지속되고 확대되어 갈 거라고 믿는다. 부르주아 언론이 최대한 이 투쟁에서 정치성을 박탈하고 왜소화 공격을 가하고 있지만 '진정한' 프롤레타리아는 그런 선동에 결코 속지 않는다. 이 투쟁은 틀림없이 계속해서 확대되어 갈 것이다.

후나모토의 분신자살은 마사시 등이 한창 자백을 거듭하고 있을 때의 일이었다. 마사시 등은 후나모토의 목숨을 건 호소를 항의로 받아들여 당시 심한 타격을 받았으나 곧 다시 일어나 투쟁을 재개할 계기로 삼았다.

후나모토가 예고한 것처럼 그들이 체포된 후에도 여기저기에서 동아시아반일무장전선을 자처하는 폭파 공격이 이어졌다. 1976년 3월 2일 오전 9시 2분에는 홋카이도 도청 1층 로비에서 소화기 폭탄이 터져 두 명이 사망하고 74명이 중경상을 입은 사건이 발생했다. 이때 아이누에 대한 침략을 비난하는 성명문을 낸 단체는 스스로 동아시아반일무장전선이라고 칭했다. 또다시 다수의 희생자가 나온 것에 마음 아파하면서도 한편으로 마사시는 자신들의 사상이 착실히 계승되고 있다는 느낌을 받았다. 《하라하라 시계》를 통해 동아시아반일무장전선에 참여해 달라고 호소했던 자신들이기에 설령 감옥에 갇힌 몸이라 하더라도 계속 굴복하고 있을 수는 없다고 생각한 것은 당연했다. 구로카와 요시마사가 적확히 이렇게 썼다.

> 감옥은 게릴라 병사의 묘지도 아니고 대기 장소도 아니다. 바로 게릴라 병사의 전투 캠프이고 전장이다. 적의 여유는 동시에 적의 사각지대이기도 하다. 포로가 된 게릴라 병사는 강요된 구금을 바로 자기 무장화의 지렛대로 바꾸어, 인민과의 강요된 분리를 역으로 인민과의 결합 지렛대로 바꾼다. 바로 건져 올려진 물고기는 인민의 마음속을 자유

롭게 헤엄치며 게릴라 병사로서 성장한다. 적의 창자 안에서 적으로부터 자양분을 빼앗으며 성장한다. 옥중 게릴라 병사는 적의 체내에 삽입돼 적의 체내에서 영양을 보급하며 적의 기구를 파괴하는 암세포다. 없애고 또 없애도 집요하게 장소를 옮겨가며 싸우고 번식하는 암세포다. ① 육체의 무기화 ② 정신 무장 ③ 만족할 줄 모르는 공격 정신, 일단 이 세 가지를 옥중 게릴라 교의라고 하자.

옥중 투쟁이란 얼마나 대단한가. 예컨대 아라이 마리코의 경우를 보자. 그는 매일 아침저녁으로 각 방에서 이루어지는 무릎을 꿇고 앉아서 점호받는 것을 거부했기 때문에 4월 17일 이후 여자 구역에서 남(南)3사에 격리되었는데 거기서도 무릎을 꿇고 앉아서 점호받는 것을 거부했다. 아침저녁으로 간수가 점호를 부르러 올 때 수인은 각 방에서 무릎을 꿇고 앉아 자신의 번호를 말해야 하지만, 마리코는 그런 굴욕적인 자세는 노예나 하는 것이라며 계속 거부했다. 4월 24일 아라이 마리코는 자신의 육체에 가해진 무시무시한 폭력을 차분하게 기록한다.

오후 4시. 기대되는 점호. 기다리고 기다리던 점호다. 문이 열렸을 때 나는 식기를 씻고 있었다. 일을 계속하며 여느 때와 같이 외쳤다. "엉터리 징벌 반대! 폭력적 지배에 단호히 항의한다!"

그러나 놈은 마지막까지 말하게 두지 않고 쿵쾅거리며 들어와 내 머리를 잡나 싶더니 나를 바닥에 쓰러뜨렸다.

"잘 들어! 내가 가르쳐 주지. 점호라는 건 이렇게 하는 거야!"

머리카락을 잡고 이리저리 끌고 다니며 등으로 올라타 나를 앉히려고 한다. 내가 발을 뻗고 있으니 발을 차서 구부리려고 한다. 그리고 팔을 등 뒤로 바짝 비틀어 올리고 머리채를 잡은 채 소리친다. "번호를 말해! 번호!"

"웃기지 마. 폭력으로 강요하는데 번호를 어떻게 말해! 폭력은 쓰지 마!"

나는 놈을 힘껏 걷어차고 손을 내둘러 풀고 일어섰다. "이 년이!" 일어나자마자 놈은 다시 나를 바닥에 쓰러뜨리고 무릎으로 세게 누른다. 팔을 비틀어 올려 꼼짝할 수 없는 자세로 만들고 소리친다. "번호를 말해!"

"죽어도 말 안 해!"

일어서면 메치고 다시 일어나면 머리채를 잡아 내팽개치는… 이것을 헤아릴 수 없을 정도로 되풀이한다….

잠시 후 눈앞에 또 한 명의 말 대가리같이 생긴 간수가 나타났다. 나와 놈의 격투를 한동안 지켜본 후 들어와 놈에게 가세한다.

"폭력은 쓰지 마! 수감자한테 폭력을 휘두르는 건 허용되지 않을 텐데? 합법적인 처치야? 설명해 봐! 수감자한테는 기본적인 인권도 없냐고!"라고 항의하면 "기본적인 인권? 너 같은 년한테는 인권이고 뭐고 없어. 사람의 기본적인 인권을 생각하지 않는 짓을 해서 갇혀 있는 주제에 어디서 인권 타령이야! 봐줬더니 못 하는 소리가 없지? 여기서는 그렇게 안 돼. 잘 들어, 내가 알게 해주지"라고 소리를 지르고는 곧바로 목 뒤를 꽉 조르고 얼굴을 다다미에 쿵쿵 부딪친다. 팔을 두 손으로 힘껏 역방향으로 비틀어 올리나 싶더니 내 위에 발로 밟고 올라와 몸을 새우처럼 꺾어서 두 손을 뒤로 묶고 얼굴을 발로 짓밟았다. (그 발의 역한 냄새라니!) 뼈가 부러지는 게 아닐까 싶을 만큼의 통증에 크게 소리치지도 못하고 "하하하… 너희들 정체가 뭔지 알겠다!"라고 간신히 말하자 말같이 생긴 놈이 말한다. "네놈의 정체도 알았어!"

"이년은 제정신이 아니야. 정상적으로 상대할 수 없어", "인간도 아냐, 저건" 등의 막말을 남기고 간수들이 돌아갔다. 마리코는 "내출혈 부분: 오른쪽 위팔 네 군데, 왼쪽 위팔 네 군데, 왼쪽 아래팔 네 군데, 오른발 한 군데, 왼발 두 군데, 긁힌 상처 오른쪽 손가락 한 군데"라고 받은 피해를 정확한 기록으로 남긴다.

이튿날 아침, 남사 계장이 와서 어찌할 바를 모르겠다는 듯이 어떻게 하면 무릎을 꿇고 점호를 받을지 마리코에게 묻는다.

"어디까지나 저는 제 의지로 행동하는 거니까 아무리 말해도 소용없습니다. 점호로 제 생활을 흐트러뜨리는 것은 허락할 수 없습니다. 화장실에 앉아 있을 때 점호를 하러 오면 화장실에 앉은 채, 서 있을 때 오면 선 채로 점호를 받겠습니다. 만약 **운 좋게** 제가 다다미에 앉아 있으면 앉아서 점호를 받겠습니다. 앉아 있다고 해서 점호 때문에 일부러 일어날 생각은 없습니다."

아라이 마리코의 그 말에 계장은 "거기에 앉아 있을 때 점호를 하러 오면 되겠네!" 하며 힘없이 중얼거리고 물러갔다. 마리코는 이 보고 마지막을 이렇게 맺었다. "놈은 굴복했습니다. 놈은 자기 힘의 한계를 깨달았던 것입니다. 우리는 주객 정상화 하나를 쟁취한 것입니다."

옥중이 전장이라고 규정하는 KAZ 병사단으로서는 법정 또한 전장이다. 일본의 국가 권력을 부정하는 그들이 국가 기구의 으뜸가는 법원에 출정하는 것 자체가 모순이기에 그들은 법정을 '심판받는 곳'에서 '심판하는 곳'으로 역전시키려고 했다. 역전극의 열쇠는 피고 측이 어떻게 공판의 주도권을 쥐는가 하는 데 있다. 당연히 공판정은 거의 매번 난리가 나서 피고인단이나 방청객에 대한 퇴정 명령이 되풀이되고, 퇴정을 집행하는 간수나 정리 사이에 격렬한 충돌이 이어졌다.

두 번째 상경을 한 나오시와 도시코는 여덟 번째 공판(1976년 6월 17일)을 방청했다. 이날 법정은 보기 드물게 얌전히 끝났기 때문에 도시코는 지금까지 얼굴을 알지 못했던 아라이 마리코, 에키다 유키코, 구로카와 요시마사를 방청석에서 볼 수 있었다. 가타오카는 이전에 후지사와 등과 미도리가오카의 집에 온 적이 있어서 알고 있었다. 구로카와가 볼까지 수염으로 뒤덮여 있는 것이 인상적이었다. 이날도 변호인에 이어 피고 여섯 명이 차례로 의견을 말했는데 여성들이 재판장을 향해 "…하라"라고 요구한 것에 도시코는 깜짝 놀랐다. 재판장은 진지하게 듣고 있는지 어떤지 계속 시계만 신경 쓰고 있는 것처럼 보였다.

피고인단이 다시 간수에 의해 수갑과 포승줄에 묶여 법정에서 나가자 방청객은 모두 일어나 손을 흔들며 전송했다. 손을 흔드는 도시코도 가슴에 복받치는 것이 있었다. 숙소로 돌아오자 곧바로 도시코는 "처음 뵙겠습니다. 마사시의 어머니입니다"라는 짧은 편지를 구로카와 등에게 썼다. 법정에서 본 한 사람 한 사람의 인상을 써넣었다.

나오시와 도시코가 다음으로 방청한 것은 12번째 공판(10월 21일)이었다. 이때는 공판이 아주 거칠었다. 재판장은 이미 미노하라 시게히로(蓑原茂広)로 바뀌었는데 그의 소송 지휘는 이전의 니시카와 재판장보다 한층 강압적이었다. 이날도 방청객 몇 명이 도중에 퇴정 명령을 받았다. 공판 내용은 기소장에 관한 석명(釋明) 논쟁이어서 도시코가 거의 이해할 수 없는 대화가 이어졌다. 가장 큰 혼란이 일어난 것은 폐정한 후였다. 석명 논쟁 도중의 일방적인 폐정 선언을 납득할 수 없었던 피고인단이 퇴정하려고 하지 않자 간수들이 그들을 법정 밖으로 끌어내려고 하면서 난투가 벌어졌다. 한 사람에게 서너 명의 다부진 간수가 덮쳐서 목을 조르기도 하고 팔을 비틀어 올리기도 하는 것을 도시코는 비명을 지르고 싶은 심정으로 지켜봤다. 보다 못한 우치다 변호사가 혼란의 와중에 끼어들었다. 그런데 재판장은 우치다 변호사에게까지 구속 명령을 내렸다. 감치 재판 결과 우치다 변호사는 감치 10일이라는 이례적인 제재를 받았다. 가타오카를 제외한 다섯 피고인 역시 각각 감치 제재를 받았다. 마사시는 도시코에게 보낸 편지에 이렇게 썼다.

> 멀리 있으면 단식 투쟁이며 징벌이며 감치며 난투라는 말을 듣거나 읽게 되어 제가 괜찮은지 걱정할지도 모르겠습니다. 하지만 심신 모두 건강하기에 끊임없이 싸움을 하고 그 반동으로 탄압 처분을 받는 겁니다. 만약 징벌도 난투도 모두 없어졌다면 그때는 싸울 기력을 잃은 빈껍데기 같은 인간이 옥중에서 사육되고 있는 것이나 마찬가지입니다. 제가 계속 싸우는 인간으로 있는 한 현 상태에서 불이익 처분은 피할 수가 없습니다. 그러나 그러한 불이익 처분=탄압은 저의 투지를 키워줄지언정 결코 줄이지는 못합니다. 그러므로 거듭 말합니다만, 싸움을 계속해 가기 위해 자신의 건강에는 충분히 유의하고 있으니 아무쪼록 걱정하지 마시기 바랍니다. 그리고 잠시 연락이 두절되는 일이 있으면 그때는 옥중 투쟁으로 무슨 탄압이라도 받는 모양이라고 생각하여 아버지, 어머니도 투지를 불태워주세요.

1977년을 맞이하여 그들의 형사재판은 단숨에 긴급 사태에 돌입한다.

전해 말부터 미노하라 재판장은 신년부터 매주 한 번의

공판을 열고 싶다는 의향을 내비쳤다. 그런 빈도로는 도저히 공판 대책을 세울 수 없다고 주장한 변호인단은 몇 번이고 절충을 시도했으나 결렬되고 말았다. 1월 14일의 19번째 공판에는 피고인단도 변호인단도 소송 지휘에 대한 항의를 담아 결석했다. 하지만 미노하라 재판장은 양자가 부재인 상태에서 무지개 작전에 관계된 증인 조사를 강행했다. 1월 20일 이런 강압적인 지휘 아래서는 정당한 변호 활동을 할 수 없다며 변호인단 전원이 사임을 표명한다. 미노하라는 도쿄에 있는 세 군데의 변호사회에 국선 변호인을 의뢰했으나 변호사회가 응하지 않아 공판은 붕 뜨게 되었다.

2

다이도지 나오시와 도시코가 마사시로부터 지금껏 없었던 심한 힐문의 편지를 받은 것은 1977년 6월 23일의 일이다.

> 오늘은 굉장히 중요한 것을 물어보려고 하니 꼭 대답해 주었으면 합니다. 편지를 이렇게 시작할 수밖에 없어 마음이 무겁습니다만, 일이 중요해서 어쩔 수가 없습니다.
>
> 지난번에 사사키 씨로부터 제가 가족에 대해 적극적으로 문제제기를 해오지 않았다는 점에서 비판을 받았다고 썼습니다. 그런데 또 똑같은 비판을 받았습니다. 확실히 지금까

지 저는 아버지나 어머니에게 "함께 싸워나가자"는 문제제기를 해오지 않았기 때문에 이에 대해 자기비판을 하고 앞으로는 적극적으로 자기비판을 하겠다고 생각했습니다. 그런데 이번 비판은 제가 전혀 몰랐던 사실에 대한 것이어서 우선 사실 관계부터 확인하고자 합니다.

아버지는 구시로 경찰서의 외사과 형사의 방문을 받고 러시아어 사전을 빌려준 일이 있습니까? 게다가 그것은 올해 3월경까지 계속되었습니까? 우선 그것이 사실인지 어떤지 묻겠습니다.

다음으로 만약 그것이 사실이라면 왜 방문을 받았고 그것은 몇 시부터 몇 시까지 몇 번이고, 그 형사의 이름, 나이, 특징은 어땠으며 대체 그놈과 무슨 이야기를 했는지, 그리고 왜 사전을 빌려주었는지 꼭 대답해 주십시오. 그리고 왜 그렇게 중요한 일을 지금까지 저에게 알려주지 않았는지를 써서 보내주십시오.

나오시는 분명히 두 형사가 이따금 찾아오는데 이런저런 잡담 이상의 대응을 하고 있지 않다는 것, 빌려준 것은 사전이 아니라 《러시아로(路)》라는 책으로, 한 형사가 경찰의 러시아어 상급시험을 목표로 하고 있고 그 선생이라는 사람이 나의 만철 시절 지인이라는 게 반가워서 빌려주었다는 것 등을 써서 보냈다.

이런 일로 아버지와 어머니는 너희에 대한 죄의식도 없고

> 꺼림칙한 마음도 없어서 특별히 너희에게 알려야 하는 일이 라고도 생각하지 않았다. 그래서 사사키 씨한테도 (상경했을 때) 한가한 이야기로 한 것이다. 그것을 사사키 씨가 비판이라는 형태로 너를 힐책하는 것은 이상한 일이다. 지난달에도 며칠이나 우리와 만났으니까 그때 우리에게 직접 이야기를 했으면 될 일이지 이런 일이 부모 자식 관계가 단절되는 원인이 되어서는 안 된다고 생각한다.
>
> 아버지와 어머니는 앞으로도 떳떳하지 못하게 세상 사람들과의 관계를 끊고 살아갈 생각은 추호도 없지만 네 충고는 충분히 염두에 두고 대처해 가려고 한다.

이 답장에 충격을 받은 마사시는 곧바로 형사들의 방문을 거절해 달라고 나오시에게 요구한다. 그렇게 성급하게 힐문하는 편지를 부모에게 보낸 배경에는 옥중의 그를 둘러싼 심각한 상황이 있었다. 이 시기 '가타오카 문제'가 옥중의 여섯 명과 가족 및 구원회를 크게 동요시켰던 것이다.

구원 활동의 중심에 있는 사사키 데쓰야가 가타오카 도시아키를 철저하게 비판하기 시작한 것은 그해 3월부터다. 그것에 앞서 전해 가을부터 구원회는 옥중의 여섯 명에게 1년 전 5월에서 6월에 걸친 자백 과정의 상세한 보고와 공개적인 자기비판을 요구하고 있었다. 사사키는 그만큼의 결의로 폭탄 투쟁을 실행해 온 자들이 왜 그렇게 어이없이 전면 자백을 하고 말았는지 원인을 철저하게 분석해야 한다고 생각하고 있었다. 옥중의 여섯 명은 차입된 자신의 진술 조서를 앞에 두고 도망갈 곳 없는 독방 안에서 다시 조사를 받던 나날을 돌이켜보지 않을 수 없었다. 그것은 여섯 명에게 더할 나위 없이 힘든 일이었다. 지금 와서 보면 눈앞에 있는 두툼한 진술 조서는 검사에게 전면적으로 굴복한, 무참하기까지 한 증거물일 수밖에 없었다. 하루하루의 진술을 더듬어 가며 그런 진술을 하게 내몰렸던 심리를 집요하게 자기 분석한 기록을, 여섯 명은 감옥 밖의 구원회에 보내기 시작했다.

1976년 가을부터 마사시 등의 옥중 투쟁이 한층 격화된 것과 이 자백 성찰 작업의 진행은 무관하지 않다. 거의 저항도 없이 전면적으로 굴복한 자백 기록에 손을 대는 것만으로도 마사시의 가슴에는 뜨끔한 통증이 느껴졌다. 더는 견딜 수 없는 그 굴욕감이 지금 그를 옥중 싸움으로 내몰고 있다. 자백의 어느 부분을 봐도 얼굴이 화끈해지는 굴욕감이 되살아난다. 하지만 그것을 스스로 도려내고 철저하게 분석하지 않으면 안 된다. 그는 전면적인 자백을 시작할 때 '늑대' 동지들에게 그것을 알리는 회람을 돌렸는데 그 행위를 보고하면서 다음과 같은 자기비판을 한다.

> 이 자백 선언 회람은 완전한 묵비권을 행사하고 있는 동지들의 완전한 묵비권 행사를 깨는 데 활용되었다. 나는 완전한 묵비권을 행사하고 있는 동지들에 대해 철저하게 반혁명적인 배신행위를 한 것이다.
>
> 완전한 묵비권을 행사하고 있는 동지들의 존재를 알고

있었던 나는 절대적으로 묵비권을 행사하고 그렇게 묵비권을 행사하는 공통된 사실 행위로써 동지들과 단단히 결합하여 놈들에게 비집고 들어올 틈을 주어서는 안 되었던 것이다. 나는 이 회람에 "권력에 굴복하여 시작한 것은 아니다"라고 썼다. 하지만 이 회람이야말로 나의 굴복과 타락을 여실히 보여준 것이고, 그렇게 쓴 것은 자기 자신에게도 동지에게도 자신을 정당화하려고 한 아주 비열한 시도였다. 만약 내가 동지들에게 전할 것이 있었다면 그것은 바로 "옥중 투쟁을 시작하자! 함께 완전한 묵비권을 행사하자!"는 말이어야 했다. 지금 자신에 대한 강한 증오로써 깊이 자기비판을 한다.

여섯 명 각자의 어려움에 가득한 이런 성찰 작업으로 자백의 전모는 드디어 감옥 밖의 구원회에도 밝혀지게 되었다. 그런데 그 과정에서 부각된 것이 가타오카 도시아키의 문제다. 사사키 데쓰야는 가타오카의 진술 내용과 그것에 대한 그의 성찰 작업을 검토하여 이미 그는 반일 무장투쟁의 병사가 아니라 전향자가 아니냐며 비판하기 시작한다. 자백 진도가 가장 빨랐다는 것과 그 자백 과정에서 형사나 검사와 신뢰 관계를 맺었다는 것 등이 의심되고, 또 옥중 투쟁에 대한 그의 소극적인 태도도 비판의 대상이 되었다.

사사키의 비판은 틈을 주지 않았고 무척 매서웠다.

3월 초 구체적으로 가타오카 비판을 시작했을 때 나는 그를 완전한 전향자라고 단정하지 않았다. 그러나 그 이후 그의 '자세', 그리고 그때까지 그의 '자세'를 재점검함으로써 나는 그를 완전한 전향자라고 단정했다. 그리고 지금도 그는 전향자의 성격을 유지하고 있다고 단정한다. 지금 내가 가타오카에게 취해야 할 태도는 안이한 재결합도 단절도 아니다. 근본적인 전향의 구체적인 실체 보고를 요구하는 것이다.

통일 공판이란 무엇인가? 법정에서는 완전한 전향자를 근본적으로 비판하지 않고 '여섯 명'이 공존하고 있었다. 서로 동지로서. 그러나 가타오카는 적과 밥을 먹은 사실을 계속 숨기고 있었던 것에서도 알 수 있듯이 아직 전향자의 성격을 내포하고 있고, 여전히 적과의 '교우 관계' 전체를 보고하지 않는 것에서도 분명하듯이 계속해서 전향자다. 그와 다른 다섯 명이 법정에서도 공존할 수 있을까? 이는 공산주의적 단결 이전의 문제다. 가타오카는 하루도 쉬지 않고 연속적으로 보고를 해야 한다.

사사키의 비판은 가타오카에게만 그치지 않고 지금까지 가타오카를 비판하지 않은 다른 다섯 명에게도 향했다. 특히 '늑대' 초기부터 동지였던 마사시는 쉽사리 가타오카 비판에 동조하지 않았기 때문에 사사키로부터 비판을 받게 되었다. 마사시가 부모에게 힐문의 편지를 썼던 시기, 그 역시 가타오카 비판으로 기울어져 있었다. 이를 보다 못한 아라이 히데타로는 이미 규탄의 양상을 띠고 있는 가타오카 비판을 비판하며 다이도지 나오시를 비롯한 가족회 멤버를 향해 자신의 생각을 쓴다.

> 자백 단계에서 여섯 명(일곱 명) 전원이 자백하고 말았습니다. 그중에서 가타오카의 그것이 가장 심했다는 것은 사실이겠지요. 그는 그 후에도 분리 공판을 생각하고 있었습니다. 주로 여동생이 그것을 설득하여 통일 공판으로 가져갔습니다. 가장 동요하고 있었겠지만, 밀실 안에서 한편으로 사형을 내비치며 다른 한편으로 회유 공작을 진행하고 협박을 가해 … 오는 권력의 방식이야말로 증오해야 하지 인간적 나약함을 드러낸 가타오카를 미워해서는 안 됩니다. 그의 자백 극복을 바라고, 그렇게 할 수 있도록 격려해 주어야 한다고 저는 생각합니다. 동지였던 옥중의 다섯 명의 분함은 알겠지만, 시간이 얼마나 걸리더라도 그의 재기를 기대해야 합니다. 그는 극복하려고 열심히 노력하고 있다고 저는 생각합니다. 엄격하고 가열하기까지 한 비판에 응답하고 있으니까요.

이렇게 씀으로써 아라이 히데타로 역시 사사키의 통렬한 비판 대상이 된다.

붕 떠버린 공판도 미노하라 재판장이 결국 양보해서 한 달에 두 번 공판을 하기로 하고, 7월 29일에 재개하는 것으로 정해졌다. 하지만 오랜만에 법정에서 동지들과 얼굴을 마주하는 것도 가타오카 문제가 걸려 있는 이상 마사시 등에게 마음이 무거운 일이었다. 복귀한 예전 변호인단도 피고인단의 분열과 구원회와의 알력을 마음 아파하고 있었다. 구원회도 피고의 가족을 제외하면 몇 사람 안 남은 상황이 되어 있었다.

내가 다이도지 마사시의 궤적을 좇으려고 방대한 관련 자료를 읽기 시작했을 때 가장 거북했던 것이 사사키 데쓰야가 쓴 대량의 가타오카 비판 글이었다. 가타오카의 자기비판 또는 해명의 편지 한 글자까지 가차 없이 묻고 따지고 물고 늘어지듯이 반격하는 일련의 글을 읽으며 나는 마치 자신이 궁지에 몰린 듯한 숨막힘에 허덕였다. 그 비판의 가열함에는 견딜 수가 없었다.

> 〈구원〉 1978년 1월호에서 "반일 무장투쟁, 가타오카 도시아키"라는 자가 "새해, 축하합니다…"라고 썼다.
>
> 가타오카, 이렇게 쓸 때 한순간이라도 Y(후지사와 요시미)가 네 마음에 스치지는 않았나. 그의 원한을 풀어주지 못한 채 맞이한 '새해'가 '축하'할 일인가!!
>
> 분노를 가지고 질문한다. 대답하라!!
>
> 1. '축하한다'는 것은 누구를 향한 말인가!!
>
> 2. 어떤 의미에서 '축하한다'는 것인가.

나는 가타오카 도시아키와 편지를 교환하지 않았고 면회를 한 적도 없다. 하지만 그가 쓴 《폭탄 세대의 증언》을 읽었기에 이 인물을 나름대로 안다고 생각한다. 구체적으로 말하자면 모범적 병사의 면모를 보이는 다이도지 마사시와는 대조적으로 인간의 나약함을 드러내고 동요하는 가타오카를 쉽게 이해할 수 있었다. 폭탄 투쟁이 미쓰비시중공업 빌딩에서의 사상자에 이어서 차례로 중경상자를 내자 그 자체에 의문을 품게 됐던 그의 심리를 이해할 수 있었다. 그의 전면적 자백도 그런 심리와 무관하지 않았을 것이다.

내가 처음으로 자백한 것은 자신이 살고 싶어서가 아니었습니다. 그러나 형사가 "살 수 있는 가능성이 있다"고 말해서 저는 동요했습니다. 저에게는 삶에 대한 집착이 있었습니다. 저의 동요를 간파한 형사는 다시 이렇게 말하며 저의 '살아갈 목적'을 펼쳐 보여주었습니다.

"만약 살아남을 수 있다면 그때는 자신의 투쟁 결과를 자신의 눈으로 똑똑히 보고 확인하면 되지 않겠습니까? 안 그래요? 자신이 직접 투쟁을 하지 않아도 글을 쓴다거나 자신의 생각을 세상에 호소하는 것도 가능하지 않을까요?"

'살아남아서 자신의 투쟁 결과를 확인한다'는 형사의 말이 저를 사로잡았습니다. 저는 살고 싶었습니다. 가족을 위해, 그리고 무엇보다 자신을 위해서요. 저는 구류 신문으로부터 이틀 후에 다시 자백을 시작했습니다.(《폭탄 세대의 증언》)

누구나 가지고 있을 이 인간적인 나약함을 "끝까지 타도

하지 않으면 안 된다"며 가타오카 도시아키는 1977년부터 1978년에 걸쳐 사사키 데쓰야나 같은 옥중의 동지로부터 집중포화를 받았다.

'이제 늑대에 대해 쓰는 것은 그만두자. 이건 도저히 내가 쓸 수 있는 작품이 아니다.'

정신적으로 심한 타격을 받고 나는 한 달 이상 자료를 집어들 수가 없었다. 가타오카 도시아키의 입장을 이해하려고 한 아라이 히데타로도 옥중 병사단으로부터 비판을 받았다. 그런 이해는 "일제 소시민의 지평"에 머문 것이라는 비난을 받았다. 그런 말과 맞닥뜨렸을 때 나는 자신이 비판받고 있는 것처럼 질리고 말았다. 다이도지 마사시가 《두붓집의 사계》에 감동했다고 했으므로 어쩌면 나도 그들을 잘 이해할 수 있지 않을까 했던 나의 처음 동기는, 그것이야말로 "일제 소시민의 지평"에서 나온 발상이라며 내팽개쳐지지 않을까 하는 생각이 들었다. 나는 새삼 '늑대'를 쓰는 일의 어려움에 직면하고 있었다. 예컨대 사사키 데쓰야의 가타오카 비판 한 구절에 다음과 같은 부분이 있다.

> '동아시아반일무장전선' 세 부대의 일곱 명은 일제 경찰에게 자신의 출생 비밀부터 개별 작전 계획의 비밀, 심리의 어두운 비밀까지 모든 비밀을 총체적으로 (일곱 명 전원이) 말했다. 일제는 세 부대의 일곱 명의 자백을 통해 '동아시아반일무장전선'의 과거, 현재, 미래의 투쟁 전체를 압살하기 위한 열쇠를 쥘 수 있었던 것이다.

내가 쓰려는 것은 다이도지 마사시가 싸워온 투쟁의 궤적이고, 그것을 위해서 그가 살아온 내력부터 사상 이력까지 꼼꼼히 살필 생각이었다. 아마 여기서 문제가 되고 있는 자백 이상으로 그들 마음의 이면을 써나가게 될 것이다. 사사키 데쓰야가 비판하는 것처럼 무장투쟁을 현실에서 계속해 나가려고 하는 측에서 보면 '늑대'의 탄생 배경을 극명하게 더듬어 가는 자체가 이적행위가 된다. 나는 지금까지 생각해 보지도 않았던 이 사실 앞에서 멈춰서게 되었다.

마침 이 무렵 마사시는 부모와 주고받은 편지는 보지 말라며 거부했다. '늑대'의 투쟁 궤적을 더듬어 가는 일에 그런 사적인 부분까지 들여다볼 필요는 없다는 것이 그의 거절 이유였다.

"아니, 제가 당신을 알아가기 위해서는 그런 민낯까지 볼 필요가 있습니다. 그것이야말로 소시민적 이해라는 말을 들을지도 모르겠습니다만, 그런 민낯을 매개로 저는 당신을 전면적으로 이해할 수 있게 될 테니까요. 많은 독자도 아마 그렇게 생각할 겁니다."

나는 이런 의미의 말을 써서 그에게 보냈지만 그래도 내심 쩔쩔매고 있었다. 그런 이해 따위는 필요 없다는 말이 돌아올지도 모른다고 염려하며 두려워하고 있었던 것이다. 1977년 당시의 그라면 바로 그랬을 것이다. 당시의 그들이 들이댔던 것은 극단적으로 말하면 그들의 반일 폭탄 투쟁에 합류할 건지 아닌지만 칼날처럼 날카롭게 묻는 것이며,

그 수준에 도달하지 못한 소시민적 이해 따위는 전적으로 거부했다. 이 시기에 구원 운동에 관계하는 사람이 점점 줄어든 것도 그 혹독한 물음에 제대로 대답할 수 없었기 때문이다.

물론 그 후의 긴 옥중 생활에서 그들의 성급한 사고는 점차 변해갔고, 대중이라든가 인민과의 접점을 갖기 시작한 것도 알고 있었지만(그렇기에 나도 만날 수 있었지만), 지금 처음으로 읽은 일련의 가타오카 비판을 둘러싼 혹독한 글은 나라는 인간의 나약한 부분을 가차 없이 도려냈다.

내가 정신을 차리고 다시 방대한 자료를 마주한 것은 다이도지 마사시로부터 다음과 같은 편지를 받고 나서다.

가타오카를 비판하던 무렵에 저는 자신을 잃어버렸던 것 같습니다. 연합적군 병사들과 같은 상황이었는지도 모릅니다. 정말 부끄러워 견딜 수가 없습니다.

저희는 많건 적건 자백을 했습니다. 그것에 대해 당시 구원 활동을 해주었던 사람들(사사키의 형님이 중심이었습니다)로부터 공개적인 자기비판과 성찰을 요구받았습니다.

자백한 이유는 다양하지만 패배인 것은 틀림없습니다. 아니 그보다는 패배를 부질없이 거듭했던 것이므로 자기비판을 했습니다. 그 과정에서 가타오카와 형사, 그리고 검사의 대화도 밝혀졌습니다. 그것을 알고 구원회는 그를 비판하기 시작했습니다. 다른 동지들도 비판하기 시작했습니다. 그러나 저는 비판을 시작할 수가 없었습니다. 비판하는 마음은 있었습니다만, '그렇게 다 같이 혹독하게 할 필요는 없지 않을까' 하는 마음이었고, '자기비판을 하고 있으니까 그걸로 된 거 아닌가'라는 생각이었습니다. 그리고 그와는 '늑대'에서 함께했으므로 역시 감싸주고 싶었습니다. 그리고 그에게는 솔직히 사실을 밝히는 것이 낫다고 설득했습니다.

그런데 그러는 사이에 비판이 저에게 집중되었습니다. 제가 그를 비판하지 않는 것은 난센스라고 말이지요. 이것도 구원회가 앞장섰습니다만 다른 동지도 뒤따랐습니다. 그리고 제가 반론하지 못하고 그 비판에 굴복한 것은 저 자신이 자백하고 말았다는 사실 때문입니다. "자백한 사람끼리 서로 상처를 어루만지려 하고 있다", "가타오카 비판을 할 수 없는 너는 아직 패배에서 회복하지 못했다는 증거다", "너는 가타오카 비판을 하지 않음으로써 자신을 속이려 하고 있다" 등등.

그 무렵에 또 고향집에 구시로 경찰서 외사과 형사 두 명이 찾아와 아버지와 이야기했다는 것을 구원회가 지적하며 비판했습니다. 가타오카를 비판하지 않은 것과 이것은 아무 관련도 없는 일입니다만 "네 자세가 모호하기 때문이다"라는 식으로 말하면 반론할 수가 없습니다. 완전히 의기소침해지고 말았습니다. 그대로 계속해서 의기소침한 상태였다면 좋았을 거라고 지금은 생각합니다만, 끝까지 철저하지 못한 나약함(이라고 할 수 있을지?)이 있었던 것이겠지요.

"가타오카가 다시 일어서기 위해 원조를 해야 한다. 그 원조는 그를 혹독하게 비판하는 것이다"라는 구원회나 동지의 비판을 받고 저도 그에 대한 비판을 했습니다. 그 과정에서는 그가 구원회 등에 반발하는 것을 보고 근친 증오 같은 마음도 생겼던 것 같습니다. '왜 이해하지 못할까'라는 생각이었겠지요. 지금 생각하면 정말 멋대로 된 마음이었지만요.

그리고 이는 수습하러 나선 아라이나 변호사에 대한 반발로도 이어집니다. 저는 당시에도 그들의 의견이 옳다는 걸 알고 있었을 겁니다. 그렇기 때문에 양식 있는 그들에게 강하게 반발했던 것이겠지요. 왜냐하면 그들의 의견을 옳다고 인정해 버리는 것은 제가 약하다는 증거일 수밖에 없(다고 당시는 생각했습니다)기 때문입니다. 그러므로 더욱 그들의 의견을 '소시민적인 것'이라고 비판하고 딱 잘라 거절한 것이라고 생각합니다.

가타오카는 자백 건과 무장투쟁을 청산하고 부정한다는 생각을 거의 같은 무렵에 밝혔기 때문에 더욱 혼란이 깊어졌지만, 저는 훗날 그에게 자기비판을 했습니다. 그리고 사고방식의 차이를 전제로 관계 회복을 꾀한 후에 저는 저 자신을 되찾은 게 아닐까 생각합니다. 허세를 극복할 수 있었던 것이지요.

그러므로 지금의 저는 게릴라 병사가 되려고 삐걱거리며 자신을 꽁꽁 묶으려고 했던 무렵과는 다릅니다. 자신의 소박한 생각이나 감정에 솔직하고 싶습니다. 그리고 이런 생각은 가타오카를 비판하던 무렵 자신의 감정이나 의문에 반해 움직인 것에 대한 고통스러운 반성에 의거한 것입니다.

'고통'이라고 하면 어리광이라고 비판받을지도 모르겠습니다만, 이것은 자신이 괴롭다는 것 이상으로 가타오카에게 미안한 일을 했다는 생각입니다. "소시민적 수준에서의 이해" 같은 소리를 하며 허세를 부리던 무렵에는 자신을 굉장히 오만한 위치에 두고 있었던 것 같습니다. 무슨 대단한 사람이라도 된 줄 알았느냐고 지금은 생각합니다. 당시에 썼던 여러 가지 것들이 모두 그랬지요. 지금은 도저히 읽을 수가 없습니다.

그래서 저는 당신이 말하는 '소시민적 수준'에서의 이해에 대한 반대도 비판도 할 마음이 없습니다. 아니, 그보다 오히려 찬성합니다.

3

맑음, 오후 세 시간 작곡. 파리발 도쿄행 일본항공기, 하이재킹당함. 범인은 일본적군이라 자처함. 프로야구, 요미우리 대 히로시마는 13대 5로 요미우리 승리. 오 사다하루(王貞治), 47호, 48호 홈런. 야쿠르트 주니치는 10대 1로 야쿠르트 승리. 다이요(大洋)·한신(阪神)은 3대 3으로 무승부.

다이도지 나오시는 1977년 9월 28일 수요일의 일지를 위와 같이 기록했다.

파리발 도쿄행 일본항공기 남쪽 경로 유럽노선 472편

DC8형기가 인도 뭄바이 국제공항을 이륙한 직후 일본적군 히다카(日高) 부대에 의해 하이재킹된 것은 9월 28일 오전 10시 45분(일본 시간)이었다. 이 항공기는 오후 2시 31분 방글라데시 다카 국제공항에 강제 착륙한다. 이 일지를 적은 시점의 나오시에게는 이 하이재킹이 자신들과 관련된 사건으로 발전할지도 모른다는 예감이 없었다고 해도 전혀 무리가 아니었다. 그해 여름 그는 지인으로부터 의뢰받은 춤곡 작곡에 고심하고 있었다. 그가 작곡에 임한 것은 마사시가 체포된 이후 처음 있는 일이었다.

일본항공기를 하이재킹한 일본적군이 일본 정부에 요구한 것은 몸값 600만 달러(약 16억 2,000만 엔)와 복역 중이거나 구류 중인 일본적군 등 아홉 명의 석방이었다. 그 목록에는 일본적군 오쿠다이라 준조(奥平純三), 적군 관계 오무라 도시오(大村寿雄), 우에가키 야스히로(植垣康博), 시로사키 쓰토무(城崎勉), 기업 폭파의 다이도지 아야코, 에키다 유키코, 오키나와에서 황태자 부부에게 화염병을 던진 정치범 지넨 이사오(知念功), 그리고 센스이 히로시(泉水博), 니헤이 아키라(仁平映)라는 두 명의 일반 형사범이 더해졌다. 일본 정부가 이 요구에 굴복한 것은 29일 이른 아침이었다. 아홉 명의 의지를 확인한 결과 우에가키 야스히로, 오무라 도시오, 지넨 이사오는 출국을 거부하고, 나머지 여섯 명은 출국에 동의한다.

일본항공기를 하이재킹한 히다카 부대 병사는 다섯 명으로, 그중에는 쿠알라룸푸르 사건으로 출국한 사사키 노리오도 가세한 것으로 보인다. 그런 점에서 동아시아반일 무장전선의 병사도 석방 목록에 오른 것은 당연하다고 여겨졌는데 다이도지 아야코와 에키다 유키코라는 여성 병사 두 명뿐이었다는 것은 의외였다. 일본적군 최고간부 시게노부 후사코의 의지였던 것으로 받아들여졌다. 두 명의 형사범은 처우 개선을 요구하는 옥중 투쟁이 좋은 평가를 받아 바로 전력이 될 전사로 뽑힌 것으로 보인다.

도시코는 아야코의 이름이 석방 요구 목록에 올랐다는 걸 알았을 때 되도록 가지 않기를 마음속으로 빌었다. 남겨진 마사시가 가엾게 여겨졌기 때문이다. 그런 심정은 나오시와 이야기할 때 슬쩍 내비쳤을 뿐으로, 두 사람은 숨을 죽이듯이 텔레비전 뉴스로 사태의 추이를 지켜봤다. 일본항공기는 156명의 승객을 태운 채 다카 공항에서 움직이지 않았고 교섭은 길어지고 있었다.

초법적 조치로 석방된 오쿠다이라 준조 등 여섯 명이 드디어 호송기를 타고 하네다 공항을 출발한 것은 10월 1일 오전 6시 4분이었다. 나오시와 도시코는 아침 일찍부터 그 실황 중계를 지켜봤다. 아야코는 도시코가 바로 얼마 전에 보낸 빨간색 스포츠웨어를 입고 있었다. “아야코, 건강해” 라고 도시코는 화면을 향해 말했다. 아마 그가 이 나라로 다시 돌아오는 일은 없을 것이다. 남편을 남겨두고 먼 타향으로 떠나는 아야코를 도시코는 새삼 ‘신여성’이라고 생각했다.

일본적군이 마지막까지 남아 있던 12명의 승객과 일곱

명의 승무원을 풀어주고 투항한 것은 4일 새벽 1시(일본 시간) 알제리 공항에서였다.

10월 5일자 편지에서 마사시는 도시코에게 이렇게 썼다.

135시간 만에 알제리에 착륙한 모양이네요. 동지들의 해방을 진심으로 기뻐하고 싶습니다.

여하튼 이번 싸움을 성공리에 마칠 수 있었던 것은 기뻐해야지요. 그리고 지금까지 이상의 가혹한 시련이 요구되는 동지들의 건투를 진심으로 빌고 싶습니다.

그런데 저는 아야코 동지, 유키코 동지는 물론이고 니헤이, 오쿠다이라와도 편지(라고 해도 접견 금지가 해제된 후의 기간이었지만)를 주고받으며 일제 타도를 향한 투쟁을 확인하고 서로 건투를 맹세했던 만큼, 앞으로는 그들의 몫까지 더해 옥중 투쟁을 더욱 전진해야 한다고 생각하고 있습니다. 당분간은 10월 14일(금요일) 공판 투쟁을 향해 준비에 만전을 기하려고 합니다. 그것이 국경을 물리적으로 넘어간 동지들과 호응하는 투쟁의 출발이 될 거라고 생각합니다.

나오시와 도시코는 심신의 피로를 이유로 그해 가을 상경을 보류했다. 매년 봄과 가을에는 반드시 상경해서 마사시와 아야코를 면회하고 구원회와의 의논 등을 거듭해 왔다. 하지만 사사키 데쓰야로부터 혹독한 비판을 받고 있는 나오시가 그와 얼굴을 마주하고 싶지 않다는 것이 상경을 보류한 진짜 이유였다. 이번 가을에 상경하지 않았던 것을 나중에 도시코는 큰 후회와 함께 돌아보게 된다. 다이도지 나오시가 마사시와 만나는 일은 앞으로 없었기 때문이다.

도시코가 구시로 시립병원의 이비인후과 의사로부터 나오시의 병이 후두암이라는 말을 들은 것은 1978년 2월 7일이다. 도시코는 자기 혼자 가슴에 담아 두고 나오시에게는 물론이고 마사시에게도 병명을 알리지 않았다. 나오시는 입원하여 방사선 조사 치료를 받기 시작했다. 도시코는 옥중의 마사시에게 나오시가 인후에 병을 앓고 있다는 사실을 알린다.

아버지는 두 번째 방사선, 열 번이라고 들었지만 여섯 번으로 끝난 것 같다. 조금 강한 것을 놓았다고는 하던데. 그래서 지금은 아침저녁으로 흡입 요법과 투약을 받고 있을 뿐이다. 일주일에 한 번, 삿포로에서 온 선생님의 진료를 받는다. 지난주 진료 때는 꽤 깨끗해졌다고 하더구나. 앞으로도 방심하지 말라는 말을 들은 모양이다. 게다가 기쁘게도, 약간이지만 아버지다운 목소리가 나오는 것 같다. 아버지의 경우는 그다지 통증이 없다고 하지만 역시 압박감이랄까, 침이나 물을 삼킬 때 위화감이 있었던 것 같다. 그런데 아버지는 말을 잘 안 하는 편이라 혼자 그것과 싸웠던 것 같구나. 식사도 열심히 하고 있고 조릿대 잎을 마시고 있다. 채소 주스도 매일 빼놓지 않고 마시고 있다.

얼마 전 바람이 세게 불었던 날 조릿대를 따러 갔더니 머위 꽃대가 여기저기에 나와 있어 가까이에 있는 것을 네다섯 개 따 왔다. 즉시 다음 날 튀김을 해서 가져갔다. 마사시, 너한테도 먹이고 싶구나. 조금 있다가 쑥이 나오면 따보려고 생각하고 있다. 앞으로는 채소가 조금씩 가게에 진열되겠지. (4월 16일)

재개된 마사시 등의 공판은 미노하라 재판장의 소송 지휘 아래 급격한 속도로 진행되었다. 그것에 대응하여 마사시 등의 옥중 투쟁, 법정 투쟁도 격화하기만 한다.

어머니는 건강하세요? 간병하시느라 지치지는 않았습니까? 물론 간병이라고 해도 이전에 스몬병 때에 비하면 편할 거라고 생각합니다만, 무리해서 나중에 자리에 앓아눕지 않도록 조심하세요.

그러면 이쪽 일을 보고하겠습니다.

4월 13일과 20일에 공판이 있었습니다. 공판에서는 검사 측 증인에 대한 반대신문을 했는데 이대로 가면 검사 측 증인은 이번 가을에는 끝날 것 같습니다. 진도가 꽤 빠릅니다.

4월 13일, 20일 모두 저는 아침에 출정을 나가기 전에 방 안에서 끌려 나와 격리되었습니다. 옥중의 동료들에게 "함께 싸우자!"라고 호소했기 때문입니다. 또 4월 13일은 지방법원의 임시 유치장에서 뭇매를 맞는 폭행을 당했습니다. 팔에는 뒤로 가죽 수갑이 채워지고 금속 수갑이 손목을 파고들 정도로 채워졌습니다. 그리고 다리는 동아줄로 친친

감겨 내던져졌습니다. 손목, 발목, 등이 터지고 또 여기저기에 내출혈 흔적인 멍이 들었습니다. (오른쪽 어깨를 제외하고 거의 회복되었습니다.)

요시마사 동지도 함께 폭행을 당했기 때문에 둘이서 고소하려고 합니다. 징벌은 다음 주 초부터 새롭게 집행될 것입니다. 요즘은 공판이 계속되었기 때문에 징벌이 없었습니다.

도쿄 구치소에서는 벚꽃이 졌지만 개나리, 민들레가 피었습니다. 그리고 푸른 초목이 정말 산뜻합니다.

한때는 호조를 보이나 싶었던 나오시의 병세는 여름을 맞아 악화한다. 인후의 통증을 호소하고 목소리도 잠겨간다.

의사도 도시코도 병명을 알려주지 않은 채였지만 나오시가 암을 자각한 것은 일지의 다음과 같은 기술을 보면 알 수 있다.

맑음, 이른 아침 채혈을 한 후 오후 1시 20분 외래에서 흡입 요법과 진찰을 받았다. 약간의 미열이 계속되고 있지만 폐암으로 전이되고 있는 게 아닌지 걱정이다. 저녁에 도시코에게 몸을 닦고 약을 바르게 했다. (9월 11일)

이 무렵부터 매일 링거 주사나 진통 주사, 좌약 사용이 이어지지만 그런 증세에도 다이도지 나오시는 라디오의 러시아어 강좌 수강을 빼놓지 않았다. 10월 중순경이 되자 밤중에 진통 주사를 네 번이나 맞게 되고 병세는 더욱 악화한다. 암이 목에 전이되었기 때문에 엎드려 있을 수밖에 없게 되었다.

다이도지 나오시가 숨을 거둔 것은 1979년 1월 10일이다. 바람이 차가운 날로, 시청에서 볼일을 마치고 온 도시코에게 "나, 봄까지는 살 수 없을 것 같소"라고 말한 후 혼수상태에 빠졌다. 도시코가 산소호흡기를 달고 있는 나오시의 손을 잡자 힘없이 되잡았으나 곧 그 반응도 없어지고 저녁 7시 14분에 숨을 거두었다.

니미 변호사가 마사시의 장례식 참석을 법원에 요청했으나 받아들여지지 않았다. "아버지의 명복을 빕니다. 어머니, 오랜 간병에 감사합니다. 마음 강하게 먹고 아버지 몫까지 살아주세요. 경야와 장례식에 가지 못해 죄송합니다"라고 마사시는 조전을 보냈다. 하지만 이 전보 문구도 장례식 자리에서는 발표되지 않았다. 경야나 장례식 때 '나오시는 마사시의 속죄를 위해 죽었다'는 소리가 들렸을 때 도시코는 '그건 아니다. 아버지의 죽음은 아버지의 죽음이다'라고 말하고 싶었다. 다시 한번 마사시와 만나게 해주지 못했다는 후회가 도시코를 울렸다.

도시코가 2년 만에 상경해 마사시와 면회한 것은 5월 29일이다. 혼자 상경하는 길에 도시코는 나오시의 사진을 안고 왔다. 5월 말의 도쿄는 구시로의 여름과 같은 더위여서 조금 걸어다니는 것만으로도 땀이 났다. 도쿄 구치소로 향하는 길에서 도시코는 거침없이 하늘을 나는 검고 작은 새를 보고 혹시나 싶어 동행하는 사람에게 물으니 역시 제비라고 했다. 그는 환성을 지르며 한동안 쳐다봤다. 구시로에서는 볼 수 없는 새인 것이다.

2년 만의 첫 면회 때는 플라스틱 벽 너머로 나오시의 사진을 보여주며 도시코는 울먹이는 소리로 임종을 이야기했다. 하지만 다음 면회 때는 이미 차분해져 구치소로 오는 도중에 처음으로 본 빨간 석류꽃이나 신기한 밤꽃에 대해 들뜬 목소리로 이야기했다. "너를 위해서도 엄마는 혼자 기운을 내서 살아갈 생각이야"라는 도시코의 말을 들으며 마사시는 그가 정신적으로 한 단계 강해진 느낌이 들어 놀랐다.

도시코는 열흘간 도쿄에 머물며 마사시 이외에 아라이 마리코와 면회하기도 하고 6월 4일 공판을 방청하기도 하며 적극적으로 움직였다. 돌아간 도시코에게 마사시는 드디어 막판에 이르고 있는 재판을 보고했다.

> 그럼 6월 12일 공판에 대해 보고하겠습니다.
>
> 오전 내내 목사인 도쿠나가 고로(德永五郎, 피고측 증인)가 일본의 조선 침략, 식민지 지배, 조선인 강제연행 등의 역사적 사실을 체험적(일본인으로서)으로 말하고, 현재 그가 조선 인민의 입장에서 운동을 진행하고 있음을 밝혔습니다. 목사라고 해도 행동적인 목사로, 한국에서 '민주 구국 선언'을 발표하며 일제의 진출을 규탄해 싸우고 있는 한국 목사들과 함께 싸우고자 실천하고 있는 사람입니다. 한국 서울의 빈민가에서 살며 활동한 적이 있다는 것, 재일조선인에 대한

차별, 억압에 맞서 싸우고 있는 것 등도 밝혔습니다. 학자가 아니어서 더듬거리는 증언이기는 했습니다만, 성실한 사람이라는 것을 느꼈습니다. 마지막으로 도쿠나가 목사는 그의 친구이며 '상사'(이런 표현이 적절한지 모르겠지만)의 발언이자 그 자신의 마음으로서 "미쓰비시는 실패였다고 해도 일본은 피고인들을 심판할 수 있는가"라고 증언하여 우리를 감동시켰습니다.

오후부터는 마리코 동지에 대한 '피고인' 질문이 있었습니다. 그는 사전에 직접적으로 전혀 관여하지 않았는데도 사전에 계획을 알고 있었다는 것, 게다가 '쿠사토루' 등의 폭약 원료와 자금을 건넨 것으로 되어 있기 때문에 그런 날조를 분쇄해 가는 방향으로 이어졌습니다. 오후 4시 30분까지 질문했고, 그 후에는 저를 향해 그의 건에 대한 보충적 질문이 이루어졌습니다.

또한 이날도 지난번에 이어 형사가 열 명이나 '방청'하러 왔습니다. 6월 4일에는 연수라든가 실습이라고 했었습니다만, 두 번 이어서 온 것을 보면 분명히 증인에 대한, 또는 방청객에 대한 위협, 탄압, 스파이인 것이 틀림없습니다. 도쿄 주요 7개국(G7) 정상회의 전이라는 것, 《하라하라 시계 Vol. 2》 출판과 관련된 것이겠지만, 정말 화가 납니다. 구시로에서는 G7과 관련된 탄압은 없겠지만, 만약 무슨 일이 있으면 아무리 세세한 일이라도 알려주세요.

동아시아반일무장전선의 다이도지 마사시, 가타오카 도

시아키, 구로카와 요시마사, 아라이 마리코에 대한 도쿄 지방법원 형사 5부(미노하라 시게히로 재판장)의 결심 공판은 1979년 11월 12일 오후 1시 4분부터 701호 법정에서 열렸다. 기소 건수 17건에 이르는 본건의 규모, 내용에서 보면 불과 74회 공판으로 결심을 하는 것도 이례적인 소송 지휘로, 변호인 측이 신청한 82명의 증인 중 여덟 명밖에 인정하지 않는 등 피고 측에 엄한 판결을 예측하게 했다.

이날 도쿄 지방법원은 본건 이외의 형사 재판을 모두 취소했다. 입구도 정면 현관만 열었고, 기동대와 법원 직원의 엄중한 경계 태세가 이루어졌다. 미노하라 재판장의 판결 이유 낭독 중에 다이도지 마사시, 구로카와 요시마사, 아라이 마리코는 격렬하게 반발하는 소리를 질러 퇴정 명령을 받고 간수들에게 법정에서 끌려나갔다. 혼자만 남은 가타오카 도시아키도 판결주문을 언도할 때 기립하라는 재판장의 말을 따르지 않아 퇴정 명령을 받았기 때문에 네 피고인이 부재한 상태에서 판결주문이 언도되었다.

"피고인 다이도지 마사시를 사형에 처한다. 피고인 가타오카 도시아키를 사형에 처한다. 피고인 구로카와 요시마사를 무기징역에 처한다. 미결 구금 일수 700일을 산입한다. 피고인 아라이 마리코를 징역 8년에 처한다. 미결 구금 일수 700일을 산입한다."

판결 이유 중에서 본건의 최대 초점이었던 미쓰비시중공업 빌딩 폭파 사건에서 피고들의 '살의'를 미노하라 재판장은 검찰 측 주장대로 인정했다. 고도의 폭탄 지식을 가진 피고들은 본건 폭탄의 위력이 크다는 사실을 인식하고 있었다는 것이 인정된다는 것, 게다가 불과 5분 전의 예고 전화로는 대피가 불가능에 가깝기 때문에 "피고들은 폭탄의 폭발로 사람을 사망케 할 가능성이 있는 장소에 있었던 사람들에 대한 살의가 있었던 것이 인정된다"고 단언했다.

"본건 각 폭파 사건이 정당하다는 주장에 대해서"는 다음과 같이 부정한다.

> 피고들은 과거 및 현재 일본의 침략 책임을 추궁하고, 나아가 일본 국가를 파괴하여 혁명을 목표로 하는바 그 혁명의 목표를 원시공산제로 하는 것은 지극히 소박하고 공상적이며 독선적인 경향이 강하다. 그 점은 피고들의 사고방식의 문제이기에 차치하고, 전쟁 책임에 관한 문제에 대해서는 헌법 전문 및 제9조에서 일본 국민이 전후에 이 헌법을 제정하여 재출발하는 데 평화주의 결의를 말하고 있다고 하더라도 전쟁 피해를 당한 타국인 및 국민에게 정치적, 도의적으로 모든 게 해결되었다고 하는 것이 허용될지에 대해서는 여러 가지 생각이 있을 것이다. 그리고 타국민과의 관계에 대해서는 헌법 전문에 규정되어 있는 대로 "어떤 국가도 자국에만 전념하여 타국을 무시해서는 안 된다". 그렇지만 현행 헌법은 의회제 민주주의를 기본으로 하고 있어 자신의 주의, 주장, 신조를 구체화하기 위해서는 합법적인 언론, 출판, 정치 등의 수단을 통해 해야 한다. 그런데 폭력, 그중에서도 특히 폭탄 공격 등의 흉악한 수단으로 그 주장을 관철

하려고 하는 것은 바로 헌법 질서에 적대하는 일이다. 이는 결코 용서받을 수 없는 것이 자명하여 위 주장은 전혀 이유가 없다.

더욱이 천황 암살 미수에 관해서는 중대하고 악질적인 범행이고, 이 사건의 "사회적 영향이 컸던 것은 천황의 헌법상 지위에 비춰 당연한 것이다"라고 중시한다.

마지막 '양형 사정'에서 극형, 중형을 내린 이유를 다음과 같이 말한다.

본건의 각 범행은 피고들이 그 정당성을 주장하며 말한 동기에 기초하여 일본의 과거 침략 내지 전쟁 책임, 현재의 신식민주의 침략의 책임을 추궁한다며 해외 진출 기업 등을 폭탄으로 공격하고, 나아가 일본 국가를 파괴하고 세계혁명을 목표로 하여 도시 게릴라 그룹을 결성하여 연쇄적으로 폭파 사건을 일으켜 인적으로도 물적으로도 아주 큰 피해를 낳았다. 그뿐 아니라 전 국민의 이목을 집중시켜 사회에 엄청난 충격과 불안을 야기한, 폭탄 사건으로서는 우리나라 범죄 역사상 전무후무하게 잔학하고 흉악하며 비열한 범행이다. 폭탄 사건에 대한 일반 예방 사회 방위 차원에서 엄벌이 필요하다는 것 등을 생각하면 피고의 형사 책임은 극히 무겁다고 할 수 있다.

센다이시에 있어 실행에는 전혀 관계하지 않았던 아라

이 마리코에 대해서는 마사시 등에 대한 자금 제공이나 쿠사토루를 전달한 일을 방조(幇助)로 단정해서 내린 판결이었다.

판결 이튿날 아침, 마사시는 도시코에게 편지를 쓴다.

어제 '판결'은 이미 텔레비전이나 신문 등으로 이미 알고 있을 것으로 생각합니다.

미노하라, 도요키치(豊吉), 니시 판사 등 판사 놈들은 검사의 논고를 120-150퍼센트 채택했습니다. 바로 일본 제국의 첨병이 되어 우리에 대한 보복 의지를 아주 노골적으로 드러내며 적대한 것이지요. 아니, 적대를 계속해 왔고, 마지막에 그 모든 적대를 표명했다는 것이 옳을지도 모릅니다. 불쾌한 것을 참으며 판결 이유를 듣고 있었는데 조잡하고 엉터리에다 정말 지독했습니다. 놈들의 어쭙잖은 주장 하나하나, 철면피 같은 표정을 떠올리면 화가 나서 견딜 수가 없습니다. 그런 판사와 검사들에 대한 분노는 부글부글했지만 대체로는 아주 평온합니다. 미노하라인 이상 '구형대로 판결할 것이다'라는 것은 예상하고 있었기 때문이기도 하고, 또 1심 판결이 확실히 하나의 중요한 고비이기는 해도 싸움은 여전히 계속될 것이기 때문입니다. 뭐, 하나의 과정을 지났다고 받아들였기 때문이겠지요. 평상심은 잃지 않았고 투지는 왕성하니까 안심하십시오.

도시코 역시 판결로부터 일주일째에 마사시에게 애써

차분한 편지를 썼다.

어제 여기는 온종일 눈이 내렸다. 바람도 없이 조용히 내렸고 밤 10시까지 계속 내리더라. 그 후 그치더니 오늘 아침에는 온통 은세계다. 아침에 좀 일찍 현관 앞의 눈을 치웠다. 축축하고 무거운 눈이었다. 11월에 이렇게 눈이 내리다니, 아마 올겨울은 눈이 많지 않을까 싶다. 오늘 아침의 적설은 20센티미터였다고 한다. 오비히로는 30센티미터나 내렸다나.

그동안 마당의 화초 정리를 해서 땅속에 묻을 것은 묻은 후라서 다행이었다고 생각한다. 옆의 공터에서는 어딘가의 부모와 자식이 열심히 귀여운 눈사람을 만들고 있더구나.

정오쯤에 신기하게도 박새 두세 마리가 빨래 장대 주변으로 날아왔다. 하얀 뺨의 귀여운 새였어. 눈 속에서 먹이라도 찾으러 온 것인지. 다음에 모이 받침대라도 만들어 둘까 하는 생각을 했다.

12일 판결 공판 신문도 이미 봤겠지.

너의 편지에 있던 대로라고 생각한다. 지금《반일혁명 선언》을 읽기 시작했다. 서평이 실린 독서신문도 받았다.

여기도 별다른 일은 없단다. 그럼 건강히 지내렴. 다시 쓰마.

엄마가

4

'늑대'에 대해 조사해 보려고 생각하기 시작하던 무렵, 나는 부주의하게도 그들에게 남은 시간이 얼마나 절박한가 하는 것까지는 미처 생각이 미치지 못했다. 겨우 마음을 먹고 관계자를 만나기 시작한 1985년 봄, 갑자기 그 사실에 직면하게 되었다.

"당신이 정말 그들에 대해 쓴다면 무슨 일이 있어도 가을까지는 다 썼으면 합니다. 11월에는 대법원에서 그들의 형이 확정될 테니까요. 아마 1심, 2심의 사형 판결이 뒤집힐 일은 없겠지요. 사형이 확정되고 나면 너무 늦습니다. 폭탄마라는 흉악한 딱지만으로 처리되고 있는 그들의 진짜 모습을 알리기 위해서는 당신 같은 분이 쓰는 게 가장 좋습니다. 그들에 대해서는 너무나도 왜곡되어 전해져 있으니까요. 그들의 진짜 모습이 세상에 전해져 조금이라도 여론이 움직이면 형의 확정을 하루라도 늦출 수 있을지도 모릅니다."

국철 오차노미즈역 근처의 커피숍에서 만난 사람으로부터 이런 말을 들었을 때 "— 그런가요, 벌써 그런 단계까지 간 건가요 —" 하고 탄식하며 나는 지금까지의 무지를 속속들이 드러내고 말았다.

"그들의 경우, 일단 대법원에서 사형이 확정되면 조작 사건 같은 경우와 달리 재심 청구가 어렵습니다. 그들이 한 사실은 확실하고 그것을 부정하지도 않으니까요. — 게다가 아시다시피 과거 두 번에 걸쳐 일본적군에 의한 옥중 병사의 탈환이 있었고, 정부로서는 또 언제 그런 일을 당할지 모른다며 신경을 곤두세우고 있어요. 빨리 형을 확정하고 얼른 처형하라는 움직임은 당연히 있을 거라고 보지 않으면 안 됩니다. 만약 그들이 처형된다면 전후 정치범의 사형 제1호가 되니까, 대사건입니다."

나는 말로는 하지 못했지만 내심 강한 충격을 받았다. 전후 정치범의 사형 제1호라는 지적을 받자 새삼 '늑대'들의 위치가 또렷하게 보이는 것 같았다.

"그 정도로 중대한 일이 눈앞에 닥쳐도 그것의 의미를 깨닫고 있는 사람은 아주 드뭅니다. 당신이 그들의 이야기를 작품으로 써서 발표해 준다면 많은 사람이 그것을 생각해 볼 좋은 기회가 될 것입니다. 지금이라면 아직은 가까스로 시간을 맞출 수 있습니다. 어떻게든 가을까지는 발표해 줄 수 없겠습니까? 그것을 위해서라면 어떤 것이든 협력할 테니까요."

"— 어렵겠는데요. 노력은 해보겠지만 시간적으로 어렵겠지요. … 너무 늦게 만났으니까요."

이런 변명을 하며 나는 가슴속으로 남은 날짜를 헤아리고 있었다. '늑대'에 관해 거의 백지상태인 내가 불과 반년만에 그 전모를 정리할 수 있을 리 없었다. 내 취재는 서툴러서 늘 너무 많은 날이 걸린다. 하물며 발표까지를 포함하여 반년이라고 하면 절대 불가능한 일이다. 상대도 그것이 어려운 주문이라는 것은 알고 있는 것 같았다.

그날 이후 내게는 남은 날짜가 끊임없이 무겁게 덮쳐 눌러왔다. 실제 취재 작업을 생각해도 만약 다이도지 마사시의 형이 확정되면 그 순간부터 나와의 편지 왕래가 끊어지기 때문에 물어봐야 할 것은 그때까지 모두 해두지 않으면 안 된다. 무척 초조해졌지만 나는 그에게 보낸 편지에서 가장 마음에 걸리는 '남은 시간'을 언급하지는 않았다. 이제 앞으로 당신에게 남은 시간은 1년도 안 될지 모르니까라는 식으로 어떻게 노골적으로 말할 수 있겠는가. 편지에서는 금기로 했지만 내 의식에서 '남은 시간'의 무거움이 사라지는 일은 없었다. 예컨대 책 한 권을 옥중으로 보내려고 포장을 하다가 문득 손이 멈추기도 했다. 남은 그의 시간 속에서 이 책에 시간을 허비할 의미가 있는 것일까 하는 생각을 해버리는 것이다. 내가 가타오카 도시아키와의 접촉을 피한 것도 이제 와서 그의 남은 시간 속으로 비집고 들어가는 것이 허락되지 않는다는 생각이 강했기 때문이다. 내가 그의 소중한 시간을 허비하게 할 만큼 성의를 다한 대응을 할 수 있을 것 같지 않았다. '늑대'의 궤적을 정확히 더듬기 위해서는 다이도지 마사시와 함께 가타오카 도시아키도 직접 취재하는 것은 당연했지만, 내게는 불가능했다.

남은 날짜가 점점 줄어가는데도 불구하고 나는 취재에 전력을 집중할 수가 없었다. 앞에서 쓴 것처럼 이 작품을 쓰려고 하다가 나는 몇 개의 돌에 발이 걸렸다. 옥중으로 써서 보낸 질문에 "이 부분은 덮어두고 싶습니다. 아랍의 전선에서 활동하고 있는 아야코 씨(라고 마사시는 부른다)의 사기를 떨어뜨릴 수 있는 일은 써서는 안 된다고 생각합니다"라는 답이 돌아올 때 나는 머리를 감싸쥐었다. 내가 쓰려고 하는 주제는 이미 끝나 버린 일이 아니라 현시점에 아랍에 거점을 둔 일본적군의 동향과도 관련되어 있다는 걸 깨달았을 때 소심한 나는 숨을 죽이는 심정으로 한동안은 취재할 기력을 잃어버렸다.

눈 깜짝할 사이에 가을이 왔고 나는 쓰는 것을 아직 시작도 못 하고 있었다. 하지만 다행히도 가을에 있을 대법원의 확정 판결은 이듬해 봄으로 연기될 것 같았다. 꼭 그것으로 인해 마음이 느슨해진 것은 아니지만 나는 어떤 사정으로 1985년 12월부터 실로 반년 가까이 '늑대'에 대한 것을 완전히 보류하게 된다. 내가 사는 오이타현 나카쓰시에서 1986년 3월 21일부터 5월 12일까지 개최되는 박람회에, 비핵평화전을 참가시키기 위한 시민운동에 열중했던 것이다. 그 운동에 나는 불가결한 존재였고, 전국에서도 전례가 없는 '박람회 안에서의 비핵평화전'을 성공시키는 일의 의미는 컸다. 그래서 나는 거의 반년에 걸쳐 완전히 분초를 다투는 나날을 보냈다. 어쩌면 그것도 '늑대'로부터의 도피였는지도 모른다. 너무나도 차질이 많은 '늑대'에 대한 이야기의 집필을 포기하고 싶다는 잠재적인 바람 때문에 나는 비핵평화전이라는 큰 사업에 그토록 매진했던 것일까.

이렇게까지 '늑대'에게서 도망치고 싶어지는 것은 쓰는 일의 어려움에서 온 것만은 아니었다. 오히려 자신의 일상적인 삶과 깊이 관련된 것이라는 사실을 나는 이미 알고 있었다.

폭탄이라는 충격적인 행위로 들이댄 '늑대'의 '반일 사상'은, 일본인의 생활에서 보이는 총체적인 풍요로움이 어떠한 침략과 수탈로 가져온 것인지를 추궁하는 일이다. 하지만 그다지 풍요로운 생활을 하고 있는 것도 아닌 나도 그 물음 앞에서는 쩔쩔매지 않을 수 없는 점이 있다. 예컨대 나는 방글라데시와 비교하여 백 배의 에너지를 소비하는 나라에 살고 있다. 이 나라에 사는 이상, 방자하고 방종하며 풍요로운 생활에서 일상적으로 도망치는 것은 어렵다. 이상한 표현을 쓰자면, 옥중에 구금되어 있음으로써 다이도지 마사시 등은 그런 방종한 생활에서 벗어나 있는 몇 안 되는 일본인일 수 있다고 말할 수 있다. 그뿐 아니라 그들은 옥중에서 그 '반일 사상'을 한층 순화해 오고 있다.

어떤 시기(그것은 아직 다이도지 아야코 등이 옥중에 있던 무렵이지만) 그들은 영치금을 전혀 갖지 않고 완전히 무산자로서 옥중 생활을 견디려고 시도한 적이 있다. 영치금이란 체포되었을 때 소지하고 있거나 그 후 외부에서 차입된 돈으로 구치소 당국에 맡겨두고 그것으로 음식물이나 의류 등을 사는 것이 허락된다. 그런데 그들은 옥중에서 그런 영치금조차 갖지 못한 형사범들을 만나 충격을 받는다. 외부에 구원운동을 하는 단체가 있는 정치범과는 달리 살인 등의 일반 형사범의 경우는 가족이나 친척으로부터 버림받는 경우가 보통이어서, 그들은 한 푼의 돈도 갖지 못한 채 한겨울에도 나라에서 주는 얇은 죄수복만으로 떨고 있다. 마사시 등은 그런 옥중 무산자와 만나 자신을 그들과 같은 곳에 두려고 영치금을 거부한 것이다.

옥중에 있는 그들의 그런 엄격함을 알았을 때 내 일상의 방종함은 끝도 없었다. 그들의 궤적을 쓰려고 하는 것은, 끊임없이 옥중에서 그것을 비추는 고통이기도 한 것이다. 이 나라의 법원이 그들을 처형해 버리려고 하는 것은, 어쩌면 내가 느끼는 이 일상적인 꺼림칙함을 일본인 전체의 것으로 보아 국가적으로 없애 버리기 위해 말살을 꾀하는 것은 아닐까 하는 생각을 하기도 했다.

내가 단숨에 쓰기 시작한 것은 나카쓰시에서 비핵평화전이 끝나고 나서였다. 다행히도 또다시 1986년 봄이라고 했던 대법원의 확정판결이 늦춰졌다.

난잡한 내 글씨를 아내가 깨끗하게 베껴 쓰고, 어느 정도 정리될 때마다 옥중으로 보내기 시작했다. 다이도지 마사시 본인이 읽고 사실과 다른 부분이 있으면 정정해 달라고 하기 위해서다. 당연하게도 내 원고는 도쿄 구치소의 검열이라는 불쾌한 수순을 밟았다.

그 왕복 중에 다이도지 마사시가 나에게 강력하게 요구해 온 것이 있었다. 제1장에서 두 군데 인용한 '진술 조서'를 빼고 싶다는 것이었다. 그에게 자백은 지금도 가슴을 뜨끔하게 하는 고통을 동반하는 굴욕이어서 사람들 앞에 가장 드러내고 싶지 않은 것이었다. 게다가 진술 조서라는 것은 다이도지 마사시 본인의 말이 아니라 검사의 작문이기 때문에 부정확하기도 하고 의도적인 거짓도 포함되어 있어 독자의 오해를 부르는 결과를 초래한다. 진술 조서에서 인용하지 않아도 다르게 표현할 방법이 있는 게 아닐까 하는 것이 그의 의문이자 요구였다. 그런데 진술 조서의 인용이 보다도 그가 자백해 가는 과정이 상세히 쓰여 있는 것 자체를 문제 삼고 있는 것임을 알게 되었다.

"'늑대'의 궤적을 더듬어 가는 이상, 저는 모든 사실을 정확히 쓰고 싶습니다. 그렇지 않으면 전모를 파악한 것이 아니기 때문입니다. 저는 당신이 자백해 가는 과정을 당신이 자책하고 있는 것처럼 비열하다고는 생각하지 않습니다. 미쓰비시중공업 빌딩 폭파에서 나온 사망자의 무게 때문에 자백했던 당신의 그 인간성을 (당신은 그것도 극복해야 할 나약함이라고 할지도 모르겠지만) 쓰기 위해 굳이 진술 조서를 인용할 필요가 있습니다"라는 요지의 편지를 그에게 보냈다. 그러나 그는 납득하지 않았다. 그런 비열한 부분을 공표하는 것은 "독자의 마음에 불쾌감을 줄" 뿐이라는 강한 말이 돌아와 나는 그가 그토록 신경 쓰고 있다는 사실에 깜짝 놀랐다.

어쩌면 그것은 더욱 근본적인 차이에서 온 것인지도 모르겠다. 옥중 병사 다이도지 마사시가 기대하는 것은 '늑대'의 궤적을 그린 작품을 읽는 사람 중에서 다음 반일 무장투쟁 게릴라 병사가 나오는 일이기에, 그런 기대에서 읽을 때 "독자의 마음에 불쾌감을 줄" 뿐이라는, 나로서는 생각지도 못한 말이 나온 것인지도 몰랐다. 내 작품의 의도는 왜곡된

한 부분만이 부각된 '늑대'의 전모를 가능한 한 정확히 재현하고 싶다는 것이었다. 독자가 그것을 어떻게 받아들이느냐는 이미 나와 무관한 일이다. 다이도지 마사시와 나 사이의 이 거리는 좁혀지지 않을 것이다.

작품 내용을 두고 두 사람의 관계가 긴장되어가는 시기, 동아시아반일무장전선의 네 피고에 대한 상황 자체도 단숨에 긴박해졌다. 드디어 대법원이 구두변론 기일을 타진해 온 것이다. 이 구두변론은 심리를 위해서라기보다는, 이를테면 사형 판결을 내리기 전의 의식 같은 것이고, 이미 이 단계에서 판결문은 완성되어 있다고 한다. 만약 대법원이 제시하는 7월 11일에 구두변론이 시작되면 판결은 가을에는 확정된다고 생각해야 한다. 작년 가을로 상정되어 있던 판결이 늦춰진 것은 아마 1986년 4월 29일의 천황 행사, 5월 4일의 도쿄 선진 7개국 정상회의 등을 무사히 마치기 위해 과격파에 굳이 자극을 주지 않으려는 정치적 이유에서일 것이라고 추측되었다. 바로 그런 일련의 공식 행사가 끝난 직후로 기일이 지정되었다. 변호인단이 그 기일을 조금이라도 늦추려고 계속 노력했으나 그에도 한계가 있어 네 피고가 최종 단계에 내몰려 있다는 것은 확실했다. 그들에 대한 사형 중형 판결을 어떻게 저지할 수 있을까, 구원 활동에 관여해 온 사람들 모두가 고민했지만 뾰족한 수를 찾을 수가 없었다.

나는 이런 긴박한 시기에 나 자신도 생각지도 못한 사태에 직면해 있었다. 도쿄 고등법원에서 변호인단이 가마타 도시히코의 항소심 마지막 증인으로 나를 신청했고 그것이 법원에 받아들여진 것이다. 변호인으로부터 7월 14일 공판에 증인으로 출정해 주었으면 좋겠다는 의뢰를 받았을 때 몹시 당황한 나는 "대체 제가 뭘 증언할 수 있겠습니까?"라고 반문했다.

도쿄 구치소의 가마타 도시히코와의 편지 왕래는 지난 2년간 쉬지 않고 계속되었지만 나는 흑헬그룹이라 불린 그들의 파출소 연쇄 폭파에 대해 자세히 알고 있는 것은 아니었다. 2년간의 편지 왕래 중에서도 우리는 사건에 대해 직접 언급하는 대화는 거의 하지 않았다. 내가 증인이 될 수 있을 리가 없었다.

하지만 굳이 나를 증인으로 불렀으면 좋겠다는 말을 꺼낸 것이 가마타 도시히코 본인이라는 것을 알고 고민하지 않을 수 없었다. 그는 제1심에서 정상 증인(情狀證人)을 내세우지 않았다. 하지만 이번에는 나를 내세워 1970년대 전반의 폭탄 투쟁을 어떻게 보는지 말해주기를 요청했다.

내게 깨달음을 준 것은 가마타 도시히코에 대한 2심 판결과 동아시아반일무장전선의 네 피고에 대한 대법원의 판결이 연동되어 있다는 변호인의 지적이었다. 1심에서 가마타 도시히코에게 내려진 무기징역 판결은 2심에서도 뒤집을 수 없을 거라고들 했다. 그리고 그가 무기징역인 이상 다이도지 마사시와 가타오카 도시아키의 사형 판결도 변하지 않는다. 그것이 판결의 균형인 듯했다. 흑헬그룹의 경우, 일련의 폭탄 사건으로 사망자가 나오지 않았다. 크리스마스트리를 위장한 폭탄으로 경찰 한 명이 중상을 입은 것이 가장 큰 인신 피해였다. 그런데 그 주범인 가마타가 무기징역이라는 중형을 받는 이상 다수의 사망자를 낸 다이도지 마사시 등에게 당연히 사형이 내려지지 않으면 균형을 잃게 되는 모양이었다. 반대로 말하면 다이도지 마사시 등에게 사형 판결을 내리게 하지 않기 위해서는 그것에 앞서 내려질 가마타 도시히코에 대한 2심 판결을 무슨 일이 있어도 무기징역에서 유기형으로 감형시키지 않으면 안 된다.

그것을 알았을 때 가마타 도시히코의 항소심 마지막 증인으로 출정하기로 했다. 생각해 보면 내 안에서 흑헬그룹과 동아시아반일무장전선은 폭탄 투쟁의 일관된 흐름으로 보였고(양자의 정치적 사상은 다르다고 해도), 흑헬그룹의 가마타 도시히코를 위해 증언하는 것은 그대로 다이도지 마사시 등에 대해 말하는 것과 전혀 다르지 않았다. '늑대'의 궤적을 더듬으며 계속 생각해 온 것을 법정의 증언대에서 말하면 되는 것이다.

그렇다고 해도 신기한 인연이었다. 《두붓집의 사계》를 매개로 한 만남이 결국 여기에 이르게 된 것에서 나는 뭔가 운명적인 것마저 느끼고 있었다. 내가 가마타 도시히코의 증인으로 출정한다는 것을 알게 된 다이도지 마사시는 "적나라한 증언이었으면 합니다"라고 써서 보내왔다. 내가 그에 대해 적나라하게 썼다고 믿고 있는 약간의 울분을 담은 말이었으리라. 내 작품을 둘러싸고 생긴 긴장 관계는 여전히 풀리지 않은 채 옥중의 그도, 나도 울적한 기분이 이어지고 있었다.

내가 갑자기 객혈을 하여 입원을 한 것은 6월 23일 저녁이다. 5년 만의 객혈이었다. 다발성 낭종성 폐질환이라는 성가신 병명을 짊어진 나는 20대부터 헤아려 벌써 네 번째 객혈로 인한 입원을 했다. 병원 침대에서 맨 먼저 생각한 것은 증인 출정이 이것으로 중지되는 게 아닐까 하는 불안감이었다. 법원에서 보면 정상 증인인 나는 그다지 중요하지 않아서 나의 입원 때문에 공판을 연기하며 기다려 줄 리도 없다.

결국 나는 일주일째에 억지로 퇴원했고 그 후에도 몸 상태가 계속 좋지 않았다. 하지만 7월 14일의 증언대에는 간신히 설 수 있었다. 그날은 공교롭게도 도쿄 고등법원에서 같은 시간에 동아시아반일무장전선 '전갈'의 우가진 히사이치의 항소심 첫 번째 공판도 열리고 있었다. 일제 검거에서 벗어나 도피 생활을 계속했던 그는 1982년 7월 12일에 체포되어 지금에서야 뒤늦게 항소심이 시작된 것이다. 1970년대 전반의 일련의 폭탄 투쟁이 지금 이 법원이라는 무표정한 건물에서 폄하되며 단죄받고 있다는 것을 나는 실감하지 않을 수 없었다. 나는 한 시대가 봉인되는 의식에 입회하고 있는 것인지도 몰랐다. 가마타와 우가진의 공판 시간이 겹쳤기 때문에, 그렇지 않아도 적은 방청객이 양쪽으로 나뉘어 한산한 법정이 되는 게 아닐까 걱정했지만, 어쩐 일인지 양 법정 모두 꽉 들어차 들어가지 못한 사람까지 나왔다고 한다.

나는 선서를 하고 야스다 요시히로(安田好弘) 변호사의 심문에 간결하게 대답했다. 나의 증언은 40분에 이르렀다.

"— 그러면 마지막으로 가마타 씨를 심판하려는 이 법원에 하고 싶은 말이라도 있다면…"이라는 야스다 변호사의 마무리 질문에 나는 이렇게 대답했다.

> 했던 일의 결과만을 보고 재판하는 것이 아니라 그가 왜 그렇게까지 하지 않을 수 없었는지, 그 역사적인 흐름, 그리고 동시에 많은 사람이 1970년 안보투쟁 후의 좌절 속에서 싸움을 그만두었지만, 그 후에도 여전히 남아서 계속 싸웠다는 데 그의 인품이 있는 것이니, 그런 배경을 똑바로 보고 판결을 내려주었으면 합니다.

나에 대한 검사의 반대 심문은 없었다.

이튿날 아침 나는 도시코와 함께 다이도지 마사시를 면회했다. 이제 서른여덟 살이 되었을 그의 표정은 젊음을 느끼게 하고 정신의 끊임없는 긴장을 보여주는 것처럼 면회 중에도 그 표정이 이완되는 일은 한순간도 없었다.

대법원의 구두변론 기일은 변호인단과의 절충으로 11월 7일로 정해졌다. 그 변론이 열릴 경우 어쩌면 연내에도 판결이 확정될지도 모르는 일이다. 지금 다이도지 마사시는 11월 7일의 구두변론이 열리지 않게 하기 위해 온갖 수단을 강구하고 있는 거라고 나는 관계자로부터 들었다. 6년 전

가타오카 도시아키는 옥중의 사형수(주로 일반 형사범)에게 호소하여 '보리회(麦の会)'를 결성했는데 마사시도 여기에 가세했다. 그들의 옥중 투쟁의 최대 표적은 사형제 폐지로 좁혀지고 있었다.

나는 다이도지 마사시에게 전날에 있었던 가마타 도시히코의 법정에 대해 말하고 도시코는 우가진 히사이치의 법정에 대해 이야기했다. 그날 결국 나와 그는 작품에 관해서 서로가 중요하게 생각하는 부분에 대한 이야기는 하지 않았다. 우리 두 사람의 긴장 관계가 풀리지 않은 것을 알고 있는 도시코에게는 가슴이 두근거리는 면회였는지도 모른다.

짧은 면회 시간이 끝나고 "그럼 —" 하고 그는 살짝 미소를 띠며 면회실을 나갔다. — 어느 날 갑자기 그의 목숨이 끊어지는 일이 있을 수 있을까 하는 생각이 불쑥 치밀어 나는 꼼짝 않고 텅 빈 면회실을 바라보고 있었다.

에필로그

〈임팩션〉이라는 잡지 41호(1986년 5월 15일 발행)에 다이도지 마사시와 나카야마 지나쓰(中山千夏)의 감옥 벽 돌파 대담 “사형제를 폐지하기 위해”가 실렸다. 옥중에 있는 이와 감옥 밖에 있는 이의 대담이라는 전대미문의 시도로 방법적으로는 상당히 힘들었을 거라고 생각되지만 당시 참의원 의원으로 법무위원회에 속해 사형 문제나 옥중 처우 문제와 관련하여 적극적으로 활동하고 있던 나카야마 지나쓰가 상대인 만큼 내용이 충실한 대담이 되었다.

그중에 다음과 같은 대화가 있다.

나카야마 그런데 사형 판결을 받은 사람은 어떤 상태가 되나요?

다이도지 사형 판결을 받은 사람은 다들 침울해집니다. 가까이에서 보고 있으면, 이렇게 말하는 것은 저의 가까운 방에는 사형 판결이나 무기징역 판결을 받은 사람이 있으니까요, 지독하게 침울해진 그들의 모습에 충격을 받은 적이 있습니다. 몸져누운 사람도 있고, 그때까지 매일 옥외 운동을 나갔는데 전혀 나가지 않게 된 사람도 있었습니다. 다른 구치소 동료는 판결 결과를 엽서에 온통 ×표만 그려서 보내왔습니다. 말을 많이 하는 것보다 그 안에 그의 생각이 담겨 있는 것 같았습니다.

그리고 거의 모든 사형수가 자신의 사건을 마주하며 반성과 회오의 날을 보내고 있습니다. 목사의 이야기를 듣기도 하고 경문을 베끼기도 하고 피해자의 기일에 위패를 모셔놓고 절을 하기도 합니다. 게다가 이런 곳에 구금되어 있으면 노이로제에 걸리기 쉬운데 사형수나 무기수 등은 특히 그렇지 않을까 싶습니다. 잠들 수 없어서 약을 복용하는 사람도 많으니까요. 혼잣말을 하는 증상을 보이는 사람도 있습니다.

나카야마 다이도지 씨의 경우는 어땠습니까?

다이도지 저는 미리 사형을 예상하고 있었고, 전혀 기대가 없었기 때문에 표면상은 평온하게 있을 수 있었습니다. 어떤 신문은 저의 흉악한 모습을 부각시키려고 손으로 턱을 괴고 판결을 들었다고 보도했지만 말이지요. 그 정도로 표면적으로는 아무렇지도 않았습니다. 하지만 그날은 역시 잠들 수 없었습니다. 또 식욕도 없고, 법원에서 구치소로 돌아와서도 전혀 먹고 싶지 않았습니다. 하지만 먹지 않으면 지친 것으로 생각되는 게 부아가 나서 억지로 먹었습니다.

(중략)

나카야마 아까 사형수 대부분이 반성과 회오의 나날을 보낸다고 했습니다만, 교화 교육을 받는 것 외에도 느끼는 것이 있습니까?

다이도지 글쎄요, 자그마한 벌레의 목숨까지 소중히 하는 사람이 많습니다. 살인을 저지르고 사형 판결을 받아 생명의 소중함을 알았다고 해야 할까요. 그건 인간만이 아니라 초목이나 벌레의 목숨까지 소중하게 생각한다는 것이지요. 예컨대 구치소 뜰에 찾아오는 들새에 대해 아주 잘 아는 사람이 있습니다. 이건 단지 구금 생활의 무료함을 달래려고 창밖을 보고 있었기 때문에 그렇게 된 것은 아니라고 생각합니다.

눈이 내렸을 때라든가 한여름에 햇볕이 쨍쨍 내리쬐어 직박구리나 비둘기가 먹이를 찾지 못해 어려움을 겪을 것 같으면 빵 부스러기를 주었다가 징벌을 받거나 하니까요. 또 옥외 운동장에서 개미를 밟지 않으려고 주의해서 달리는 사람도 있고 모기에 물려도 그 모기를 죽이지 않는 사람도 있습니다. 저 자신도 한때 모기를 때려잡지 못했습니다. 밤중에 윙 하는 날갯소리가 들려오면 팔을 드러내 피를 빨린 적이 있었습니다. 예전 같았으면 이 우라질 놈, 하며 일어나 때려잡았겠지요. 또 바닥 쪽에 있는 환기구로 들어온 귀뚜라미를 소중히 보살펴 겨울을 나게 한 적도 있었습니다.

나는 다이도지 마사시가 싫어했는데도 굳이 어머니와 아들의 7년에 걸친 대량의 왕복 편지를 읽었다. 그중에 작은 귀뚜라미를 둘러싼 에피소드가 특히 마음에 남았다. 마사시의 방에 귀뚜라미가 처음으로 들어온 것은 1979년 7월 초순이었다.

지금 제 방에는 작은 귀뚜라미(나올 시기를 착각한 게 아닐까 싶습니다만) 한 마리가 있습니다. 어젯밤에 잠입했는데 낮에는 모습을 보이지 않다가 이제야 나타나 다다미 위를 통통 뛰어다닙니다. 이 방안에는 먹이가 없으니 밖으로 내보내고 싶지만 이곳은 창이 막혀 있어 그렇게 할 수도 없습니다. 운동하러 나갈 때라도 잡을 수 있다면 내보내 주려고 생각합니다. 그건 그렇고 대체 어디서 들어온 것일까요? 이 귀뚜라미는 8월 중순이 지나면 밤에 시끄러울 정도로 울어댈 테지만 지금은 전혀 소리를 내지 않습니다.

도시코는 이 편지를 읽고 작은 귀뚜라미를 밖으로 내보내 줄 정도의 틈도 없다는 부분에 가슴이 멨다. 다음 편지에서 마사시는 드물게도 감옥 방의 그림을 그려 귀뚜라미의 출입구를 발견했다는 걸 알렸다. 바닥에서 10센티미터쯤 높이에 있는 환기구가 바깥과의 유일한 통로였던 것이다. 물론 여기에도 3밀리미터 간격의 철망이 쳐져 있는데 작은 귀뚜라미라면 출입할 수 있다. 귀뚜라미의 출입은 그 후에도 계속되어 결국 겨울이 되어도 방 안에 남는 귀뚜라미까지 나타난다.

1979년 12월 10일(이라고 하면 제1심 사형 판결이 내려진 지 한 달이 채 안되었다) 편지에 그 귀뚜라미가 등장한다.

귀뚜라미는 아직 야간에 일부 전등이 꺼지면 통통 나타납니다. 결국 밖으로 나가지 못하고 눌러살게 된 것일 겁니다. 원래라면 이미 겨울잠(?)을 자고 있을 시기인데도 올해는 따뜻해서 아직 돌아다니고 있는 것이겠지요.

그래서 그러는데, 우리 집 백과사전으로 좀 찾아봐 주시겠어요?

이 귀뚜라미는 엉덩이 쪽에 창 같은 것이 돌출되어 있는데 이것이 암컷, 수컷의 특징인 걸까요? 또 귀뚜라미는 무엇을 먹을까요? (사과의 심을 놓아두었는데 먹은 흔적은 전혀 보이지 않았습니다. 밥알은 조금 먹었는지도 모르겠습니다.) 그리고 조금 전에도 썼습니다만, 정말 겨울잠을 자는 걸까요?

바쁘실 때 귀찮으시겠습니다만, 부탁 좀 드리겠습니다. 씩씩하게 살아 있는 것을 보고 있으면 좀 더 그(녀)를 알아야 한다는 생각이 듭니다.

도시코는 일본백과사전이나 세계백과사전에서 귀뚜라미 암컷, 수컷을 베껴 그리고 상세한 해설까지 써서 보내지만 겨울잠에 대해서는 밝히지 못했다.

12월 21일자 편지에서 귀뚜라미에 대해 상세히 써주셔서 정말 감사합니다.

여기에 있는 것은 역시 암컷인 것 같네요. 동물성 단백질을 주면 좋다고 해도 고민입니다. 가다랑어 말린 것도 없고 말이지요. 치즈는 있는데 그것을 줄 수도 없고, 생선 통조림을 어떻게 해볼까요? 어떻게든 생각해 보지요.

지난 6일, 7일, 귀뚜라미는 모습을 보이지 않았습니다. 지지난 주말부터 지난주 초에 걸쳐 본격적으로 추워졌습니다만, 그 탓인지 모습을 보이지 않습니다. 추워 은신처에서 둥글게 웅크린 채 자고 있는지도 모릅니다. 추위를 이겨내 주기를 바라고 있지만….

일련의 편지를 다시 읽는 중에 나는 다이도지 도시코의 목소리가 듣고 싶어졌다. 그는 올여름 평소보다 늦게까지 도쿄에 남아 있어 구시로로 돌아간 것은 7월 20일이었다.

"어머… 편지를 써야 한다고 생각하면서도 실례를 해서…. 올여름에는 여러 분들이 찾아주시는 바람에 그만 바빠서요…."

수화기를 통해 몸 둘 바를 모르는 목소리가 들려왔다. 구원회 관계자들이 피서 여행을 겸해 구시로에 들렀을 것이다.

"한 가지 물어보고 싶은 것이 있습니다만…. 7월 14일 공판이 끝난 후 흑헬그룹의 구원회 관계자와 동아시아반일무장전선 구원회 관계자가 제2변호사 회관에서 함께 모여 작은 집회를 열었지요. 그때 당신의 인사말 말인데요 —"

내가 여기까지 말했을 때,

"어머… 그때의 일은 부끄러워서 거의 기억하고 있지 못해요."

하고 가로막히고 말았다.

"당신은 젊은 사람들의 순수함을 말했습니다. 그 순수함 때문에 세상의 어른들이 눈감고 있는 것에 대해 멋대로 달려간 것이 아닐까 하고요. 그리고 이렇게 말했지요. 그들은 잘한 것도 같다고요."

그의 입에서 이 말이 나왔을 때 나는 그를 다시 보는 느낌이었다. 도쿄에 있을 때 도시코가 사형반대 집회나 항의데모에 참가한다거나 마사시만이 아니라 옥중에 있는 일반 형사범까지 면회를 계속한다는 이야기는 들었다. 하지만 그렇게까지 변모한 것은 내 예상을 뛰어넘는 일이었다. 그날 소규모 집회에는 구로카와 요시마사의 어머니, 마스나가 도시아키(益永利明)의 어머니도 우가진 하사이치의 공판 방청을 마치고 출석해 있었다. (가타오카 도시아키는 현재 마스나가 스즈코의 양자가 되어 성이 마스나가로 바뀌었다.) 아라이 마리코의 어머니는 그날 나오지 않았지만, 이 네 명의 어머니들이 일관되게 옥중에 있는 사람들을 지원해 온 힘에는 헤아리기 힘든 것이 있을 것이다. 그리고 그것은 동시에 그들이 변모해 가는 과정이기도 했다는 것을 나는 도시코의 그 한마디로 깨달았다.

"부끄럽네요. 그런 식으로 기억하다니 부끄러워요."

도시코는 약간 분명치 않은 목소리로 소녀 같은 말을 했다.

"제가 확인하고 싶었던 것은 그 뒤의 말입니다. 미쓰비시중공업 빌딩 폭파 사건 때 돌아가신 분들을 생각하면… 하는 부분의 목소리가 잘 안 들려서…."

"글쎄요…. 뭐라고 했을까요. 그때는 정말 긴장해서 잘 기억나지 않아요. … 미쓰비시중공업 빌딩 폭파 사건으로 돌아가신 분들을 생각하면… 가슴이 아파서 할 말도 없지만… 이라고 말하지 않았을까요. 돌아가신 분들을 생각하면 마음이 약해져서… 거기서 한 발짝도 내디딜 수 없는 상태가 몇 년이나 이어졌으니까요."

"언제부터 그 한 발짝을 내디딜 생각을 하게 되었습니까?"

"항소심이 시작될 무렵부터일 거예요. 집회 같은 데 참가해서 모두의 이야기를 듣게 되고 나서지요. 돌아가신 분들에 대한 마음의 고통은 결코 사라지는 게 아니고 또 지워도 안 되지만 거기에 계속 머문다고 뭐가 되는 것도 아니니까요…. 그들이 하려고 했던 것을 이해해 주어야 한다고 생각하게 되었습니다."

그 말을 들으며 어쩐 일인지 지금 그는 무척 자유로운 마음이 되어 있는 게 아닐까하고 나는 생각했다.

"다음 상경은 언제쯤으로 생각하십니까?"

"9월 14일 오사카 집회에 맞춰 오려고 생각하고 있는데요…."

동아시아반일무장전선의 네 피고에 대한 대법원 판결을 앞두고 아마 마지막이자 최대 규모의 항의 집회가 '반일 구경꾼 대박람회'라는 이름으로 오사카에서 열릴 예정이었던 것이다.

"저도 가니까 거기서 또 만나지요" 하는 약속을 하고 전화를 끊었다. 작품 발표가 어떻게 되는지 도시코가 마음에 두고 있다는 것을 알면서도 나는 그것을 언급할 수가 없었다. 나 자신은 다이도지 마사시의 반대를 무릅쓰고 발표해야 할지 망설이고 있었다.

다이도지 마사시로부터 이 작품 발표에 동의한다는 뜻의 속달을 받은 것은 9월 10일 저녁이다. 전면적 찬성이라는 것은 아닌, 몹시 고민한 끝에 선택한 것이라는 뜻이 전해지는 내용이었다.

나는 마지막으로 그에게 이렇게 물었다. “미쓰비시 공업 빌딩 폭파로 죽은 사람들에 대해 당신이 어떻게 생각하는지는 이미 몇 개의 글에서 읽었고 이 기록에도 인용하고 있습니다. 그런데 만약 이 기록을 위해 다시 한번 그 일에 대해 써서 남기고 싶은 생각이 있다면 보내주었으면 합니다.”

답변은 간략했다.

“분명히 말해서 가벼운 말로 여기저기에 너무 많이 썼습니다. 부탁을 받으면 싫다고 말할 수 없는 약한 성격 탓입니다만, 모든 말을 삼갔어야 하지 않았나 늘 생각합니다. 뭔가를 쓰면 쓸수록 내 진의와 달라지는 것처럼 생각되니까요. 그래서 여기에서는 아무 말도 하지 않는 편이 낫지 않을까 싶습니다. 죄송합니다.”

후기

처음에 이 작품은 〈문예(文藝)〉 겨울호(1986년 11월 7일)에 한꺼번에 게재되었으나 이 잡지가 옥중의 다이도지 마사시에게 도달한 것은 차입하고 2주가 지난 후였다. 구치소 측이 이례적으로 꼼꼼하게 보류 검토를 한 것으로 보인다. "지우지 말고 교부하라"고 강하게 요구했던 그에게는 손대지 않은 잡지가 들어왔지만, 동시에 차입된 다른 정치범에게는 상당히 많은 부분이 지워진 채였다고 한다.

"원고 단계 때보다 차분하게 읽을 수 있었습니다. 시간과 함께 마음이 정리된 것이겠지요. 그래서 지금은 아직 읽지 않은 사람들에게 추천하고 있습니다"라고 그는 써 보냈다.

1986년 11월 7일로 지정된 대법원 구두변론은 1987년 2월 3일로 연기되었다. 그 후 어떻게 될지를 생각하면 긴장하지 않을 수 없다.

《기억의 어둠(記憶の闇)》에 이어 이번에도 가와데쇼보신샤(河出書房新社)의 오사다 요이치(長田洋一), 오카무라 기센지로(岡村貴千次郎) 두 분의 격려 덕분에 집필할 수 있었다. 진심으로 감사드린다.

또 한 사람, 옥중에 있는 사람들로부터 마돈나로 불리는 무용수 F 씨에 대한 감사도 적어두고 싶다. 모든 자료를 모아준 것이 그였다.

또한 여기에 등장한 사람의 상당수가 가명이라는 것을 밝혀둔다.

1986년 12월 3일

해설

마쓰시타 류이치 씨는 정말 대단하다. 논픽션 작가로서 그는, 예컨대 다치바나 다카시(立花隆) 씨처럼 대중적으로 인기가 많은 주제를 다루거나 무대에서 화려하게 각광을 받는 사람이 아니다. 하지만 사실 누구에게도 지지 않는 최고의 실력자라는 것 정도는 나도 알고 있었다. 하지만 이 정도의 재능과 감성을 지닌 사람인 줄은 몰랐다.

이 책을 다시 읽고 절실히 그렇게 느꼈다. 왜냐하면—.

나는 산업 전문지의 신참 기자였던 30여 년 전, 날이면 날마다 똑같은 기사를 쓰고 있었다. 이런 식이었다.

> 일본철강연맹(회장 사이토 에이자부로藤英三)이 28일 정리한 8월의 철강 수출 실적은 237만 3,047톤, 전년 동월 대비 3.9퍼센트 증가, 금액 기준으로는 14억 845만 달러, 전년 동월 대비 4.7퍼센트 증가였다. 전(全) 철강 평균 수출 단가는 594달러로, 지금까지의 최고(과거 최고는 1981년 2월의 582달러)였다. 엔 기준 단가는 14만 100엔.
>
> 품종별로는 보통 철강재가 212만 8,168톤, 전년 동월 대비 4.1퍼센트 증가, 특수 철강재가 12만 5,377톤, 전년 동월

대비 16.0퍼센트 증가, 2차 제품 7만 9,344톤, 전년 동월 대비 8.9퍼센트 감소(일본공업신문, 1981년 9월 29일)

수출 통계인데도 발송지별 기술이 없다. 아무것도 생각하지 않고 그저 발표된 데이터 일부를 짧은 행수에 담는 것만을 유의한, 조금의 문제의식도 없는 원고였다. 미국발이 어느 정도이고 동남아시아발이 이 정도라는 기사를 많이 썼던 기억도 있다. 하지만 전보다 나은 것 같지 않은 일과에 상당히 싫증이 났던 나는 스크랩도 게을리하기 일쑤였기에 수중에 적당한 샘플도 눈에 띄지 않는다.

7년 전인 1974년 여름, 미쓰비시중공업 본사 빌딩이 동아시아반일무장전선 '늑대'에 의해 폭파된 사건이 있었던 것은 알고 있었다. 주범인 다이도지 마사시 등이 이듬해인 1975년 5월에 체포되었다는 것도 알고 있었다. 내가 고등학교 1, 2학년일 때의 사건이었다.

중학교 2학년 때 보도된 아사마 산장 사건이나 산악 베이스에서 벌어진 대량 살인 사건을 계기로 나는 혁명 운동이라는 것에 혐오감만 갖고 있었고, 당연히 미쓰비시중공업 빌딩 폭파 사건에도 관심을 가질 수 없었다. 그러므로 업계 단체의 보도 자료를 그대로 베낄 뿐인 듯한 '기자 활동'에도 딱히 저항감은 없었다. 그런데 몇 년이 지난 지금 다이도지 등의 주장을 대할 때 나는—어디까지나 기본적인 구조 이해에 한정된 이야기이지만— 깊이 공감하지 않을 수 없다. 그들은 과거 일본의 침략 전쟁이나 식민지 지배, 아이누 모시리나 오키나와를 동화시켜왔던 역사를 지적한 후 이렇게 강조했다.

> 우리는 그 일본 제국주의자의 자손이며 패전 후 시작된 일제의 신식민주의 침략과 지배를 허용하고 묵인하였으며 구 일본 제국주의자 관료들과 자본가들을 다시 소생시킨 제국주의 본국 사람이다. 이는 엄연한 사실이고, 모든 문제는 이를 확인하는 데서 시작하지 않으면 안 된다. (이 책 56쪽)

아무리 생각해도 활동가의 말투는 주장의 설득력을 현저히 떨어뜨리며, 개인적으로 좋아하지도 않는다. 그렇다 하더라도 종래의 좌익 또는 신좌익이 입에 담으려고 하지 않았던, 동시대 노동자 계급 자신도 제국주의 당사자라고 하는 논지는 정곡을 찔렀다고 생각한다. 이 나라의 고도 경제 성장을 비롯한 노동조합 운동이 획득한 임금 인상, 복리후생의 충실함은 바로 한국 전쟁이나 베트남 전쟁에서 미국의 불침항모(不沈航母) 역할을 계속해 온 것의 보상인 '특수(特需)'의 결과이기 때문이다.

그렇다. 그들이 제기한 명제는 전후를 살아가는 모든 일본인에게 들이댄 본질적인 물음이다. 그리고 그 칼끝은 지금도 아니, 지금에 와서는 더욱 예리해져 우리 눈앞에 있다. 사실대로 말하자면 2010년대의 일본은 사건 당시보다 훨씬 명확하고 자각적으로 '새로운 제국주의'를 지향하고 있다.

'늑대'들에 가까운 사고가 나름대로 퍼지고 사회 전체에 성찰의 기운이 싹트기 시작한 시기가 없지는 않았다. 하지만 그런 논의를 곧 '자학 사관'이라고 단죄하고, 일본은 과거도 현재도 항상 옳고, 이를 비판하는 자는 '매국노'라며 비웃는 풍조가 이제 보수적인 정계뿐 아니라 젊은이들의 세계도 완전히 뒤덮고 있는 게 아닌가.

무엇보다 현실의 경제 정책은 제국주의 그 자체의 양상을 드러내고 있다. 상세하게 해설할 지면은 없지만, 이 방향에서 접근해 가면 아베 신조(安倍晋三) 총리— 라기보다 근래의 정계, 재계, 관계, 매스컴의 주류가 왜 헌법 '개정'에 그렇게까지 집념을 불태우고 있는지가 보인다.

흔히 말하는 것처럼 아베 신조 개인은 조부가 이루지 못했던 '대일본제국'의 '영광'을 이번에야말로 하는 망상에 사로잡혀 있을 뿐인지도 모른다. 적어도 그렇게 행동하려고 하면 당연히 미국의 압도적인 지지가 대전제가 되어야 한다. 군산복합체가 지배하는 나라에 '귀여운 녀석'으로 보이기 위해서는 자위대를 그들의 전쟁에 참가시키는 것이 최상의 방법이다.

따라서 군국주의 부활과 대미 종속은 전혀 모순되지 않는다. 그와 동시에 이 주제로 취재를 거듭해 온 나는 일본 지배층에는 그들 나름대로 일찌감치 전시 체제를 구축하고 싶은 사정이 있다는 걸 알고 있다.

저출산 고령화가 그 이유다. 국립사회보장 인구문제연구소의 추계에 따르면 2065년의 인구는 현재보다 30퍼센트 감소한 8,808만 명으로 15세에서 65세의 현역 세대 1.3명이 고령자 한 명을 떠받쳐야 한다는 계산이 나온다고 한다(2015년은 2.3명. 1965년 10.8명이었다). 이제 젊은 부부가 아이를 낳아 키우고 싶어지는 환경이 아니고, 애초에 결혼은커녕 생활 그 자체가 힘들어진 세상이라고 하면 어쩔 도리가 없다. 하지만 지배층은 이 문제를 단숨에 해결할 수 있을 것처럼, 일석이조라는 듯이 '인프라 시스템 수출'을 국책으로 추진하고 있다.

하지만 그들의 가장 직접적인 관심은 대기업의 앞날이다. 노동 인구가 줄어들면 내수는 감소하기 때문에 성장하기 위해서는 국외의 수요 개척 이외에 길이 없다. 그렇다고 개별 기업의 해외 전략에만 맡긴다면, 시장 확대를 기대할 수 있는 지역에 자본을 투하할 뿐이고 국내로 환원되지 않는다. 그래서 아베노믹스의 성장 전략이 기둥으로 삼은 것이 '인프라 시스템 수출'이었다.

인프라스트럭처(사회자본)의 정비가 늦어지기 십상인 신흥 성장국들에 원전을 비롯한 발전소나 전력망, 통신망, 철도, 도로, 댐, 수도, 좀 더 말하자면 계획적인 도시 건설 등의 컨설팅에서부터 설계, 시공, 자재 조달, 완성 후의 운영, 유지 보수에 이르기까지의 대량 수주를 '관민일체'의 '올재팬 체제'(대량의 공표 자료에서 강조하는 표현)로 대량 획득한다. 원래는 민주당 정권하에서 '패키지형 인프라 해외 전개'라는 명칭으로 출발했던 국책 사업을 제2차 아베 정권이 새롭게 한 것이었다.

경제 성장은 모두가 행복해지기 위한 유효한 수단 가운데 하나지만 현 정권은 이 국책 사업에 두 가지의 너무 위험한 요소를 편입했다. '자원 권익의 획득'과 '재외 일본인의 안전'이다.

인프라 시스템 수출로 우호 관계를 구축한 상대가 지하자원이 풍부한 나라 정부라면 일본에 유리한 조건일 수 있다. 그러나 자원을 가진 나라에서는 글로벌 비즈니스와 개발 독재 대 원주민 사회의 분쟁이 으레 따르기 마련이고, 비무장 일본인 노동자나 비즈니스 엘리트가 어슬렁어슬렁 나가면 진짜 테러리스트들의 표적이 될지도 모른다. 산업 전사들을 지키기 위해서도 해외에서 싸울 수 있는 태세가 불가결하다—.

마침 제2차 아베 정권이 탄생한 직후인 2013년 1월, 알제리의 천연가스 정제 플랜트가 무장 그룹의 습격을 받아 외국인 노동자 약 40명(그중 10명은 일본인)이 살해당하는 사건이 발생했다. 그 직후 나는 아베의 지시로 발족한 자민 공명 양당의 프로젝트 팀에서 좌장을 했던 나카타니(中谷) 전 중의원(후에 방위상)을 취재했다. 그는 "선진 각국은, 특히 미국에서는 기업이 해외에서 자유롭게 비즈니스를 합니다. 무슨 일이라도 있으면 군대가 날아와 안전을 확보해 줍니다. 프랑스도 무장한 경비원이 항상 배치되어 있습니다. 그것이 국제사회입니다. 지금까지 일본은 그런 것도 할 수 없었습니다"라고 말했다. (상세한 것은 졸저 《전쟁이 가능한 나라로—아베 정권의 정체(戦争のできる国へ—安倍政権の正体)》(朝日新聞出版,

2014) 등을 참조할 것)

더욱 확실히 해두기 위해 방증을 하나 더 추가하기로 한다. 기업 경영자가 개인 자격으로 참가하는 재계 단체 '경제동우회(経済同友会)'는 2013년 4월, "'실행 가능'한 안전보장 재구축"을 공표하는데, 이는 그 후 본격화되는 집단적 자위권 행사 용인론과 같은 맥락이었다. 이에 따르면 "국민 경제의 기반을 세계 각국과의 통상에서 찾는 일본에서" 문제가 되는 것은 "헌법이나 '전수(専守) 방위' 등 독자적인 안전보장 개념에 의한 제약"이라고 단정한다. 그리고 "현재 우리나라에서 '자위'란 무엇을 의미하는가"를 "명확히 정의해야 한다"고 강조한다. 이때 지켜야 하는 '국익'의 세 가지 정의를 열거했다.

① 협의의 '국익'(영토, 국민의 안전·재산, 경제 기반, 독립국으로서의 존엄)
② 광의의 '국익'(재외의 자산, 사람의 안전)
③ 일본의 번영과 안정의 기반을 이루는 지역과 국제사회의 질서(민주주의, 인권 존중, 법치, 자유주의, 규칙을 따르는 자유무역)

어떤 이해가 옳은지 그것까지는 쓰여 있지 않다. 다만 전후의 맥락에서 판단할 때 경제동우회는 적어도 ②, 아마 ③의 해석에 서 있다는 것은 확실하게 보인다. ③이라고 하면 글로벌 비즈니스에 이의를 제기할 존재는 모두 섬멸해야 할 적이라는 이야기가 된다. 사실 그것은 미국이 전후에도 일관되게 취해온 태도였다.

통념과는 달리 이런 식이라면 제국주의와 다를 게 무엇인가. 예전에 '과잉 인구의 배출구'를 구실로 하던 식민지 지배가 자유무역을 방패로 과잉 자본의 배출구를 넓히고 싶은 비공식적인 경제 지배의 동기로 치환되었을 뿐이다. 아베가 진작부터 "보편적인 가치관을 공유하는 미국과 우리나라"라고 강조해 온 까닭이다.

정리하자면 대일본제국을 닮은 것의 생성, 미국에 대한 적극적인 예종(隸從)과 자위대의 용병화, 비즈니스 경호원으로서 군사력의 강화 등. 돈이 개별 인생에서도, 사회에서도 중요하다는 것은 알고 있으나 나는 제국주의는 부끄럽다고 생각한다. 그리고 전부터 전국 방방곡곡에 둘러쳐진 감시 카메라망이나 집행 권한의 확대를 꾀하는 도청법(통신방수법 通信傍受法), 거의 휴대 의무가 부과되어 있는 것 같은 스마트폰의 GPS 기능, 모든 분야에서 보급된 IC카드류라는 다채로운 감시 툴, 이것들을 꼬챙이에 꿰어 국민 한 사람 한 사람의 행동을 일원적으로 관리하는 국민총배번호제(마이넘버 카드), 나아가 2017년 7월에 시행된 '공모죄'인 새로운 죄상(罪狀) 등은 사람들로 하여금 전시 체제에 복종시키는 감시 체제다.

40년 전 동아시아반일무장전선의 면면이 오늘날의 인프라 시스템 수출까지를 내다보았다고는 생각하지 않는다. 다만 이렇게 검토해 가면 그들의 존재를 간단히 베어버리고 덮어버린 우리 사회가 얼마만큼의 정당성을 갖고 있었는지 무척 의심스러워진다.

물론 그렇다고 해서 나는 많은 사상자를 낸 그들의 행위를 결코 인정할 수도 없고 용서할 수도 없다. 죽여버리면 결국 제국주의의 사제들과 한통속으로 영락하기도 한다. 유치한 순수는 완전히 나빠진 유치한 어리석음의 표리일 수밖에 없는 것이다.

> (신문에) "뭐가 불만이어서 이런 일을 했는가"라는 표현이 있었습니다. 이것이 기자의 작문이 아니라는 전제하의 이야기이지만, 저는 섬뜩함을 느낍니다. 베트남 인민의 생혈과 조선 인민의 생혈로 뒤룩뒤룩 살찐 기업과 그 위에서 사는 일본. 아름다운 마음을 가진 젊은이가 이것에 의심이나 고통, 불만을 품지 않을 수 있을까요? (이 책 244-245쪽)

이 책에 따르면 다이도지 등이 체포된 직후부터 일찌감치 구원 활동을 시작한 '구원연락센터'의 미토 이와오 씨는 이렇게 말했다고 한다. 나 역시 오랫동안 '뭐가 불만이어서…' 쪽에 있었던 자신을 돌이켜볼 수 없는 상태였다. 겨우 자기 자신, 굳이 말하자면 일본인이라는 것에 죄가 많다는 사실에 생각이 미칠 수 있게 되었던 것이 십수 년쯤 전이었다. 일련의 기업 폭파에서 사반세기가 지나고 나서였다.

게다가 막연한 생각이 확신으로 변한 것은 '인프라 시스템 수출'의 국책을 명확히 내세운 2013년 이후이므로 실은 아주 최근의 일이다. 그런데도 마쓰시타 씨는 —.

1969년 자신의 일상을 담은 《두붓집의 사계》로 데뷔한 마쓰시타 씨는 세상 사람들로부터 이상적인 '모범 청년'이라는 역할을 부여받았다. 상세한 것은 본문에 있으므로 생략하지만, 얼마 후 전공투 운동의 열기에 이끌려 두붓집을 폐업하고 저술업에 전념하며 연고지인 오이타의 해안선을 덮친 거대 개발 프로젝트의 반대 운동을 시작하자마자 세평은 일변했다. 그는 '시민의 적'으로 불리게 된 것이다.

그 직후에 일어난 연쇄 폭파 사건에 마쓰시타 씨는 당초에 반발 이외의 감정을 품지 않았다. 하지만 머지않아 옥중의 다이도지와 교류를 하며 이 책을 쓰기 위해 그들의 행동을 검증해 가는 사이에 그들과 자기 자신이 아주 가까운 거리에 있었다는 사실에 경악했다고 한다.

하지만 아무리 가까운 거리에 있었다고 해도 그것뿐이라면 마쓰시타 씨가 다이도지에 대해 쓰는 일은 없었을 것이다. 두 사람을 연결해준 것은 뜻밖에도 《두붓집의 사계》였다. 옥중의 다이도지는 시정의 가난한 날들을 기록한 이 작품을 만나 감동을 받았다. 아니, 손에 집어들 수 있었던 것 자체에, 지금까지 그의 내적 성찰의 깊이가 엿보이는 게 아닐까.

어쨌든 그렇게 해서 편지 왕래가 시작되어 이 책이 쓰였다. 편지를 주고받는 가운데 다이도지는 이런 말을 남겼다.

> 그런데 '인민'이나 '대중'이라고 해버릴 때 개별 생활자의

특수성 같은 것은 보이지 않게 됩니다.

내게는 어쩐 일인지 기쁜 말이었다. 독자와도 공유하고 싶은데, 이 전후는 마쓰시타 씨의 문장으로 맛보지 않으면 안 된다. 이 책의 읽을 만한 부분 가운데 하나다.

이 책에서 마쓰시타 씨는 여기저기에 자기 자신을 등장시켜 그때그때의 심정을 토로하고 있다. 괴로워하고 시달리며, 그래도 다이도지와 동아시아반일무장전선을 쓰지 않을 수 없는 작가의 업이 전해져 외람되지만 애처로움마저 느껴진다.

2003년 이른 봄, 나는 어느 법률 잡지의 의뢰로 마쓰시타 씨를 인터뷰한 적이 있다. 다른 취재도 합쳐서 짧은 인물 르포 형태로 졸저에도 수록했는데 다시 읽어보니 나의 경솔하고 얕은 소견이 명백히 드러나 있어 부끄럽기 짝이 없었다. 게재지를 읽은 마쓰시타 씨는 필시 크게 실망했을 것이다.

그로부터 1년 남짓 지나 마쓰시타 씨는 세상을 떠났다. 표현하는 힘으로는 발밑에도 미치지 못하지만 이번에 이 책을 다시 읽고 마쓰시타 씨와 같은 감성을 갖고 있다는 생각이 들어 큰 격려를 받았다. 앞으로도 그를 사숙하며 정진하고 싶다.

사형수 다이도지 마사시는 2017년 5월 24일 오전 11시 39분 도쿄 구치소에서 다발성 골수종으로 사망했다. 법무

성이 그날 발표한 제5차 재심 청구 중이었다.

사람들의 이야기나 내면까지도 단속하는 '공모죄'의 취지를 포함한 개정 조직적 범죄 처벌법이 가결되어 성립한 것은 그로부터 20일 후인 6월 15일이었다. 마쓰시타 씨가 두려워하던 미래가 드디어 현실의 것이 되어간다. 그래도 나는 영혼을 담지한 인간으로 있고 싶다. 그러므로 저항한다. 마쓰시타 씨 같은 문필가가 되고 싶다.

2017년 7월

사이토 다카오(斎藤貴男)

동아시아반일무장전선 부대원 명단

조직	이름	체포일	양형/비고
늑대 부대	다이도지 마사시 (大道寺将司)	1975년 5월 19일	· 사형 구형 · 2017년 5월 14일 사망
	다이도지 아야코 (大道寺あや子)	1975년 5월 19일	· 1977년 9월 29일 일본 적군 합류(일본항공기 472편 하이재킹 사건)
	가타오카 도시아키 (片岡利明) ※옥중에서 입양되어 마스나가(利明)로 성이 바뀜	1975년 5월 19일	· 사형 구형
	사사키 노리오 (佐々木規夫)	1975년 5월 19일	· 1975년 8월 5일 일본적군 합류(쿠알라룸푸르 미국대사관 점거 사건)
대지의 엄니 부대	사이토 노도카 (斎藤和)	1975년 5월 19일	· 체포 후 자살
	에키다 유키코 (浴田由紀子)	1975년 5월 19일	· 1977년 9월 29일 일본 적군 합류(일본항공기 472편 하이재킹 사건) · 1995년 3월 20일 루마니아에서 체포 후 20년형 구형 · 2017년 3월 23일 출소
전갈 부대	구로카와 요시마사 (黒川芳正)	1975년 5월 19일	· 무기징역 구형
	우가진 히사이치 (宇賀神寿一)	1982년 7월 13일	· 18년형 구형 · 2003년 6월 11일 출소
	기리시마 사토시 (桐島聡)	-	· 지명수배 · 2024년 1월 29일 사망

동아시아반일무장전선 폭탄 투쟁 목록

날짜	장소	조직	비고
1974년 8월 30일	· 도쿄 미쓰비시중공업 본사 빌딩	· 늑대 부대	· 일제 전범기업 · 델타 작전=다이아몬드 작전
1974년 10월 14일	· 도쿄 미쓰이물산 본사 빌딩	· 대지의 엄니 부대	· 일제 전범기업
1974년 11월 25일	· 도쿄 데이진 중앙연구소	· 늑대 부대	· 브라질 아마존 원주민 투쟁에 호응
1974년 12월 10일	· 도쿄 다이세이건설 본사	· 대지의 엄니 부대	· 대표적인 해외 진출 건설기업 · 1937년 일제의 중국 난징 침공일
1974년 12월 23일	· 도쿄 가시마건설 건축본부 내장센터	· 전갈 부대	· 일제 전범기업 · 하나오카 작전
1974년 2월 28일	· 도쿄 하자마구미 본사 빌딩 · 사이타마현 하자마구미 오미야 공장	· 늑대 부대 · 대지의 엄니 부대 · 전갈 부대	· 1974년 12월 9일 말레이시아의 테멘고르 수력댐 건설을 반대하는 현지 게릴라에 호응 · 기소다니 테멘고르 작전
1974년 4월 19일	· 효고현 오리엔탈메탈제조 본사 · 도쿄 한국산업경제연구소	· 대지의 엄니 부대	· 한국공업단지 시찰을 중개한 한국산업경제연구소와 시찰단의 단장을 맡기로 한 오리엔탈메탈제조에 항의 · 1960년 한국의 4·19혁명 기념일
1974년 4월 28일	· 지바현 하자마구미 게이세이에도가와 작업소 · 도쿄 에도가와철교 공사 현장(불발, 5월 4일 폭탄 제거를 위해 재폭파)	· 전갈 부대	· 하자마구미 폭탄 투쟁 이후에도 해외 진출을 포기하지 않겠다고 하자 재폭파

《동아시아반일무장전선》 북펀드 참여 독자 명단

gomsoon
H
MJ
pryaniki
sangfun
강경민
강명구
강문국
강원중
강은빈
강정호수
겸겸
고두현
고범철
권나민
권용석(야우리)
권해송
권혁태
그날이오면서점
기픈옹달
김국국
김근성
김남훈
김다연
김덕진
김동현
김래아
김만석
김미례
김민석
김민채
김석환
김선
김성경
김성하
김수민
김수지
김순조
김아현
김영선
김영태
김윤주
김은수
김은희
김이삭
김일용
김지민
김지훈
김진만
김태림
김태완
김학수
김해진
김헌주
김효순
꾜무
나루
나일선
남선미
내꿈은냥집사
넥스트마인드
노찬오
달연
두 번째 마음
듀선생
류현정
李鎔範
마법사
맹수용
모두안녕
무명씨
문민기
문순창(역사교사)
미친이반
민태호
바랭인
박경섭
박기덕
박동규
박상헌
박성훈
박소현
박영근
박정민
박준성
박희정
반재하
배상미
배주연
백수영
보리
사랑의요정
사루(창준)
상도동몽구스
서의동
서지민
선미
선아
손민석
손성욱
손소희
송시영
송옥연
송은지
송지후
스튜디오 자율도
슬기
신소영
신재욱
심아정
여공
연혜원
오승영
오승원
옥창준
우승훈
유명주
유정임
윤덕중
이곤
이광욱
이김
이도균
이민수
이서연
이소연
이승용
이승진
이영진
이우영
이은호
이창제
이해인
이혜진
임가영
임래훈
임현창
장은애
장지혁
적월야
정성욱
정수민
정여름
정인순
정정희
정종민
정지윤
정치학교 4기 박필훈
정치학교 5기 박필훈
정현기
조서연
조아라(디굴)
조애진
조원하
조한진희
조현석
좌동 이성호
주용성
차라투스투라
차별금지법제정하라
차승현
최경미
최규진
최성용
최일화
최혁규
팩정홍
푸른하늘
하원정
하지수
한병학
한연화
한일청년평화인권기행
한정선
한정훈
한채선
한해순
한혁
황서영

외 61명

동아시아반일무장전선

1974-75년 일본 전범 기업 연쇄 폭파 사건

초판 1쇄 2024년 8월 30일

지은이 | 마쓰시타 류이치
옮긴이 | 송태욱
편집인 | 오주연
발행인 | 김애란
표지디자인 | 스튜디오 자율도
인쇄 | 새한문화사
출판사 | 힐데와소피
등록 | 제2021-000050호
주소 | 서울시 관악구 조원로 77, 202호 일부
이메일 | hildeandsophie@gmail.com
홈페이지 | www.hildeandsophie.xyz

ISBN | 979-11-98135-83-4 (03300)

책값은 뒤표지에 있습니다.